Skidamarink

ISBN : 978-2-7021-8182-9

Guillaume Musso

Skidamarink

roman

ÉDITEUR DEPUIS 1836

Préface
à la nouvelle édition

Ce roman, le tout premier que j'ai publié, est paru il y a bientôt vingt ans, le 9 mai 2001. Baptisé d'un titre énigmatique, *Skidamarink* – une comptine anglo-saxonne, vous comprendrez à la lecture –, il a bénéficié d'un accueil sympathique de la part des lecteurs et des libraires et s'est vu salué par quelques articles de presse encourageants.

L'intrigue met en scène quatre personnages recevant chacun un morceau de *La Joconde* assorti d'un mystérieux rendez-vous dans une chapelle italienne. Aujourd'hui, cette trame sonne comme une variation du *Da Vinci Code*, mais c'était quatre ans avant la parution du livre de Dan Brown et le traitement en était différent : davantage centré sur l'intimité, les secrets et les fêlures des personnages que sur un complot planétaire.

Au fil des années, le livre est devenu introuvable en librairie et les exemplaires en circulation ont atteint des prix stratosphériques sur les sites d'enchères en ligne, au point que je déconseillais à ceux d'entre vous qui m'en parlaient de les acquérir. Mais au gré des échanges avec le public, à travers ses lettres ou nos rencontres en librairie, beaucoup de monde continuait de me parler de *Skidamarink* et manifestait son envie de découvrir le roman. D'autres encore en avaient lu des extraits en numérique grâce aux versions pirates de mauvaise qualité qui circulaient sur Internet et regrettaient de ne pas avoir la version papier.

En cet automne 2020, j'ai pensé que l'heure était venue de redonner une place à *Skidamarink,* dont le souvenir a été un peu éclipsé par l'écho de *Et Après...* qui lui a succédé. Une façon de remercier ceux d'entre vous qui l'attendaient d'avoir été patients, et de remettre ce livre dans le contexte de ce parcours singulier que j'ai entrepris avec passion et fièvre, l'écriture étant pour moi le contraire d'une occupation frivole.

Depuis longtemps déjà j'avais envisagé tantôt de le réécrire tantôt d'en donner une autre version. Mais chaque année, emporté par de nouvelles histoires à écrire – les nouveaux projets étant toujours plus en accord avec notre vie actuelle – je remettais ce désir à plus tard. Jusqu'à ce qu'un jour je me rende à l'évidence: j'aimais ce roman tel qu'il était, dans son jus, avec les qualités de ses défauts et les défauts de ses qualités.

C'est donc cette version d'origine, à peine toilettée, que je vous propose dans les pages qui viennent.

Je l'ai écrite entre 1998 et 2000, entre Antibes, Montpellier, Dublin et l'est de la France. Je venais de terminer mes études et je débutais dans la carrière de professeur de lycée. J'ai commencé à taper le manuscrit, qui s'appelait encore *Le Puzzle*, sur le vieux PC de la maison familiale, et l'ai poursuivi sur le Mac portable payé avec mes premiers salaires. Au printemps 1999, j'en ai réécrit les cent premières pages, presque de tête, sur de grands cahiers à carreaux Seyès, parce qu'on avait cambriolé mon appartement et volé mon ordinateur et les disquettes qui traînaient à côté. À l'époque, j'écrivais le soir, après la préparation des cours et la correction des copies, jusque très tard dans la nuit, en buvant des litres de café et écoutant des CD de Keith Jarrett et de Philip Glass. Avant que je ne l'envoie aux éditeurs, le roman a été relu et corrigé par ma mère, et cette expérience – partager adulte un projet avec ses parents – fut un moment inattendu, joyeux et original.

Peut-être plus encore qu'aujourd'hui, l'écriture était une part non négociable de ma vie. Comme mon héros écrivain dans *La Fille de Brooklyn*, « je me racontais des histoires dans ma tête depuis l'âge de six ans et, dès mon adolescence, l'écriture s'était imposée comme le centre de mon existence, le moyen de canaliser mon trop-plein d'imagination. J'écrivais tout le temps, partout : sur les bancs publics, sur les banquettes des cafés, debout dans le métro. Et lorsque je n'écrivais pas, je pensais à mes personnages, à leurs tourments, à leurs amours ».

En relisant *Skidamarink* aujourd'hui, j'y trouve en germe des éléments qui deviendront des invariants de mon travail.

« Il y a trois règles pour écrire un roman, affirmait Somerset Maugham, malheureusement personne ne les connaît. » S'il n'y a pas de règles pour écrire, il y a en revanche des directions, des caps, que l'on se fixe très tôt lorsque l'on ambitionne de faire lire ses textes. Et l'une de mes boussoles aura toujours été le souci du lecteur ou, plutôt, la volonté d'écrire dans la mesure de mes moyens l'histoire que j'aurais aimé lire en tant que lecteur.

Skidamarink témoigne ainsi de mon désir d'alors de raconter une histoire romanesque, une aventure qui bouleverserait la vie de mes personnages, de les saisir dans une forme de retraite qu'ils s'étaient tous les quatre imposée pour les remettre malgré eux dans l'action, au centre d'une enquête hors norme qui les dépasse totalement. J'aime que mes personnages soient extirpés de leur vie et que la tension romanesque les pousse au bord du gouffre pour les obliger à aller « au bout d'eux-mêmes », comme disait Simenon. La véritable aventure a toujours été pour moi le voyage intérieur, et c'est cette même mise à nu du chemin secret parcouru par les personnages qui continue plus que jamais à guider mon écriture aujourd'hui. Quels que soient l'intrigue, l'enjeu ou la coloration plus ou moins « noire » du roman, c'est dans les conflits intérieurs des personnages, leur incendie intime, que va se jouer la résolution de l'histoire.

À ce souci du lecteur s'ajoute l'exigence d'écrire mes romans à un double niveau de lecture. Le premier, comme je l'ai expliqué, est cette frénésie de tourner les pages, d'avancer dans l'histoire, d'essayer de créer chez le lecteur le plaisir de l'attente, celle de se réjouir à l'avance de rentrer chez lui le soir pour retrouver son roman. Pour reprendre les mots de Stevenson, « toute lecture digne de ce nom se doit de nous arracher à nous-même » et la lecture a ceci de fascinant qu'elle nécessite la coopération active du lecteur. Tout le monde lit le même livre, mais chacun se fabrique ses propres images. L'auteur n'effectue que la première moitié du chemin avant de passer le relais à son lecteur qui terminera le tour de piste.

Mais j'apprécie aussi qu'un texte fédère des lecteurs différents. À un deuxième niveau de lecture, j'aime ainsi que mes romans soient sous-tendus non par un message, mais par un propos. Si *Skidamarink* a quelque chose de précurseur, c'est dans la mesure où il fut, à ma connaissance, l'un des premiers thrillers à s'interroger sur les dérives de ce qui était souvent présenté à l'époque comme une « mondialisation heureuse ». Le roman pointe également l'essoufflement démocratique, les dangers potentiels d'une

« science sans conscience » et les impasses d'un individualisme narcissique et égoïste. Certes, un roman
n'est pas un essai et encore moins un cours magistral. S'il brasse des idées, celles-ci doivent s'inscrire
dans la dynamique d'une fiction. Mais ce côté ludique
n'exclut pas la complexité. Au contraire, l'« esprit de
complexité » constitue selon Kundera l'esprit même
de la forme romanesque. Cette complexité est celle de
notre époque, déboussolée, fracturée, dans laquelle
les anciens paradigmes sont en train de rendre l'âme
tandis que les nouveaux consensus tardent à se cristalliser. Cette complexité est aussi, encore et toujours,
celle de l'âme humaine. Car l'être humain est intrin-
sèquement complexe, tiraillé entre des aspirations
contraires, tour à tour résolu et perclus de doutes,
hanté par ses remords et ses regrets, s'enivrant ou
s'alarmant d'un futur glorieux ou apocalyptique et
passant trop souvent à côté d'une vie qui lui file entre
les doigts.

J'ai écrit beaucoup de livres après *Skidamarink*,
mais ce premier gardera pour toujours une saveur
particulière. J'ai essayé de décrire certains de mes
sentiments d'alors à travers le personnage de Raphaël
Bataille, le romancier en herbe de *La Vie secrète des
écrivains*. Comme lui, j'étais déjà animé d'une réelle
passion pour la lecture et l'écriture. Cette conviction,
un peu naïve, dépourvue de cynisme et de désenchan-
tement, que les mots sont capables, comme le disait
Huxley, de « transpercer n'importe quoi, tels des

rayons X », selon la façon dont on les choisit et dont on les agence.

Tout n'était pas parfait dans ma vie à cette époque, si lointaine et si proche, mais j'ai profondément aimé cette période de construction où je posais sans le savoir des fondations invisibles qui soutiennent toujours ma maison aujourd'hui.

Et « ce que j'ai aimé un jour, que je l'aie gardé ou non, je l'aimerai toujours[1] ».

---

1. André Breton, *L'Amour fou*, Gallimard, 1937.

World Network Television
Flash spécial d'informations
Jeudi 2 septembre 2004. Midi.

Mesdames et messieurs, bonsoir.

Grand émoi ce matin au musée du Louvre où *La Joconde*, le tableau le plus célèbre du monde, a disparu, laissant un vide effroyable dans le grand musée qui l'abritait depuis 1804.

Pour de plus amples informations, retrouvons immédiatement sur place à Paris notre correspondante Caroline Weston.

« Bonjour George, bonjour à tous.

« La direction du musée du Louvre vient en effet de reconnaître tout à l'heure la disparition du célèbre tableau. Il semblerait qu'il ait été dérobé dans la nuit de mercredi à jeudi dans des conditions encore très mystérieuses et d'autant plus inexplicables qu'il était protégé par un dispositif de sécurité des plus perfectionnés, censé dissuader tout acte de vandalisme et toute velléité de cambriolage. Il semblerait aussi qu'aucune alarme ne se soit déclenchée cette nuit et que la vitre de protection du tableau ait été retrouvée intacte. L'enquête s'annonce donc difficile pour les policiers de l'Office central pour la répression du vol d'œuvres et d'objets d'art qui interrogent actuellement le personnel du musée.

Rappelons que *La Joconde* avait déjà été volée une fois en 1911. Mais le chef-d'œuvre de Léonard de Vinci avait été retrouvé deux ans plus tard chez un marchand d'antiquités florentin.

Ce tableau sans prix, portrait d'une jeune femme noble de la Renaissance, paraît pourtant invendable, sauf à des collectionneurs malintentionnés.

Mais, en ces temps de conflits et d'incertitude, c'est la représentation symbolique de l'œuvre qui paraît importante, plus que sa valeur artistique.

En effet, cette petite huile de soixante-dix-sept centimètres de long sur cinquante-trois centimètres de large est certainement la création picturale la plus célèbre au monde et symbolise, à elle seule, l'art et la culture de l'Occident, au point que sa disparition apparaît aujourd'hui comme un rude coup porté à la civilisation occidentale dans son ensemble.

Ici, à Paris, et sans doute dans le monde entier, l'émotion est très grande et deux questions sont sur toutes les lèvres : où est Mona Lisa à présent et la reverra-t-on jamais ?

Paris, Caroline Weston
pour World Network Television

I
Au soleil de Toscane

1
Portrait de femme

Lorsque le professeur Magnus Gemereck pénétra dans son bureau du Massachusetts Institute of Technology ce samedi matin, il se sentait d'humeur joyeuse même s'il n'avait pas dormi depuis plus de trente heures, ses recherches l'ayant gardé éveillé toute la nuit.

Il sortit sa machine à café d'un petit placard et entreprit de se confectionner un breuvage revigorant, tout en écoutant à la radio les dernières nouvelles du monde. Si, en ce 4 septembre, *La Joconde* restait introuvable, un autre événement volait aujourd'hui la vedette à Mona Lisa : l'enlèvement présumé du milliardaire américain William Steiner, le très controversé roi de l'informatique, dont la firme, MicroGlobal, régnait en maîtresse sur l'industrie d'Internet et du multimédia.

Magnus attendit la fin du bulletin d'informations pour changer de station et s'arrêter sur une fréquence de musique classique qui diffusait un quatuor à cordes de Beethoven. Il se versa une grande tasse de café fumant, en but quelques gorgées, croisa les jambes sur son bureau et ferma les yeux pour mieux savourer la musique.

Comme il était bien ! Pendant un long moment, il s'imagina être revenu dans la douceur et la chaleur de son lit d'enfant, collé contre le mur de sa chambre à l'étage de la datcha familiale de Saint-Pétersbourg qui, à l'époque, s'appelait encore Leningrad.

Sur sa grande table de travail, au milieu de dizaines d'ouvrages sur la génétique et des dernières parutions scientifiques que lui envoyaient ses éminents collègues, se trouvait le courrier du matin que sa secrétaire venait de rassembler dans un carton. Magnus s'empara d'un petit colis et le retourna dans tous les sens sans trouver le nom de l'expéditeur. Il l'ouvrit sans tarder, espérant, sans trop y croire, une boîte de chocolats – ou, mieux, de cigares – et redoutant plutôt le énième ouvrage d'un confrère qui vanterait les bienfaits futurs du clonage humain.

C'était bien une boîte, mais elle ne contenait rien de tout ce que Magnus aurait pu imaginer. Simplement un rectangle de bois peint mesurant quarante centimètres de long sur vingt-cinq centimètres de large.

Il avait devant lui les mains de *La Joconde*.

Magnus devait avouer plus tard que ce qui l'avait le plus ému était l'impression de délabrement qui se dégageait du morceau de bois. Le tableau semblait en effet avoir été charcuté à la scie sauteuse.

Il avait ressenti à cet instant la même émotion que lorsque l'empire soviétique s'était écroulé au début des années 1990 : le sentiment de vivre un événement qu'il n'aurait jamais osé imaginer.

De nous tous, ce fut sans doute lui qui, dès le début, prit l'affaire le plus au sérieux. Je crois qu'il comprit tout de suite que quelque chose de capital venait de bouleverser non seulement sa vie, mais aussi celle de plusieurs de ses semblables.

Magnus essaya de dominer son émotion. Il souleva délicatement le fragment et trouva dessous une carte de visite, vierge de tout patronyme, mais qui portait l'inscription suivante :

3. « Science sans conscience n'est que ruine de l'âme. » RABELAIS, *Pantagruel*, VIII, 1532.

Il retourna le carton et lut ces quelques lignes qui semblaient annoncer un rendez-vous :

Samedi 11 septembre, 16 heures
Chapelle Santa Maria
Monte Giovanni
Province de Sienne
Toscane

Après avoir lu le mot « Toscane », il ferma à nouveau les yeux un instant pour s'imaginer, seul, dans la cave d'une grande exploitation vinicole italienne, en train de déguster tout à loisir quelques bouteilles du célèbre vin rouge de Chianti.

Barbara, elle, ne m'a jamais raconté précisément quelle fut sa première réaction en recevant son paquet.

J'imagine qu'à l'époque elle était plus préoccupée par la disparition de Steiner : le milliardaire à l'ego surdimensionné était son ancien patron, en quelque sorte, puisqu'elle avait travaillé dans une filiale de MicroGlobal plusieurs années auparavant.

Ce samedi-là, comme tous les autres jours, elle est sûrement arrivée parmi les premiers à son bureau de Seattle. Elle a dû composer machinalement son code personnel pour pénétrer dans le grand immeuble de verre, consulter la messagerie de son téléphone portable dans l'ascenseur, puis réajuster la jupe de son tailleur, avant de jeter un troisième coup d'œil à sa montre en se disant que, décidément, le temps passait trop vite. Quand elle est entrée dans son bureau, je suis prêt à parier qu'elle a demandé à sa secrétaire de lui apporter un yaourt au soja ou un muffin aux algues marines parce qu'elle n'avait pas eu le temps de déjeuner chez elle. Enfin, il est probable qu'elle s'est prêtée au traditionnel test d'identification de pupille pour allumer son ordinateur, avant d'ouvrir son courrier, tout en gardant un œil sur son agenda électronique.

Aujourd'hui encore, je ne saurais dire exactement comment elle a réagi en ouvrant la boîte qui lui était nominalement adressée, mais je suis presque certain que la vue du tableau mutilé n'a pas dû provoquer chez elle une intense émotion. Barbara est comme ça : aucune œuvre d'art ne pourra jamais lui remuer les tripes.

Magnus avait reçu la plus grande partie des mains de Mona Lisa, Barbara devait hériter de la partie symétrique à la mienne : l'autre moitié du sourire. Avec une citation en prime :

1. « *C'est de l'enfer des pauvres qu'est fait le paradis des riches.* »
Victor HUGO, *L'homme qui rit,* 1868.

Et toujours un carton d'invitation :

Samedi 11 septembre, 16 heures
Chapelle Santa Maria
Monte Giovanni
Province de Sienne
Toscane

De toute façon, elle n'aimait pas l'Europe.

Le père Vittorio Carosa n'était pas homme à se décourager du nombre peu élevé de fidèles qui fréquentaient la chapelle Santa Maria dont il avait la charge depuis quelques mois. En fait, ses plus gros « clients » étaient maintenant les bataillons de touristes qui, à travers leur périple toscan, s'arrêtaient fréquemment au village de Monte Giovanni, dans la province de Sienne, pour visiter l'édifice religieux datant du XIᵉ siècle.

Lorsque le facteur passa, ce samedi-là, ce devait être au milieu de la matinée, après la messe de 9 heures qui n'avait attiré que deux *mamma* venues demander au Seigneur de faire s'abattre toute la malédiction du monde sur la fille du cafetier, dont le décolleté ravageur semait constamment la zizanie parmi les couples du village.

Le père Carosa ne recevait pas souvent de courrier. En voyant le paquet, il s'imagina d'abord qu'il s'agissait de l'arrivage des petits cierges qu'il avait commandés, la semaine précédente, à son fournisseur de Rome.

Une fois la boîte ouverte, ce qui lui fit le plus d'effet fut de pouvoir toucher le tableau. Le toucher et le respirer. Plus tard, il devait m'affirmer à plusieurs reprises que l'œuvre sentait encore quelque chose. Ce n'était pas une odeur de peinture – comme moi, il ne mit jamais vraiment en doute l'authenticité des fragments qui nous avaient été envoyés –, mais une odeur particulière qui le bouleversait et qu'il appelait « l'odeur du temps ».

Mais le père Carosa était tout sauf naïf. Bien qu'il n'y eût aucun nom d'expéditeur sur la boîte, il n'émit jamais l'hypothèse que la main de Dieu pût être pour quelque chose dans cette affaire. Dieu ne laissait pas de carte de visite, même si celle qu'il trouva au fond de la petite boîte contenait une parole que n'aurait sans doute pas reniée l'Éternel :

2. « *Nul homme n'est une île complète en soi-même ; tout homme est une part de continent, une part du tout. La mort de tout homme me diminue parce que je suis solidaire du genre humain. Ainsi donc, n'envoie*

*jamais demander : pour qui sonne le glas ; il sonne
pour toi. »*
John Donne, *Devotions upon emergent occasions*,
1623.

En retournant la carte, il fut surpris de lire sa propre
adresse, puis devina qu'il y aurait au moins un visiteur,
samedi, pour la messe de l'après-midi.

Comme tous les matins depuis deux ans, j'avais choisi
le coin le plus reculé du café pour prendre mon petit
déjeuner. À mon entrée, le patron de l'établissement
m'avait salué d'un jovial « Bonjour, maître » avant de
m'apporter un double café et une corbeille de crois-
sants frais. Le facteur qui passait par le bar avant de
commencer sa tournée en avait profité, comme à son
habitude, pour me remettre mon courrier ainsi qu'un
exemplaire du *Herald Tribune* auquel j'étais toujours
abonné.

Je me souviens d'avoir parcouru rapidement les
titres du journal en dégustant mon premier croissant : la disparition de Steiner et l'enquête sur le vol de
La Joconde monopolisaient de nombreuses pages, mais
je ne lus aucun de ces articles. Cela faisait longtemps
que les tourments du monde ne me touchaient plus et
seules les pages littéraires et sportives continuaient à
éveiller chez moi un semblant d'intérêt.

Dès l'instant où l'employé des postes m'avait remis le
colis, j'avais eu un mauvais pressentiment : « *No news*

is good news », disait autrefois mon père – un capitaine de cargo français – lorsqu'il consentait à dire quelques mots dans la langue universelle pour faire plaisir à son Américaine de femme.

Je déballai le paquet sans attendre, en sortis une boîte en bois que j'ouvris tout en m'assurant que personne ne regardait dans ma direction.

Dehors, il tombait toujours cette pluie fine, caractéristique de la Bretagne et qu'à l'époque je croyais tant aimer. J'étais dans une période de ma vie où rien ne pouvait plus me surprendre. J'attendais patiemment que s'écoulent les jours en limitant mon activité au triptyque « manger – dormir – se promener », et la moindre contrariété à cet emploi du temps n'éveillait en moi qu'inquiétude et abattement.

C'était le quart supérieur droit du tableau : la moitié du sourire le plus célèbre de toute l'histoire de l'art. Comme tout le monde, j'avais vu la reproduction de *La Joconde* des centaines de fois, sur des couvertures de livres, des tee-shirts ou des cartes postales. Pourtant, ce matin-là, la dépouille du tableau me fit presque la même impression que l'horreur d'un corps déchiqueté. Puis, peu à peu, j'osai la regarder et je la trouvai encore belle. Ce qui me frappa d'abord, ce fut l'esthétique et la couleur du fond, ce paysage de montagnes escarpées qui paraissait pourtant incomparablement léger. Puis le doux modelé du visage qui ressortait clairement malgré son amputation et où dominait une impression de pudeur mâtinée d'indécence.

Pour toute explication, il n'y avait qu'une phrase, jetée sur un bristol :

4. « *La misère morale et politique d'un gouvernant le rend de fait illégitime.* »
Alexis de TOCQUEVILLE, *De la démocratie en Amérique*, 1835.

Et, derrière le bristol, cet étrange rendez-vous :

Samedi 11 septembre, 16 heures
Chapelle Santa Maria
Monte Giovanni
Province de Sienne
Toscane

Je restai longtemps à fixer cette citation que je connaissais bien en tant qu'ancien avocat : qu'est-ce que cela pouvait signifier dans ce contexte ? Pourquoi avais-je le pressentiment que ce morceau de tableau était bien un quart de la véritable Mona Lisa et non pas celui d'une vulgaire copie ? Pourquoi ai-je eu peur avant même d'ouvrir le paquet et n'ai-je jamais pensé qu'il pouvait s'agir d'une blague ou d'un coup monté ?

La nuit suivante, moi qui ne rêve jamais, j'eus le sommeil troublé par une étrange scène : caché derrière une épaisse colonne d'un monastère italien, j'assistais à une partie de poker très disputée entre les quatre barons de la Renaissance : Dante le poète, Giotto le peintre, Boccace l'écrivain et Pétrarque l'humaniste. Un mystérieux portrait de femme était l'enjeu de leur empoignade.

2
Quatuor

J'avais eu peur d'être en retard mais il n'était pas encore 16 heures lorsque, en cette après-midi ensoleillée de septembre, un volubile chauffeur de taxi florentin me déposa devant la chapelle Santa Maria. Il n'y avait personne à l'intérieur, à l'exception d'un grand type avec un costume d'été en lin et un appareil photo autour du cou. Debout près de l'autel, il admirait une statue de la Vierge en bois sculpté. De loin, on aurait pu lui trouver une vague ressemblance avec Sean Connery. Ainsi m'apparut Magnus pour la première fois : un élégant James Bond sexagénaire à la barbe argentée soigneusement taillée.

Nous nous sommes jaugés de loin. Pour ne pas rester sans rien faire, je pris un missel poussiéreux dans un petit casier d'olivier et commençai à le feuilleter. Magnus se rapprocha de moi, mit un billet de 5 euros dans le tronc et alluma un cierge. À ce moment, la porte du fond s'ouvrit sans bruit pour laisser entrer le prêtre, un homme souriant d'à peine trente ans qui s'avança vers l'autel et commença son office.

Comme j'ai l'habitude de respecter les usages, je m'assis sur un des bancs de chêne au milieu de la nef. Magnus en fit autant mais s'installa dans l'autre rangée.

Nous étions vraiment les seuls dans l'église et je me demandais quelle était l'utilité de célébrer une messe à 4 heures de l'après-midi, par une telle chaleur et pour deux touristes qui ne comprenaient sûrement pas un mot d'italien. Je n'avais pas mis les pieds dans un lieu de culte depuis près de dix ans. Pourtant, cet après-midi-là, la fraîcheur des pierres et la délicate odeur d'encens avaient été comme un baume sur les blessures encore vives de mes années de guerre. C'est un phénomène connu : dans les églises, il fait souvent bon et la lumière est douce, alors, immanquablement, on a tendance à se laisser prendre par le sacré…

En écoutant attentivement le prêtre, je crus reconnaître un passage de l'Ecclésiaste, « *Vanitas vanitatum et omnia vanitas* » et, à la façon dont il nous regardait, Magnus et moi, j'eus l'impression que c'était lui qui nous avait fixé cet étrange rendez-vous.

La messe était commencée depuis vingt minutes quand un cabriolet jaune pila violemment devant la porte de l'église. Une jeune femme en tailleur gris sortit du véhicule et avança sans gêne dans la travée centrale.

Je me souviendrai longtemps du bruit de ses talons sur le sol de la chapelle et de l'impression bizarre que nous avons tous ressentie en voyant entrer ce corps de mannequin dans la maison de Dieu.

De loin, elle nous détailla tous les trois d'un œil critique et, pendant un moment, je crus vraiment qu'elle allait interrompre l'office. Mais, imperturbable, le prêtre continua son homélie, et la jeune femme se résolut finalement à attendre la fin de la messe, debout, adossée à la vasque d'eau bénite près de l'entrée. Comme la grande porte était restée ouverte, un flot de lumière inondait le lieu et caressait le velouté de sa peau. Pendant l'office, son téléphone portable sonna à deux reprises. Chaque fois, elle répondit bruyamment sans se donner la peine de sortir et en faisant résonner son accent yankee dans tous les coins du sanctuaire. Telle était Barbara, qui me fut immédiatement antipathique.

Comme personne ne se levait pour communier, le prêtre récita quelques paroles pour clore son service ; il s'apprêtait déjà à ressortir par la porte du fond. À ce moment, une étrange tension flottait dans l'air, comme si chacun se demandait quel comportement il devait maintenant adopter.

Lequel d'entre nous paraissait le plus agité ? Moi peut-être, vu les efforts qu'il m'avait fallu déployer pour abandonner ma vie d'ermite et me rendre à ce rendez-vous. Mais, à dire vrai, aucun de nous ne donnait l'impression de vraiment savoir ce qu'il faisait là.

— Quelqu'un désire-t-il un renseignement ? demanda le jeune prêtre dans un anglais tout à fait acceptable.

— Oui, mon père, répondit Magnus au culot. Euh… on m'a dit qu'il y avait peut-être la possibilité d'admirer un tableau de Léonard dans les environs. Est-ce exact ?

Tout comme moi, Barbara dévisagea Gemereck avec insistance.

— Êtes-vous également à la recherche de renseignements sur Vinci ? s'enquit le prêtre en nous regardant, Barbara et moi, sans avoir répondu à Magnus.

— Oui, mon père, avons-nous acquiescé dans un même élan, tout en trouvant bizarre de donner du « mon père » à quelqu'un de si jeune.

Le prêtre caressa fugacement sa barbe naissante puis, d'un signe de la main, nous invita à entrer avec lui dans la sacristie. Là, il ôta sa soutane, réajusta, en s'appliquant, le jean Calvin Klein et le polo Ralph Lauren qu'il portait en dessous, avant de se présenter :

— Père Vittorio Carosa, enchanté, dit-il en tendant la main.

Je ne saurais pas analyser exactement ce qui se produisit à ce moment-là. Rétrospectivement, je suis encore étonné par le fait que tout le monde déclina aussitôt sa véritable identité. Même si, pendant tout le temps que durerait cette affaire, personne ne devait à aucun moment baisser véritablement sa garde, je crois qu'il nous apparut dès le début que nous étions tous, à des niveaux semblables, parties prenantes dans cette histoire.

— Professeur Magnus Gemereck, chercheur en biologie au Massachusetts Institute of Technology.

— Barbara Weber, directrice des ventes de l'établissement Wesson de Matthew & Wesson, Seattle.

— Théo McCoyle, ancien avocat, dis-je à mon tour pour clore les présentations.

À l'invitation du prêtre, nous nous assîmes autour d'une table ronde qui sentait bon le bois d'olivier. Magnus fut le premier à parler :

— Mon père, est-ce vous qui m'avez fixé ce rendez-vous ?

— Je n'ai rien fait de tel, se défendit le jeune prêtre.

Barbara semblait la plus pressée d'en finir :

— Écoutez, je n'ai pas fait neuf heures d'avion pour tourner autour du pot, affirma-t-elle dans son style sans nuance. J'ai reçu avant-hier un morceau de l'œuvre de Léonard, accompagné d'une explication fumeuse. Je désire seulement savoir qui me l'a envoyé et ce que tout cela signifie.

Un long silence suivit son intervention. Personne ne s'attendait à ça et je voyais bien que Magnus et le prêtre hésitaient à jouer cartes sur table. J'étais comme eux : je soupçonnais un piège et décidai de me taire. C'est l'homme d'Église qui, finalement, se résolut à répondre calmement :

— Je dois vous avouer que je suis dans le même cas que vous.

— Moi aussi, enchaîna Gemereck, ravi de voir que la situation commençait à se décanter.

Trois paires d'yeux se tournèrent alors vers moi. Je sortis un paquet de Marlboro light de la poche de ma chemise, allumai lentement une cigarette et en proposai une à mes trois compagnons.

Magnus et Barbara arrivaient des États-Unis, moi de France : aucun de nous n'avait été assez fou pour essayer de passer la douane en emportant son fragment de tableau. En revanche, nous avions tous avec nous la carte de visite. Magnus l'avait caché dans une de ses semelles, Barbara dans un poudrier en argent et moi dans un paquet de cigarettes. Nous avons étalé les trois cartons sur la table. Seul manquait celui du prêtre.

— Venez m'aider, s'il vous plaît, demanda-t-il avant même que nous l'interrogions.

Après avoir fermé les portes de l'église, Carosa nous sollicita pour déplacer le bénitier. En dessous se trouvait une grosse dalle en pierre légèrement surélevée que Magnus réussit à soulever avec mon aide. Le prêtre sortit alors de sa cachette la même boîte en bois que nous avions tous reçue. Nous avons tout remis en place, n'emportant que le bristol pour le mettre à côté des trois autres sur la table de la sacristie.

Deux jours plus tôt, nous avions tous entendu aux informations que Scotland Yard – Scotland Yard ! – avait reçu un colis contenant la moitié des petits clous qui retenaient *La Joconde* à son encadrement, ainsi qu'une feuille de papier recouverte de plusieurs citations littéraires, économiques et politiques. Chacun avait alors pu constater que l'une d'entre elles correspondait à celle qu'il avait lui-même reçue. La police londonienne aurait préféré ne pas diffuser cette information, mais, comme la feuille avait aussi été envoyée à différents journaux, la nouvelle avait filtré et n'avait pas été démentie.

Les proportions que prenait cette affaire avaient achevé de me persuader d'effectuer ce voyage en Italie, même si j'avais beaucoup hésité avant de décider de ne pas avertir les autorités.

J'imaginais que Paris ne comprenait pas pourquoi les petits clous du tableau avaient été envoyés à Londres alors qu'il n'y avait ni revendication ni demande de rançon. Cela voulait-il dire que le tableau avait déjà quitté le territoire français ? C'était ce que redoutait le plus la police française, car, dans ce cas, l'enquête serait certainement plus difficile. À mon avis, cet envoi ennuyait aussi les Anglais, qui, fidèles à leurs habitudes, auraient préféré rester en dehors d'une telle histoire. Quoi qu'il en soit, les deux pays, désireux de collaborer, avaient déjà mis leurs meilleurs experts sur la brèche pour trouver une signification aux messages.

À notre tour, nous avons mis nos quatre bristols les uns au-dessous des autres pour obtenir l'intégralité du message.

1. « C'est de l'enfer des pauvres qu'est fait le paradis des riches. »
Victor HUGO, *L'homme qui rit*, 1868.

2. « Nul homme n'est une île complète en soi-même ; tout homme est une part de continent, une part du tout. La mort de tout homme me diminue parce que je suis solidaire du genre humain. Ainsi donc, n'envoie jamais demander : pour qui sonne le glas ; il sonne pour toi. »
John DONNE, *Devotions upon emergent occasions*, 1623.

3. « *Science sans conscience n'est que ruine de l'âme.* »
RABELAIS, *Pantagruel*, VIII, 1532.

4. « *La misère morale et politique d'un gouvernant le rend de fait illégitime.* »
Alexis de TOCQUEVILLE, *De la démocratie en Amérique*, 1835.

Dehors, les cigales continuaient à chanter sous le soleil d'été.

Le père Carosa habitait un joli logement qui donnait directement sur le petit cloître de la chapelle. Alors que nous montions les hautes marches d'un escalier en colimaçon, Magnus, quelques mètres devant moi, se retourna plusieurs fois en me regardant avec un drôle de sourire interrogateur.

— McCoyle, McCoyle…, répéta-t-il, ce n'est pas français ?

— Nous avons vécu en France jusqu'à la mort de mon père. Ensuite, ma mère, qui est américaine, a préféré retourner vivre dans son pays. J'ai pris son nom lorsque je suis devenu avocat.

— Je savais bien que votre nom me disait quelque chose ! C'est vous qui, il y a quatre ans, avez accusé le maire de Springfield d'avoir des liens avec la mafia ?

Le fait que, quatre ans après, quelqu'un comme Magnus parvenait encore à associer mon nom au procès de Springfield pouvait signifier deux choses : soit traduire l'impact que ce procès avait eu à l'époque, soit révéler que Gemereck s'était renseigné sur moi avant de venir à ce rendez-vous, parce qu'il avait des raisons de croire qu'il m'y rencontrerait et qu'il en savait plus sur cette affaire qu'il ne voulait bien l'avouer.

Mon caractère et mon réalisme tendaient plutôt à me faire pencher vers la seconde possibilité, mais je préférai pour l'instant ne pas éveiller les soupçons de mes compagnons et répondis le plus naturellement du monde :

— Oui, c'était bien moi, mais le maire n'était qu'un politicien véreux, un de ces innombrables corrompus qui ne recherchent le pouvoir politique que pour s'en mettre plein les poches.

Magnus laissa échapper un petit rire.

— Pourtant, si je me souviens bien, vous n'avez pas gagné votre procès, n'est-ce pas ?

— Non, mais j'ai toujours été presque certain de le perdre ; c'est difficile d'attaquer la citadelle si vous êtes sans alliés.

— Dans ce cas, pourquoi être entré dans la bataille ? lâcha Barbara, arrivée la première en haut des marches. Il ne faut mener que les combats que l'on est sûr de gagner.

Cette question, je me la posais moi-même tous les jours depuis quatre ans et je n'avais pas encore trouvé de réponse qui me satisfasse vraiment ou du moins qui puisse être exposée de façon simple en quelques phrases.

— Sans doute un dernier résidu d'idéalisme, précisai-je.

Le père Carosa ouvrit la porte de son logement et nous invita à entrer. C'était un petit appartement très propre et bien éclairé avec plusieurs tableaux accrochés aux murs, certains figuratifs et assez classiques, d'autres, signés du nom du prêtre, plus audacieux ou carrément abstraits. Bizarrement, aucun objet de la décoration ne semblait trahir la profession de son locataire : pas de vitraux de mauvais goût aux fenêtres ni de crucifix aux murs.

— Est-ce que vous ne croyez pas que… que ce sont eux qui sont derrière tout cela ? demanda le prêtre en posant un plateau de rafraîchissements sur une petite table.

— « Eux » ? Vous voulez parler de la mafia ? dis-je en prenant un verre. Non, je ne vois pas quel serait son intérêt de dérober quelque chose pour nous l'envoyer ensuite découpé en morceaux !

— Vous avez raison. Tout cela, c'est du symbolique, affirma Magnus dans un élan. *La Joconde*, les citations énigmatiques, Scotland Yard… c'est du Conan Doyle, de l'Agatha Christie. N'est-ce pas votre avis, miss Weber ?

— Mon seul avis est que j'ai une réunion de travail lundi après-midi, répondit sèchement Barbara. Je regrette donc d'être venue me perdre dans ce trou et, dès demain, j'avertirai la police de mon pays, ce que j'aurais d'ailleurs dû faire immédiatement.

Elle enleva la veste de son tailleur et ouvrit un bouton de son chemisier qui laissa deviner une poitrine superbe.

— Il est évident que nous sommes tous les quatre involontairement impliqués dans cette histoire, pour autant je ne pense pas que nous ayons été choisis au hasard, reprit Magnus, en ignorant le manque d'enthousiasme de Barbara.

— Pourtant, nous ne nous connaissons pas et nous semblons ne rien avoir en commun, fis-je remarquer naïvement.

— C'est ce que nous devons vérifier, proposa Carosa.

— Alors, au travail ! fit Magnus.

Il voulut d'abord savoir si nous avions déjà entendu auparavant les citations qui nous avaient été envoyées. Il nous apprit que lui connaissait celle qui lui était destinée pour l'avoir placée en exergue d'un de ses ouvrages.

— Moi aussi, reconnut le prêtre, amusé, il m'est parfois arrivé de citer la phrase de John Donne en pleine messe, et je l'ai même quelquefois fait passer pour un extrait de la Bible.

— Si votre auditoire était aussi fourni que tout à l'heure, les risques étaient calculés..., remarqua perfidement Barbara.

Magnus se retourna vers moi d'un air interrogateur. Je lui répondis sans mentir que tous les avocats citaient un jour ou l'autre Tocqueville dans une de leurs plaidoiries. Quant à Barbara, elle avait entendu parler de Victor Hugo dans un cours de littérature à l'université, mais avoua n'en avoir jamais lu une seule ligne. Sur ce dernier point, je la crus volontiers.

Pendant un moment, j'eus moi aussi la tentation de penser que tout cela n'était qu'un coup monté, une mauvaise farce, et que les morceaux de l'œuvre n'étaient que de vulgaires copies, car rien ne paraissait rationnel : même si vous réussissiez à voler *La Joconde*, pourquoi tout mettre en l'air en la détruisant ?

Magnus me fournit une réponse immédiatement comme s'il avait lu les interrogations sur mon visage.

— Mais pour le symbole, Théo !

— Quel symbole, Magnus ?

— Le symbole de la culture de l'Occident.

— Et après ? demanda Barbara.

— Je crois que, lorsque le professeur parle de culture, il ne s'arrête pas à la culture artistique, expliqua le prêtre en offrant une tournée générale de jus d'orange.

— Vous avez tout compris, mon père, le félicita Magnus, ravi de ce renfort inattendu.

Le prêtre continua :

— Je pense que par culture on peut entendre l'ensemble des valeurs d'une société et d'une civilisation. Et je crois que ceux qui nous ont envoyé les colis font allusion, dans leurs petits messages, aux quatre piliers de la civilisation occidentale actuelle.

— Mais quels piliers ? interrogea la femme d'affaires.

— Reprenez les quatre bristols, conseilla le professeur, et vous les verrez apparaître.

La voix autoritaire de Magnus se fit alors tranchante :

— Libéralisme économique, Individualisme, Science et... Démocratie.

À nouveau nous jetâmes un œil attentif sur les cartes de visite en essayant d'appliquer le critère de classement de Magnus.

1. Libéralisme économique
« C'est de l'enfer des pauvres qu'est fait le paradis des riches. »
Victor HUGO, *L'homme qui rit*, 1868.

2. Individualisme
« Nul homme n'est une île complète en soi-même ; tout homme est une part de continent, une part du tout. La mort de tout homme me diminue parce que je suis solidaire du genre humain. Ainsi donc, n'envoie jamais demander : pour qui sonne le glas ; il sonne pour toi. »
John DONNE, *Devotions upon emergent occasions*, 1623.

3. Science
« Science sans conscience n'est que ruine de l'âme. »
RABELAIS, *Pantagruel*, VIII, 1532.

4. Démocratie
« La misère morale et politique d'un gouvernant le rend de fait illégitime. »
Alexis de TOCQUEVILLE, *De la démocratie en Amérique*, 1835.

— Peut-être, dis-je au bout d'un moment de réflexion, mais les phrases sont justement critiques vis-à-vis de ces quatre concepts.

— Pas tout à fait, corrigea Magnus en secouant la tête pour me faire comprendre que je n'avais pas saisi la subtilité de son raisonnement.

Il entreprit alors de développer son idée plus avant. À son sens, ce que ces auteurs critiquaient en leur temps, ce n'était pas tant l'économie libérale, l'individualisme, la science ou la démocratie que les effets pervers et les excès qui pouvaient naître lorsque ces quatre valeurs fondatrices étaient bafouées ou détournées de leur philosophie libératrice originelle. Or ces critiques, si elles avaient été formulées aux XVIe, XVIIe et XIXe siècles, restaient plus que jamais d'actualité en ce début de millénaire. Le libéralisme économique débridé, s'il entraînait une augmentation des richesses produites, débouchait aussi sur un accroissement des inégalités et une nouvelle exploitation des plus pauvres. Son corollaire, l'individualisme contemporain, en sacralisant la performance individuelle et en prônant l'égoïsme et le cynisme, avait entraîné un désintérêt pour l'humanité dans son ensemble et miné les anciennes solidarités entre les individus au profit d'un égoïsme sans limites. Quant à la science, si son développement avait permis de réduire la pénibilité du travail et d'améliorer l'espérance de vie, son appropriation par la sphère économique, avec pour seul objectif la rentabilité, entraînait une absence de régulation qui risquait de déboucher sur un nouvel eugénisme.

Et, pour finir par le plus grave, la démocratie était gangrenée par une corruption et un cynisme qui la vidaient de toute sa substance. Aux États-Unis, le pays moderne qui, avec la France, avait inventé la démocratie, moins du tiers du corps électoral s'était déplacé pour voter aux dernières élections et, comme toujours, les abstentionnistes étaient les moins éduqués, les plus pauvres, ceux issus de communautés ethniques, alors que les votants se recrutaient parmi les plus éduqués, les plus forts revenus et les Blancs.

— Et les allusions à notre civilisation ne s'arrêtent peut-être pas là, dit Magnus en conclusion. *La Joconde* est un des symboles de l'art occidental, Scotland Yard représente, pour la plupart des gens, la police mythique de nos démocraties et quant au fait que trois d'entre nous soient citoyens américains...

Après un moment de silence, le verdict de Barbara tomba, sans appel :

— C'est complètement stupide, mais bravo quand même pour votre éloquence. C'est presque aussi émouvant qu'un discours de Lénine...

À l'inverse de la jeune femme, les propos de Magnus m'avaient intéressé.

— Mais où voulez-vous en venir au juste, professeur ?

— À la conclusion que chacun de nous représente un de ces quatre piliers.

— Soyez plus clair, exigea Barbara.

— Vous, McCoyle, l'ancien avocat luttant contre la corruption politique, vous représentez la défense de la démocratie. Vous, mon père, je vois sur ces clichés que vous avez participé à de nombreuses missions humanitaires autour du globe, dit-il en montrant du doigt les petits cadres sur le buffet. Sur cette photo, vous êtes quelque part dans un village africain, sur cette autre, vous enseignez dans une école d'un quartier pauvre. Vous n'êtes donc pas insensible au sort de votre prochain, vous avez combattu contre les méfaits de l'individualisme contemporain. Et moi, Magnus Gemereck, je suis le seul membre du Conseil fédéral sur les biotechnologies à m'être toujours opposé aux manipulations génétiques hasardeuses pour éviter que la science ne devienne incontrôlable. Ainsi, à notre manière, nous avons chacun lutté contre la dégénérescence des valeurs originellement progressistes de la culture occidentale.

— Vous m'avez oubliée, Magnus !

— Vous, la *golden girl* au portable, j'avoue que je ne vois pas. Vous représentez la sphère de l'économie, c'est entendu, mais je ne sais pas quelle action positive mérite de vous être imputée.

— Ne cherchez pas, vous ne trouverez rien. Je ne me suis jamais comportée en sauveur de l'humanité, annonça catégoriquement Barbara.

Magnus regarda sa montre et proposa au père d'allumer la radio dans l'espoir de récolter quelques nouveaux éléments sur la progression de l'enquête.

— Qui sait, Magnus, peut-être a-t-on déjà retrouvé *La Joconde*. Dans ce cas, toute votre belle théorie tomberait à l'eau. Ça ne vous ferait pas trop de peine, j'espère, dit Barbara d'un ton moqueur.

Le prêtre trouva rapidement une station qui diffusait un bulletin d'informations en italien, langue qu'il était le seul à comprendre. Lui et Magnus étaient excités comme des gosses. Barbara se tenait un peu à l'écart et affectait de ne pas se sentir concernée par ce que les autres écoutaient. Elle alluma son ordinateur et essaya d'établir une connexion Internet pour consulter son courrier électronique.

— Il y a du nouveau, prévint le prêtre sans attendre la fin des infos. Scotland Yard vient de recevoir un colis avec, à l'intérieur, l'autre moitié des clous qui retenaient le tableau à son encadrement, ainsi qu'une mèche de cheveux de William Steiner.

— Ce qui veut dire ? demanda Barbara.

— Ce qui veut dire que les deux affaires sont liées, expliquai-je. Ce sont les mêmes qui ont volé le tableau et enlevé Steiner.

— Pas d'autres nouvelles, mon père ? demanda Magnus.

— Si, un message affirmant que Steiner est enfermé depuis deux jours dans un lieu qui n'a pas été révélé, sans eau et sans nourriture, dans une pièce insonorisée.

— Diantre ! lança Gemereck, et pas de revendication ou de demande de rançon ?

— Aucune.

Pendant un moment, chacun resta recueilli dans son coin, se demandant comment interpréter tout ça.

Finalement, Carosa rompit le silence pour demander une précision technique :

— Professeur, combien de temps peut-on tenir sans boire ni manger ?

— Guère plus de trois jours. Euh… je mets Jésus à part, bien entendu, précisa-t-il en faisant un clin d'œil complice au prêtre.

Quant à moi, c'est presque naturellement que je me tournai vers Magnus :

— Qu'est-ce que vous pensez de cet enlèvement ?

— Je vous l'ai déjà dit, Théo, je pense que c'est seulement le début de l'acte I, le premier pilier, la première victime : les abus du libéralisme économique.

3

Spaghetti alla napoletana

Barbara avait pris sa décision. Elle éteignit son ordinateur et se leva pour partir.

— Messieurs, votre compagnie ne m'est pas désagréable, mais le prochain avion pour New York décolle dans deux heures. J'ai loué une voiture, alors si quelqu'un veut que je le rapproche… Magnus?

— Merci, mais je vais rester encore un peu.

— Théo?

— OK, je vais à l'aéroport avec vous. Cette affaire est clairement du ressort de la police. Plus nous tarderons à révéler ce que nous savons et plus nous serons suspects.

Magnus poussa un long soupir de découragement.

— Écoutez, si on suit votre logique, nous sommes déjà suspects et même presque coupables. Pourquoi êtes-vous venu ici alors? Pourquoi n'avoir pas prévenu la police immédiatement?

Gemereck avait posé la question cruciale, celle à laquelle personne ne semblait vouloir répondre pour le moment. Tout le monde avait sans doute eu ses raisons pour ne pas avertir les flics, mais, maintenant que l'affaire prenait une telle ampleur, il semblait suicidaire de ne rien dire.

— Et comment allez-vous justifier votre comportement ? nous questionna Magnus.

— Je ne dirai que la vérité, rétorquai-je, je n'ai rien à me reprocher.

Puis ce fut au tour de Barbara d'essayer de raisonner Gemereck.

— Réfléchissez, Magnus, vous êtes professeur au MIT, vous êtes célèbre et reconnu dans votre profession, vous gagnez bien votre vie, alors pourquoi vous enfoncer dans cette affaire ? Nous avons tout à perdre à essayer de dissimuler ce que nous savons.

— Ça, c'est bien vous, les Américains nouvelle génération ! Vous ne pensez qu'à votre position sociale et à votre épargne retraite. Mais ouvrez les yeux, mademoiselle, et vous verrez que vous êtes tombée ici dans quelque chose qui dépasse votre petite personne et que, que vous le vouliez ou non, vous êtes embarquée dans cette affaire autant que moi !

À prononcer de telles paroles, Magnus me devint sympathique et m'aurait presque donné envie de le suivre. Pourtant je n'en fis rien.

Au volant de son cabriolet japonais, Barbara fonçait à travers la campagne toscane. Nous avions quitté les deux autres un moment plus tôt et je repensais avec intérêt à la théorie que nous avait exposée Gemereck. Si ce qu'il disait était vrai, il restait tout de même une zone d'ombre à éclaircir : que pouvait attendre de nous l'auteur du vol du tableau et de l'enlèvement ? Sur quel registre se situait son acte ? Nous en voulait-il personnellement ou, au contraire, nous mettait-il au défi de l'arrêter dans sa course ?

Barbara interrompit mes pensées.

— Comment croyez-vous que la police va réagir ? Vous pensez qu'elle va nous soupçonner ? demanda-t-elle en doublant une camionnette.

— C'est probable, répondis-je. Vu le battage médiatique que suscitent ces deux affaires, les flics vont nous mettre sous pression pour nous faire parler.

— Ils vont enquêter sur notre vie ?

— Ça ne fait aucun doute. Ils vont chercher à savoir si nous avons des liens avec Steiner, puis perquisitionner nos logements tout en nous mettant sur le gril. Il leur faut des coupables, et vite.

— Et ça ne vous fait pas peur ?

Je haussai les épaules pour exprimer ma lassitude.

— Je n'ai pas grand-chose à cacher de mes activités. Quant à ma réputation professionnelle, je n'exerce plus depuis trois ans, alors…

Elle conduisait de plus en plus vite et, en parlant, tournait le visage vers moi comme si elle oubliait qu'elle roulait à plus de cent kilomètres-heure sur une route de campagne.

— Vous avez quel âge ? s'informa-t-elle au bout d'un moment comme si cette question la taraudait depuis plusieurs heures.

— Je croyais qu'on ne posait pas ce genre de questions…

— Aux hommes, on peut.

— Ben voyons !

Je me faisais prier.

— Alors ?

— Trente-huit ans.

— C'est un peu jeune pour la retraite, non ?

— C'est mon problème.

— Et vous vivez comment ?

— Un petit héritage. Et puis j'ai peu de besoins.

Tout en souriant, elle négocia un virage à toute allure. Si elle conduisait sa vie comme sa voiture, Barbara devait être une femme dangereuse.

— Et vous ?

— Quoi ?

— Quel âge ?

— Je vous laisse deviner, fit-elle, faussement affectée de m'entendre lui poser cette question.

— Et William Steiner, vous le connaissez ?

— Pas personnellement.

Elle avait répondu trop vite et d'un ton trop détaché. Immédiatement, je sentis que j'avais touché juste.

— Pas personnellement, mais vous le connaissez quand même un peu plus que la moyenne…, dis-je pour lui montrer que je n'étais pas dupe.

— J'ai travaillé pour une de ses sociétés il y a quelques années, mais je ne l'ai jamais rencontré, répondit-elle en restant dans le vague.

Elle prit un embranchement qui nous mena à l'autoroute quelques minutes plus tard.

— Franchement, Théo, en avertissant les flics, vous n'avez pas l'impression que nous faisons une grande connerie ?

— Vous vous dégonflez ?

— Non, je réfléchis à ce qui me sera le moins préjudiciable. Ça vous ennuie si je m'arrête à la prochaine station-service ?

— Non, bien sûr, nous manquons d'essence ?

— Non, mais... j'ai une petite vessie et le prêtre m'a servi des litres de jus d'orange tout à l'heure...

Je finissais une petite bouteille de San Pellegrino près d'un distributeur de boissons, lorsque Barbara sortit des toilettes pour femmes, son ordinateur portable à la main.

— Les chiottes sont vraiment dégueulasses dans ce pays, dit-elle avec dégoût.

— On ne dit pas « chiottes ». On peut dire toilettes, W-C ou cabinets, mais pas chiottes.

— Et pourquoi ?

— Parce que c'est argotique. Argotique et vulgaire.

Elle me regarda dans les yeux et dit très calmement :

— Je dis « chiottes » parce que ces toilettes sont des chiottes et que je vous emmerde.

Chaque fois que je regardais cette fille, je la trouvais trop belle. Arrogante et stupide, mais surtout trop belle. Les regards masculins et féminins qui se posaient chaque jour sur son corps devaient se compter par centaines. Moi-même, je ne faisais pas exception à la règle puisque tout à l'heure, dans la voiture, j'avais plusieurs fois regardé ses jambes à la dérobée, alors qu'elle avait la tête tournée.

— Qui peut bien se trouver derrière tout ça, Théo ? Une secte postmillénariste ? une organisation mafieuse ? ou encore des fanatiques musulmans qui voudraient accélérer une fois de plus le déclin de l'Occident ?

— Vous allez un peu vite en besogne ! déclarai-je. Vite et sans nuance.

— Quoi qu'il en soit, j'ai pensé à une nouvelle stratégie que nous pourrions adopter au lieu d'aller voir la police.

— Dites toujours…

— C'est tout simple, nous n'avons qu'à faire disparaître les preuves.

— Les quatre morceaux de *La Joconde* ? Vous êtes folle ! dis-je dans un éclat ; il n'est pas question que je participe à la destruction d'une œuvre d'art vieille de cinq siècles.

— Vu son état actuel…, répondit-elle d'un ton cinglant et narquois.

Puis, voyant mon visage réprobateur, elle ajouta aussitôt :

— Ce n'est qu'un vieux tableau du Moyen Âge déjà réduit en lambeaux !

— D'abord la Renaissance n'est pas le Moyen Âge, expliquai-je d'un ton sévère et suffisant, et ensuite ce tableau, comme nous l'a justement fait remarquer

Magnus, n'est pas qu'une œuvre d'art. Il représente toute une culture, une civilisation et un morceau du patrimoine des sociétés occidentales.

— Foutaises !

— De plus, continuai-je, en ne communiquant pas des éléments importants à la police, nous entravons le bon déroulement de l'enquête.

— Non, riposta-t-elle, nous protégeons simplement notre vie et c'est plus important que votre foutu patrimoine culturel !

C'étaient en effet deux conceptions différentes du monde qui n'étaient d'ailleurs pas sans rapport avec la citation de John Donne sur l'individualisme. Quel choix fallait-il faire ? Celui de l'individu ou celui de la collectivité ? En repensant à mon ultime procès perdu, je songeai que ma dernière option en faveur de la communauté s'était avérée assez inefficace. Pour préserver la collectivité, peut-être fallait-il aujourd'hui ne plus passer par ses institutions.

Réflexion faite, je n'avais, moi non plus, pas envie de voir la police et les journalistes me demander des comptes sur une affaire dans laquelle je n'avais aucune part de responsabilité. Je ne souhaitais qu'une chose : retourner en France au plus vite, m'asseoir sur la vieille pierre carrée à l'ombre de ma maison et regarder passer les saisons.

Je proposai alors un compromis à Barbara :

— On ne prévient pas la police, mais on retourne à l'église pour essayer de convaincre les autres de renvoyer au musée les quatre morceaux de *La Joconde*.

Après tout, il était probable que des spécialistes parviendraient à restaurer le tableau. Elle sembla d'accord et nous sortîmes de la station-service.

Nous n'étions qu'à vingt mètres du cabriolet lorsque celui-ci explosa au milieu du parking.

La violence du choc nous plaqua au sol. Des éclats de verre furent projetés un peu partout. Nous voulûmes hurler, mais aucun son ne put sortir de notre gorge, un peu comme si la puissance de l'explosion avait bloqué nos cordes vocales.

Enfin, au bout de quelques secondes qui semblèrent s'étirer indéfiniment, une clameur s'éleva, une alarme se déclencha et deux des employés de la station sortirent du magasin avec des extincteurs pour éviter que le feu n'atteigne les pompes à essence.

Lorsqu'il n'y eut plus de danger, nous relevâmes enfin la tête pour voir, stupéfaits, les flammes envelopper la carcasse de notre véhicule. Une forte odeur de fumée contaminait toute l'atmosphère.

Barbara reprit ses esprits.

— Eh bien, pour des gens qui voulaient à tout prix éviter la police, c'est raté ! laissa-t-elle tomber avec fatalisme.

Trois heures plus tard, un taxi nous ramenait devant l'appartement du prêtre. Entre-temps, nous avions dû subir un interrogatoire éprouvant de la police italienne, mais ni Barbara ni moi n'avions lâché le morceau. Nous avions revendiqué haut et fort notre statut de paisibles citoyens américains qui n'avaient fait que louer une voiture et qui se retrouvaient impliqués, bien malgré eux, dans une action terroriste qui leur échappait totalement.

Pendant un moment, les choses s'étaient compliquées : Barbara avait traité les policiers de *shitty pigs*[1] et menacé d'alerter l'ambassade des États-Unis. Mais, au bout du compte, sa capacité peu commune d'indignation – alliée à ma connaissance du droit international – avait fini par porter ses fruits puisqu'on nous avait finalement relâchés, en nous demandant néanmoins de nous tenir à la disposition de la police.

Grâce à son portable, Barbara avait aussitôt appelé Carosa pour le mettre au courant de l'explosion, aussi fûmes-nous chaleureusement accueillis à notre retour.

Magnus nous prépara un verre bien tassé et nous déclara gravement que l'heure n'était plus aux atermoiements. On avait voulu nous tuer, il fallait donc agir. À en croire le généticien, nous étions capables de découvrir qui se cachait derrière cette histoire. Mais, pour avoir une chance de résoudre l'énigme, nous devions tous collaborer loyalement.

Tacitement, chacun consentit à lui laisser le rôle de coach de l'équipe : lui seul semblait croire à la réussite

---

1. Flics merdeux.

de notre entreprise ; lui seul avait la volonté de mobiliser nos énergies.

Encore sous le choc de l'explosion du cabriolet, Barbara accepta – momentanément du moins – de s'en remettre à nous pour décider de la marche à suivre. Le prêtre nous demanda de l'appeler désormais par son prénom, Vittorio. Personne ne se le fit dire deux fois.

— Alors, Vittorio, par quoi commence-t-on ? demanda Magnus en empoignant une poêle à frire.

— D'abord faire revenir les oignons et l'ail dans trois cuillerées d'huile d'olive.

Je n'en revenais pas. Il était plus de 10 heures du soir, on venait d'attenter à notre vie et ces deux types ne trouvaient rien de mieux à faire que de préparer des pâtes !

— Professeur, vous croyez vraiment que c'est le moment de cuisiner ? demandai-je d'un ton réprobateur.

— Relaxez-vous, Théo, et laissez faire les anciens, on réfléchit mal le ventre vide. Ce soir, spaghettis à la napolitaine pour tout le monde !

— Ne mettez quand même pas trop d'ail, conseilla Barbara en passant, c'est mauvais pour l'haleine…

— Mais excellent pour tout le reste : l'ail est un vermifuge efficace qui régule la tension artérielle et augmente la production de sperme, conclut Magnus en bon scientifique.

Tant bien que mal, j'essayai de ramener la conversation sur le sujet pour lequel nous étions tous réunis ici.

— Est-ce qu'on sait d'où ont été postés les paquets reçus par Scotland Yard ?

— Non, ils ne l'ont pas mentionné à la radio, répondit Carosa.

La joie qu'éprouvait Magnus à faire la cuisine faisait vraiment plaisir à voir et je regrettais presque de ne pas l'avoir connu dans d'autres circonstances.

— Les oignons sont translucides, Vittorio, dois-je ajouter les tomates ?

— Oui, mettez aussi les herbes et les olives noires.

— Des herbes fraîches de montagne ! Hum, sentez-moi ça, McCoyle, au lieu de bouder. Voyez-vous, un des meilleurs plats que j'ai mangés dans ma vie se composait de simples spaghettis au basilic. C'était dans un restaurant en Sardaigne et...

Je l'interrompis sans ménagement :

— Barbara m'a dit tout à l'heure qu'elle avait travaillé pour Steiner.

— Vraiment ? Racontez-nous ça, miss Weber, en attendant que la sauce mijote. Peut-être apprendrons-nous également en quoi vous avez œuvré pour l'intérêt collectif...

Nous passâmes tous dans la petite salle à manger. Barbara s'assit sur le canapé et croisa les jambes. Je détournai le regard pour mieux me concentrer sur ses paroles.

— Il y a cinq ans, j'ai travaillé dans l'équipe de direction d'une filiale de MicroGlobal, située dans une zone franche du Honduras.

— Une zone franche ? dit Vittorio en fronçant les sourcils.

— C'est un morceau de territoire national entièrement clos, sans population résidente, et où les entreprises sont totalement exemptées d'impôts, expliqua-t-elle.

— Pourquoi ?

— C'est une procédure courante en Amérique centrale. Les gouvernements de ces pays sont prêts à tout pour attirer des entreprises américaines et réduire ainsi leur taux de chômage. C'est aussi un bon coup pour les investisseurs occidentaux : ils y trouvent des gens qui veulent travailler, des salaires très compétitifs et des gouvernements qui se chargent de museler les syndicats alors même que les droits des travailleurs sont violés de façon massive. En plus, c'est à seulement deux heures d'avion des États-Unis.

— Et qu'est-ce qu'on fabrique dans ces usines ? demanda Magnus.

— Généralement des produits demandant peu de travail qualifié. Dans le cas de MicroGlobal, il s'agit surtout de l'assemblage de composants informatiques.

— Continuez, dit Gemereck d'un ton engageant.

— Ces usines sont entourées de barbelés et gardées par des hommes armés. Elles emploient essentiellement des jeunes femmes âgées de dix-huit à vingt-cinq ans qui font des semaines de soixante-dix heures dans des conditions de travail déplorables. On ne compte plus les cas de mauvais traitements ou de menaces et on a même identifié quelques cas de viol.

De plus, dès qu'une fille tombe enceinte, les surveillants s'arrangent pour la forcer à démissionner en la mutant à un poste qui nécessite des efforts physiques éprouvants.

— Pourquoi ? voulut savoir Vittorio.

Barbara haussa les épaules et poussa un long soupir devant tant de naïveté.

— Parce que les entreprises veulent éviter de payer les prestations pendant les mois de repos auxquels ces femmes ont droit en période d'allaitement. Pourtant, certaines filles s'accrochent à leur emploi, mais au prix d'efforts qui les conduisent souvent à faire des fausses couches.

— Ce n'est pas légal, s'insurgea le prêtre.

— Pas vraiment, mais pour se protéger la direction délègue la surveillance et les postes de chef d'atelier à des locaux : de cette façon, si quelque chose tourne mal, elle peut se retourner contre eux alors qu'en réalité c'est elle qui tire les ficelles.

— Quel était votre job ? demanda Magnus.

— Coordonnatrice des activités des filiales de Micro-Global en Amérique centrale sur le Honduras et le Nicaragua, mais je ne visitais les usines qu'une ou deux fois par semaine. Deux jours à San Pedro, deux autres à Managua et le reste du temps en Californie.

Elle marqua alors une pause très longue. Tellement longue que nous nous demandions si elle allait se décider à continuer. Elle décroisa les jambes, se leva pour prendre un verre d'eau dans la cuisine, retourna s'asseoir sur le canapé, croisa à nouveau les jambes et reprit son discours :

— J'ai d'abord alerté les directeurs locaux des filiales qui m'ont répondu que c'étaient les conditions de travail normales dans ces pays-là.

— Et qu'avez-vous fait ensuite ?

— Rien, Magnus, je me suis écrasée : j'étais jeune, c'était mon premier poste important et j'avais de l'ambition. Pourtant, un jour, une jeune femme enceinte s'est plainte de douleurs au ventre et a demandé à voir un médecin ; non seulement la permission lui a été refusée, mais le contremaître l'a envoyée travailler sans gants sur une centrifugeuse défectueuse qui lançait des décharges électriques. Elle est morte trois heures plus tard après avoir reçu trois cents kilowatts dans le corps. Cette fois, c'en était trop. J'ai fait remonter toutes les plaintes et toutes les preuves jusqu'à Steiner, mais comme personne ne m'a répondu, j'ai menacé de révéler l'affaire à la presse et aux associations de consommateurs.

— Et que s'est-il passé ?

— On m'a virée, bien sûr. Alors j'ai lâché le morceau à une association de défense des droits de l'homme. Elle a réussi à faire témoigner certaines employées et une enquête a été ouverte par l'Organisation internationale du travail et le département du Travail des États-Unis. Ils ont envoyé des inspecteurs dans certaines usines mais, bien entendu, les contremaîtres et les employées avaient été briefés pour l'inspection : tout le monde a fait bonne figure et les poursuites ont été abandonnées.

— Et vous ? demanda Carosa.

— MicroGlobal m'a mise sur la liste noire.

— La liste noire ?

— C'est une liste officieuse élaborée en commun par les grandes entreprises et qui recense le nom des cadres accusés d'erreurs graves ou de manque de loyauté envers la firme.

— Difficile de trouver du boulot avec ça..., compatit le prêtre.

— Comme vous dites.

Elle replia les jambes vers sa gauche, sur la place inoccupée du canapé. Elle tenait son verre d'eau à deux mains et le contemplait en silence, la tête inclinée. À ce moment précis, elle dégageait une impression d'immense solitude et il semblait difficile de ne pas s'attacher à elle.

Dans le déroulement de la conversation, une répartition implicite des rôles s'était rapidement mise en place. Magnus avait posé les questions directrices, celles qui faisaient avancer le récit, Vittorio s'était réservé le rôle du faux naïf et du compatissant. Il me restait maintenant à poser les questions dérangeantes :

— Est-ce que vous regrettez votre comportement ? demandai-je.

— Bien entendu, j'ai agi comme une belle idiote ! On a toujours intérêt à la boucler si on tient à son job.

— Et qu'est-ce qui vous a motivée à l'époque ?

— Je ne sais pas trop. Peut-être un dernier sentiment de révolte adolescente mélangé à de vagues idées
féministes et à une bonne dose de naïveté.

— Que vous n'avez plus aujourd'hui ?

Elle secoua la tête.

— Non. Dans mon poste actuel, je ne veux plus me
poser de questions. C'est la loi de la concurrence, le
fonctionnement normal de l'économie. Je ne peux pas
porter la misère des autres. Je prends l'argent et c'est
tout. J'ai la possibilité d'en gagner beaucoup en faisant
ce qu'on me demande et, si ce n'est pas moi qui le fais,
quelqu'un d'autre le fera à ma place.

À cet instant, Magnus, qui n'était pas dupe de ce genre
d'arguments fallacieux, ne put réprimer un sourire et
Vittorio se leva de son siège comme pour signifier à
tous qu'il était maintenant temps de faire retomber la
pression.

— *È tempo di mangiare la pasta*, trancha l'Italien.

Nous nous dirigeâmes vers la cuisine en silence.

Magnus remua soigneusement la sauce une dernière
fois, Barbara égoutta les spaghettis *al dente* et les mit
dans un plat chaud pendant que Vittorio râpait du
parmesan. Je me proposai pour mettre le couvert.

Il y avait trois beaux oliviers au milieu du petit
cloître de la chapelle. Magnus avait eu la riche idée d'y
descendre la table de la salle à manger. Parfois, avec
son chapeau de paille et sa bonne humeur communi-
cative, il donnait vraiment l'impression d'être en

vacances. Difficile d'imaginer que, dans la vie, ce type était un des plus grands généticiens du monde.

Vittorio nous avait ouvert une bouteille de chianti classico de 1988, son vin de messe personnel comme il aimait à le dire. Gemereck se montra impressionnant par ses connaissances en œnologie : après avoir goûté le nectar, il nous en détailla les arômes de fruits confits, de fleurs et de vanille. Barbara refusa d'abord de goûter aux spaghettis et sortit de son sac des biscottes au blé complet et une boîte de boules de pollen, qui ressemblaient à des céréales pour le petit déjeuner.

Avec autorité, Magnus jeta ces immondices à la poubelle. Barbara, après avoir un peu protesté pour la forme, se régala finalement avec les spaghettis. En revanche, elle tint ferme pour le vin et se contenta d'une carafe d'eau. Elle ne savait pas ce qu'elle perdait : le chianti était excellent.

La nuit était tombée depuis longtemps. Vittorio avait allumé une vieille lampe-tempête, tandis que Barbara se plaignait des moustiques qui la dévoraient. Gemereck nous raconta l'Union soviétique d'avant la fin de la guerre froide. Quant à moi, je les regardais et les écoutais en silence. Cela faisait trois ans que je prenais mes repas en solitaire. Je ne m'en plaignais pas, c'est moi qui l'avais choisi. Ce soir-là pourtant, la présence de mes compagnons, qui, quelques heures auparavant, n'étaient encore pour moi que des étrangers, me fit indéniablement du bien.

Dans l'église, Magnus et moi étions assis sur deux bancs différents. Nous avions repris nos places de l'après-midi. Vittorio s'était installé sur une petite chaise près d'un antique confessionnal en noyer. Il avait un cendrier sur les genoux et fumait un cigarillo. Barbara ne tenait pas en place et déambulait dans tous les sens, en touchant tout ce qui lui tombait sous la main, comme si elle faisait son marché. Des cierges étaient restés allumés et diffusaient une lumière paisible dans ce lieu sacré.

— Qu'est-ce que vous faites dans cette église perdue, Vittorio ? demanda Magnus. Joli bâtiment certes, mais qui manque de brebis à convertir, non ?

— C'est moi qui ai demandé cette affectation provisoire, répondit le prêtre. Une façon de me ressourcer et de réfléchir.

Au ton de sa voix qui, pour la première fois de la journée, avait perdu de sa tranquille assurance, je devinai que cet homme devait traverser une période de doute dans sa vocation. Mon impression se confirma lorsqu'il nous demanda si l'un de nous croyait en Dieu.

Sur ce point, ce fut moi le plus catégorique. Chaque fois qu'on me posait cette question, je citais la belle phrase de Simone de Beauvoir : « Il m'était plus facile de penser un monde sans créateur qu'un créateur chargé de toutes les contradictions du monde. »

Magnus s'excusa presque de ne pas croire. Pour se justifier, il fit appel à des variables socioculturelles :

— Eh bien, en tant que scientifique et ancien Soviétique, vous comprendrez que mon itinéraire ne m'a pas permis de croiser souvent celui du Créateur.

Nous attendions la réponse de Barbara avec curiosité.

— Moi, je crois en Dieu mais aussi en Bouddha.

Vittorio laissa échapper un sourire. Je ne pus m'empêcher de critiquer la réponse de la jeune femme :

— Mademoiselle est de cette nouvelle espèce d'individus qui ne prennent dans chaque religion que ce qui les arrange puis font leur petite cuisine pour construire leurs propres croyances et leurs propres divinités.

— Et alors, je ne vois pas où est le mal ? se défendit-elle.

— Vous ne voulez prendre que les avantages de chaque religion sans en accepter les contraintes. Aujourd'hui, vous vous enflammez pour le bouddhisme parce que c'est la mode, mais demain vous croirez peut-être aux divinités égyptiennes et vous verserez une cotisation à la secte des adorateurs du dieu Râ.

— Je ne vous imaginais pas si conservateur.

— Je ne suis pas conservateur, me défendis-je, mais puisqu'on en est au chapitre des étonnements, je ne vous imaginais pas en femme d'affaires mais plutôt en mannequin ou en *call-girl*.

— Je suis une ancienne élève de Berkeley !

— Peut-être, mais vous ne savez même pas à quelle époque vivait Léonard de Vinci et je suis sûr que vous confondez Monet et Manet. Si vous êtes allée à

Berkeley, ils ont en tout cas oublié de vous apprendre qu'il pouvait être déplacé d'entrer dans une église habillée comme vous l'êtes.

— Quoi ? Je suis décente !

— C'est bon, laissez tomber.

Barbara se dirigea vers la sortie en proférant à mon intention quelques mots aimables :

— *You fucking asshole !*

Magnus me regarda avec sévérité, comme si j'étais un gamin qui venait de faire une bêtise.

— Allez-y doucement avec elle, McCoyle. Cette petite a été choquée par l'explosion de la voiture et vos propos étaient très blessants.

J'ouvris les mains en signe d'incompréhension. Barbara était une manipulatrice qui se donnait le rôle de la victime, et mes deux compagnons tombaient allègrement dans son jeu.

— Pendant que vous réglez vos comptes, Steiner est en train de mourir à petit feu, fit remarquer Vittorio d'un ton de reproche.

— Et alors ! fis-je de façon véhémente, nous ne sommes pas responsables de la vie de ce mec qui, de l'avis de tous, est un véritable salaud.

— C'est vous, l'ancien homme de loi, épris de justice, qui dites cela ? Je croyais pourtant que, dans une démo-cratie, tout le monde avait droit à une défense en règle, me lança Magnus d'un ton de reproche.

— Je vous ferais remarquer que je n'exerce plus, dis-je comme pour me justifier.

— Mais cela ne vous excuse pas pour autant, ajouta Vittorio en me proposant un petit cigare.

Gemereck se leva de son banc et prit le ton professoral qu'il devait adopter avec ses étudiants :

— Messieurs, si vous le voulez bien, nous pouvons reprendre notre cogitation. Je vous rappelle que nous devons mettre quatre éléments en relation : le vol de Mona Lisa, l'enlèvement du chef d'entreprise le plus riche du monde, le compte rendu de miss Weber sur les activités de Steiner en Amérique du Sud et une citation d'un grand écrivain français : « C'est de l'enfer des pauvres qu'est fait le paradis des riches. »

— Comme vous l'avez déjà dit, Magnus, je crois que le message est assez clair : la société capitaliste occidentale est un système pourri qui enrichit une minorité de privilégiés, en broyant une frange importante de la population.

— Ça ressemble à un discours communiste, remarqua Carosa.

— Non, Vittorio, contra Magnus, ça n'a pas grand-chose à voir avec le communisme, mais plutôt avec les droits de l'homme qui interdisent le travail des enfants et les mauvais traitements. Cela a même à voir avec la Bible et la religion : « Tu ne tueras point », vous connaissez ?

— Vous voulez donc dire que Steiner aurait été enlevé pour, en quelque sorte, répondre de ses actes devant la société ?

— C'est tout à fait ce que je veux dire, confirma Magnus.

La lourde porte de l'église s'ouvrit doucement et Barbara réapparut. Elle s'était ostensiblement emmitouflée dans une couverture qui cachait ses jambes et me lança un regard noir avant de se diriger vers les marches de l'autel sur lesquelles elle avait posé sa petite mallette contenant son ordinateur et son téléphone cellulaire.

— Il faut que j'avertisse un collègue de mon absence. Quelle heure est-il ?

— Bientôt 1 heure du matin, répondit Vittorio, après avoir consulté sa Breitling en argent. Ce qui fait environ... 16 heures à Seattle.

Elle s'éloigna un moment avec le combiné puis revint en disant que tout était arrangé.

— Barbara, auprès de qui aviez-vous dénoncé les conditions de travail dans les filiales de MicroGlobal ? demanda Magnus.

— Vous allez voir.

Elle alluma son ordinateur, fit quelques manipulations et, moins de trois minutes plus tard, tourna son écran vers nous. Nous découvrîmes le site Web de la National Labor Association (NLA), une association de défense des droits des travailleurs qui dénonçait régulièrement l'exploitation des enfants, les salaires de misère et les répressions de toutes sortes dont étaient victimes certains travailleurs dans le Sud-Est asiatique ou en Amérique du Sud. Le site expliquait que la NLA avait plusieurs fois appelé au boycott des produits de certaines firmes – dont MicroGlobal –, accusées d'encourager l'exploitation d'une partie de leur main-d'œuvre.

En cliquant sur une icône, Barbara fit apparaître toute une galerie de photos prises lors de diverses manifestations contre MicroGlobal. Sur l'une d'elles, des manifestants brandissaient une grande banderole sur laquelle on pouvait lire : « Il faudra vingt-cinq ans à l'ouvrière d'un sous-traitant nicaraguayen pour gagner les 18 000 dollars de l'heure de Steiner. »

4

Curriculum vitae

La nuit avait passé, calme, presque trop sereine. Barbara avait dormi dans la chambre d'ami que Vittorio déclarait nettoyer au moins une fois par semaine «pour le cas où». Malgré mes protestations, il s'était contenté du canapé du salon et avait tenu à me laisser sa chambre, une petite pièce dépouillée dans laquelle j'avais bien dormi. Magnus avait préféré passer la nuit dans un vieux hamac tendu entre deux oliviers au milieu du cloître. Lorsque j'ouvris les yeux, le soleil se levait paresseusement au-dessus des arbres. Le silence régnait encore partout. Je m'habillai rapidement et descendis. Le petit jardin avait une odeur agréable d'herbe mouillée qui me réconforta. Dans son hamac, Magnus se débattait comme un diable en grommelant des insanités à des personnages imaginaires qui peuplaient son sommeil. Barbara, pâle et défaite, était accoudée à la table et buvait du café. En me voyant arriver, elle m'en servit une tasse en me faisant un petit salut de la tête. Apparemment, les hostilités de la veille étaient oubliées mais, à voir son air angoissé, j'en déduisis que sa nuit n'avait pas dû être aussi bonne que la mienne. Je tirai une chaise pour m'asseoir à côté d'elle.

— Vous avez mal dormi ?

— Je n'ai pas dormi, répondit-elle. Je repensais constamment à l'explosion de la voiture. C'est la première fois de ma vie que je me sens réellement en danger, pas vous ?

— Eh bien, cette histoire paraît tellement invraisemblable que j'ai presque du mal à me sentir concerné par ce qui arrive. De toute façon, il est rare que je me sente concerné par quelque chose.

— Vous avez dû être très malheureux pour en arriver là, fit-elle d'un ton sincère, mais aujourd'hui je vous envierais presque.

De loin, nous vîmes Vittorio arriver vers nous, en caleçon et tee-shirt Armani. Je pensai alors que, quoi qu'il pût arriver par la suite, cette histoire m'aurait au moins permis de voir un homme d'Église en sous-vêtements de luxe. Il me sembla cependant probable, étant donné ma vie sociale réduite – voire inexistante –, que je n'aurais guère le loisir de raconter un jour cette anecdote en société.

Il nous proposa de l'accompagner à la boulangerie du village pour acheter du pain frais et des viennoi-series. Barbara se plaignit d'un violent mal de tête et déclina l'invitation. Elle fouilla au fond de son sac et avala une petite pilule orangée avec une gorgée de café. Je remontai rapidement dans ma chambre, pris une douche fraîche et mis des habits propres avant de rejoindre Vittorio dans la rue. Immédiatement, j'eus un mauvais pressentiment qui me fit retourner en courant dans la petite cour. Barbara était prostrée dans un fauteuil en osier, en proie à un étrange délire.

J'appelai Magnus de toutes mes forces. Il se leva dans la minute, encore mal réveillé, se pencha sur elle et commença à la secouer. La première idée qui me vint à l'esprit fut une tentative de suicide, mais Gemereck ne crut pas un instant à l'empoisonnement. Ce genre de délire nauséeux était fréquent chez les sujets absorbant des mélanges de drogues. Dans l'herbe, nous trouvâmes, sans trop chercher, d'autres pilules orange. Magnus penchait pour une de ces nouvelles drogues qui inondaient actuellement le marché : des antidépresseurs puissance dix, censés éliminer le stress et augmenter grandement les capacités physiques.

Nous essayâmes de parler à Barbara, mais elle avait vraiment l'air coupée du monde. Proche d'une extase malsaine, son délire était traversé par d'affreuses crises de rire. Magnus affirma qu'il n'y avait rien à faire. Il fallait laisser la drogue faire son effet : cela pouvait prendre une heure ou deux.

— C'est bizarre, non ? Elle avait l'air plutôt heureuse hier, dis-je, réellement étonné de voir la jeune femme dans cet état.

Magnus haussa les épaules, secoua la tête et, du haut de son expérience, lâcha une de ces phrases qui ne souffrent pas la contestation :

— Il y a tant de personnes qu'on croit heureuses parce qu'on ne fait que les croiser...

Nous allongeâmes Barbara sur une chaise longue et Vittorio la couvrit d'un plaid aux motifs écossais. Je fus le seul à rester près d'elle. Le prêtre devait assurer la première messe et Magnus ne semblait pas tellement concerné par la santé de la femme d'affaires. Il sortit de la petite propriété et déclara, en bougonnant, qu'il avait besoin de calme pour réfléchir.

Je m'approchai un peu de sa chaise et regardai Barbara. De temps en temps, tout son corps était secoué de spasmes. Ses yeux s'ouvraient parfois mais ne semblaient pas me voir. D'un seul coup, je ne me sentis plus du tout malheureux et en eus presque honte : comment l'état de détresse de cette fille pouvait-il à ce point me remonter le moral ?

J'étais seul dans la propriété : Vittorio était retenu par sa messe, Barbara cuvait sa drogue dans le jardin et Magnus était sorti prendre l'air. C'était peut-être là mon ultime chance de pouvoir effectuer une fouille de l'appartement.

Je ne devais pas leur faire trop confiance : cette histoire était folle et pouvait nous emmener très loin. Je remontai en hâte dans la chambre de Vittorio où j'avais passé la nuit mais que je n'avais pas fouillée, par respect pour je ne sais quelle loi de l'hospitalité.

Je ne fus pas long à abandonner tous les scrupules qui m'avaient retenu et passai la pièce au peigne fin. Les placards n'étaient pas fermés et regorgeaient de superbes fringues de grandes marques italiennes et françaises. De toute évidence, Carosa était un drôle de curé : un physique de jeune premier, une barbe de trois jours parfaitement entretenue et une garde-robe qui aurait permis d'organiser un véritable défilé de mode. Étrange pour un homme dont la fonction prônait sinon le dénuement, du moins une certaine distance par rapport aux biens matériels et au luxe. Où trouvait-il l'argent pour acheter de tels habits et porter une Breitling en argent ? Dans un des tiroirs, je trouvai aussi quelques photos prises dans les rues de Rome et de Gênes : le genre de photos que les amoureux prennent en vacances – j'en savais quelque chose. Apparemment, notre homme avait eu au moins deux conquêtes féminines assez récemment. Pendant un moment, je me demandai sérieusement si ce type était vraiment prêtre, avant de me souvenir des paroles de doute qu'il avait prononcées la veille.

Par la fenêtre, je jetai un œil dans le jardin : Barbara était toujours allongée sur la chaise longue et Magnus n'était pas revenu. J'avais encore du temps devant moi.

Je ne trouvai rien d'intéressant dans le sac de voyage de Magnus, à l'exception d'une bouteille de vodka, preuve que les habitudes russes restaient vivaces même après un éloignement prolongé de la mère patrie. Dans le salon, j'allumai l'ordinateur portable de Barbara,

mais fus immédiatement bloqué par un mot de passe.
Je ne pris même pas la peine d'en essayer quelques-uns :
c'était une femme trop méfiante pour choisir comme
code sa date de naissance ou son numéro de téléphone.
Dans sa mallette, je trouvai un autre paquet de pilules.
C'était certain, elle n'en était pas à son coup d'essai
avec cette drogue. Je balançai ce poison dans la cuvette
des toilettes et tirai la chasse d'eau, en imaginant les
cris d'orfraie qu'elle pousserait lorsqu'elle se rendrait
compte que j'avais fouillé dans ses affaires.

Les effets de la drogue s'étaient atténués assez vite et
le visage de Barbara avait retrouvé un peu de fraîcheur.
Elle retira la couverture de ses jambes, se mit debout et
entreprit quelques exercices d'étirement.

— Qu'est-ce que vous avez avalé ? demandai-je avec
curiosité.

— Du Surexyt, mais d'habitude ça ne fait pas du tout
cet effet-là.

— C'est censé faire quel effet ?

— Un bien-être physique et psychique : vous ne sentez
pas la fatigue et vous avez le moral gonflé à bloc.

— Là, c'est raté. C'était plutôt Lethargyx que Surexyt.

Pour la première fois, elle m'adressa un sourire.

— Vous en prenez souvent ?

— Assez. Pour être performante dans mon travail,
pour éviter d'avoir peur, pour ne pas me poser de questions. Vous savez, c'est une pratique presque courante
parmi les cadres pour arriver à tenir le rythme. Je

connais plein d'avocats qui en prennent. Vous ne connaissiez pas ?

— Non, je n'ai jamais pris de dopant. Sans doute mon côté « conservateur », comme vous dites.

Presque en même temps, Magnus et Vittorio étaient rentrés prendre des nouvelles de notre malade. Aucun de nous ne s'était risqué à faire le moindre reproche à Barbara ou à lui adresser un sermon. Vittorio avait acheté les journaux du jour et nous écoutâmes tous le bulletin d'informations de 10 heures. Il n'y avait malheureusement rien de nouveau, du moins en ce qui concernait les faits. Quant à l'interprétation des événements, la police et les journaux semblaient conforter en partie la thèse de Magnus et redoutaient d'autres enlèvements d'hommes d'affaires ou de politiciens douteux. Certains financiers avaient renforcé leur protection rapprochée et quelques laboratoires de biotechnologie avaient accru leur système de surveillance.

Si cette affaire faisait tant parler d'elle, c'était que les autorités ne croyaient pas à l'initiative d'un individu isolé, étant donné la logistique importante qu'il avait fallu pour enlever Steiner et, surtout, pour voler *La Joconde*. Dans les pages des journaux s'étalaient aussi d'innombrables articles qui titraient sur « les secrets inavouables de MicroGlobal » ou « la chute de la maison Steiner ».

Sur CNN, plusieurs reportages évoquèrent, en les condamnant, les méthodes de gestion du personnel qu'imposait *de facto* MicroGlobal à ses sous-traitants dans de nombreux pays en développement. Ils firent également allusion aux sombres rumeurs concernant certaines recherches génétiques effectuées dans ses laboratoires de biologie.

L'absence de nouvelles informations inquiéta un peu Magnus, car cela signifiait que nous n'aurions pas d'autres indices à notre disposition. Il répéta plusieurs fois que le temps était compté si nous voulions sauver Steiner et nous reprocha presque un manque de coopération. Il semblait également croire que l'un de nous retirerait un quelconque avantage de la mort du milliardaire et soupçonnait Barbara plus particulièrement. Alors que, jusqu'à présent, il avait ménagé la jeune femme, il se livra, en cette fin de matinée, à un interrogatoire plutôt musclé.

— Miss Weber, avez-vous déjà pensé à éliminer Steiner vous-même ?

— Vous êtes complètement sénile !

— Mais, si on le retrouve mort, en éprouverez-vous de la peine ?

— Aucune.

— De l'indifférence ?

— Non plus.

— Quoi alors ?

— Une grande satisfaction.

Toutes les réponses de Barbara claquaient sans hésitation. L'échange était vif, mais Magnus ne voulait pas lâcher le morceau.

— Plus précisément, qu'est-ce qui vous satisferait le plus ?

— Que sa mort soit offerte en pâture à ceux qu'il a fait souffrir, répondit-elle sans ciller.

— Mais encore ?

— Que sa mort soit lente et progressive, que Steiner puisse la voir arriver doucement, qu'il ait le temps d'avoir peur et de pisser dans son froc en méditant sur les limites de l'impunité.

— Pourquoi ?

— Parce que ces gens-là pensent être au-dessus des lois.

— Le sont-ils vraiment ?

— Oui, car ils ne seront jamais réellement menacés par le pouvoir judiciaire. Les gens comme Steiner se foutent de la loi. Tout au plus les inquiète-t-elle parfois et ils engagent alors des bataillons d'avocats qui trouvent toujours un vice de forme ou un arrangement pour les sortir de là. Mais la loi ne peut en aucun cas les détruire.

J'étais surpris par la violence et la hargne des paroles de Barbara. Décidément, je ne savais plus trop quoi penser de cette fille. Par certains côtés, elle me ressemblait, même si elle avait pris le parti de transformer son désespoir en cynisme alors que j'avais choisi de changer ma désespérance en renoncement.

Les craintes de Barbara concernant le pouvoir exorbitant de Steiner et de son groupe étaient fondées. Personne ne pouvait réellement contester que MicroGlobal fût en position de monopole sur les secteurs importants des technologies de l'information et de la communication. Un monopole si puissant qu'il pouvait même, aux yeux de certains, représenter un danger pour la démocratie.

Pourtant, l'histoire de MicroGlobal était belle. Selon la légende – soigneusement entretenue par la firme –, tout avait commencé dans un garage de Paco Alto, au milieu des années 1970, lorsque Steiner et deux camarades d'université avaient mis au point l'un des premiers ordinateurs individuels disponibles sur le marché. C'était l'âge d'or des pionniers de l'informatique. À cette époque, la commercialisation des premiers microprocesseurs avait permis à quelques passionnés d'assembler des composants électroniques pour créer ce qui allait devenir les premiers ordinateurs personnels. Et c'est ce qu'avait fait Steiner. Grâce à la bienveillance de sa famille – contrairement à ce qui se raconte parfois, Steiner est issu d'une famille bourgeoise de Californie et non pas des quartiers pauvres de LA –, il avait réussi à lever suffisamment de fonds pour financer le montage de sa première ligne de production, en plein cœur de la Silicon Valley. MicroGlobal était né. Très vite, le succès avait été au rendez-vous et, en moins de trois ans, l'entreprise avait rapporté plus de un million de dollars à son créateur.

Il faut dire que le programmateur de génie qu'était incontestablement Steiner se doublait d'un homme d'affaires carnassier au talent de visionnaire. Persuadé que les ordinateurs entreraient bientôt dans tous les foyers, il avait investi une partie de ses gains dans la création d'une société de logiciels dont certains étaient rapidement devenus des standards. Avec la démocratisation de l'informatique, les profits de MicroGlobal étaient devenus si colossaux que l'entreprise avait pu se permettre d'investir des centaines de millions dans d'autres activités allant d'Internet à la télévision par câble. Une telle réussite avait fait naître chez Steiner une sorte de tendance à la mégalomanie qui s'était accentuée ces dernières années. Son objectif plus ou moins affiché avait consisté à prendre le contrôle des éléments importants du champ de l'information et de la communication pour s'assurer une hégémonie dans le pouvoir médiatique. Maintenant à la tête d'un immense complexe médiatico-informatique, il entendait se servir de son groupe pour assouvir ses rêves de domination mondiale.

À plusieurs reprises, les associations de consommateurs avaient stigmatisé les méthodes liberticides utilisées par MicroGlobal pour surveiller leurs concitoyens. Elles avaient en effet découvert que l'entreprise de Steiner espionnait certains de ses clients en camouflant dans ses CD-Rom des mouchards informatiques qui s'activaient lorsque les utilisateurs se rendaient sur Internet. Le groupe informatique avait ainsi accès à des données privées qu'il archivait pour se constituer des fichiers très complets de cyberconsommateurs potentiels.

Certes, l'époque voulait ça. Comme l'avaient montré les révélations sur Echelon[1], le développement des nouvelles technologies mettait à mal la protection de la vie privée et les libertés individuelles. Et Micro-Global était loin d'être un cas isolé : dans la nouvelle économie, les entreprises faisant du commerce sur le Web essayaient toutes de recueillir le maximum d'informations sur les clients qui visitaient leur site. Mais aucune n'atteignait le pouvoir de domination de MicroGlobal. Et rien n'empêchait que ces données soient un jour exploitées à des fins autres que commerciales...

En ce jour du Seigneur, Vittorio avait préparé en entrée une formidable salade de tourteaux et de crevettes. Au moment du repas, Magnus se radoucit et instaura le début de la trêve en nous servant un apéritif. Barbara prit son verre de Martini et s'installa devant l'écran de son petit ordinateur. Pour s'amuser, elle tapa nos noms sur les moteurs de recherche d'Internet. Elle ne trouva rien sur Vittorio ni sur elle ; en revanche, Magnus et moi figurions sur la liste officielle des personnalités de plusieurs sites.

---

1. Hérité de la guerre froide, le réseau Echelon est un système d'espionnage militaire et économique capable d'intercepter les communications téléphoniques et les e-mails contenant certains mots-clés susceptibles d'intéresser les services américains.

Magnus S. Gemereck

Biologiste américain, né à Saint-Pétersbourg en 1939.

Après des études à l'université des sciences de Moscou, il devient chercheur en biologie au Centre soviétique de recherche scientifique. Passé à l'Ouest en 1976, il est naturalisé américain en 1977 et devient professeur au Massachusetts Institute of Technology. À partir de cette époque, tous ses travaux seront consacrés à la thérapie génétique. Son dernier ouvrage, *Les Dangers de l'homme transgénique*, paru en 2002, connaît un grand retentissement. Dans ce livre, le Pr Gemereck dénonce les risques, pour l'humanité, de l'application des techniques permettant des manipulations génétiques sur les cellules germinales. Sa position est avant tout une position éthique qui repose sur sa conviction que, sans un cadre législatif précis, la thérapie génique risque d'aboutir à un processus d'amélioration génétique dont seuls profiteraient les plus riches. Sa crainte est de voir s'instaurer un système, organisé par quelques nantis, dans lequel les plus riches pourraient faire profiter leur future progéniture de gènes « à haute valeur ajoutée », protégeant contre certaines maladies et conférant des aptitudes physiques et psychologiques particulièrement recherchées.

Membre du Conseil scientifique consultatif sur la législation génétique, Magnus Gemereck a été le seul scientifique du Conseil fédéral sur les biotechnologies à mettre en garde contre une future confusion entre thérapie génique et amélioration génétique.

Ses comparaisons répétées entre la situation américaine actuelle et les tentatives eugéniques menées au milieu du siècle – notamment par les nazis – ont suscité beaucoup d'indignation de la part de ses collègues.

Pour M. Gemereck, les hommes politiques et les scientifiques auront un jour ou l'autre à répondre de leurs actes et de leur prise de position sur ce sujet.

Le gouvernement américain devrait d'ailleurs se prononcer prochainement sur l'opportunité de revoir la législation dans ce domaine en pleine évolution. Toutefois, la pression des lobbies (qui ont investi des sommes énormes dans la recherche et qui en attendent maintenant les retombées financières sous forme de brevets et de libéralisation du marché) et de la communauté scientifique (pour qui toute réglementation briderait automatiquement les progrès et empêcherait de profiter pleinement des nouvelles thérapies) paraît tellement forte qu'il ne devrait pas y avoir de grands changements législatifs.

Célibataire.

Une fille (Célia).

Suivaient la liste interminable des ouvrages et publications de Magnus ainsi que celle de ses nombreuses récompenses universitaires.

Théodore McCoyle
Avocat américain, né en France, en 1966.

Après des études brillantes à la Northeastern University School of Law de Boston, il entre au cabinet Marbble & Stewart à la fin des années 1980. Jeune avocat brillant, il se fait connaître des médias lors de ce qu'il a été convenu d'appeler par la suite le « procès Hamilton » dans lequel il réussit, contre toute attente, à obtenir pour son client, Joe Hamilton, un modeste ouvrier du bâtiment atteint d'un cancer au poumon, plus de 10 millions de dollars de dommages et intérêts pour avoir été exposé pendant plus de vingt ans à des poussières de fibres d'amiante. Ses honoraires sur cette affaire lui permettent de monter son propre cabinet d'avocats qui, paradoxalement, se spécialise dans la gestion juridique de contentieux financiers des grandes firmes. Durant cette période, McCoyle participe aussi à quelques procès médiatiques impliquant des vedettes du cinéma ou du monde musical.
Il y a quatre ans, le cabinet McCoyle accepte de défendre un petit entrepreneur de travaux publics qui accusait le maire de Springfield de corruption. McCoyle promet des révélations et annonce « la

chute imminente d'un système pourri, indigne d'une démocratie ». Pourtant, durant le procès, les témoins attendus se rétractent et le maire obtient même des réparations pour diffamation.
Le cabinet McCoyle a arrêté ses activités en 2001.
Célibataire.
Pas d'enfants.
Publications :
– *La Révision du procès Calas : histoire d'une erreur judiciaire au siècle des Lumières*, 1989.
– *Pour l'honneur*, 1992.

Le premier ouvrage cité était ma thèse de fin d'études que j'avais pu faire publier une fois mon compte en banque suffisamment rempli. Le second était un livre d'entretiens avec Joe Hamilton, écrit peu de temps avant sa mort, et qui racontait notre combat juridique contre Tower Corporation. Récemment, des producteurs avaient même acheté les droits de ce bouquin pour en faire un téléfilm.

Barbara appuya sur une touche du clavier et trois photos de moi apparurent sur l'écran. La première était ma photo de lauréat, prise il y a quinze ans lors de la remise des diplômes universitaires. Je me souvenais d'avoir eu, ce jour-là, l'impression d'être le roi du monde. La deuxième était une pose en compagnie de Hamilton, quelques minutes après l'annonce du verdict, et le dernier cliché me montrait au bras d'une pulpeuse actrice de sitcom dont j'avais oublié le nom bien que nous fussions sortis ensemble quelque temps lorsque j'étais un jeune avocat brillant et médiatique.

La biographie et les photos amusèrent beaucoup Vittorio et Barbara, qui se crurent obligés de me chambrer à plusieurs reprises. Le prêtre voulait la liste des vedettes du showbiz que j'avais défendues. La jeune femme souhaitait connaître celles avec qui j'avais eu une aventure. Magnus fut le seul à ne montrer aucun intérêt pour ces enfantillages.

Pendant un moment, je repensai aux larmes de Hamilton lorsqu'il avait su qu'il pourrait léguer 10 millions de dollars à ses enfants, lui qui, pour leur assurer une éducation correcte, avait trimé toute sa vie en avalant des particules de poussière mortelle qui lui faisaient moucher du sang. Je me demandai ce qu'étaient devenus ses gosses, espérant sincèrement que l'argent ne les avait pas gâchés.

Après le déjeuner, Vittorio insista pour organiser un petit *briefing*. Comme nous en avions maintenant l'habitude, nous prîmes nos aises dans l'église, chacun assis à sa place fétiche. Barbara avait préparé du café et nous en servit une tasse. Magnus alluma sa pipe et Vittorio son cigarillo.

Pour essayer d'y voir plus clair, il nous fallait d'abord répondre à certaines questions: que savions-nous? Sur quoi pouvions-nous nous appuyer? De quoi étions-nous sûrs? Nous butâmes d'abord sur une difficulté de langage: parce que nous avions besoin de personnifier la menace, nous décidâmes entre nous d'appeler du nom de Mona Lisa la personne ou l'organisation qui se trouvait derrière tout cela. Puis nous entrâmes véritablement dans le vif du sujet.

La première hypothèse fut celle qui rencontra le moins d'opposition : nous étions tous d'accord pour admettre que Mona Lisa avait organisé à la fois le vol du tableau au Louvre et l'enlèvement de Steiner : les petits clous du tableau et la mèche de cheveux envoyés à Scotland Yard étaient là pour le prouver.

La deuxième hypothèse fut déjà plus sujette à caution – Barbara par exemple ne voulait guère en entendre parler –, mais Magnus et Vittorio insistaient pour que nous la retenions quand même comme hypothèse de travail : le premier des quatre messages (celui reçu par Barbara) pouvait laisser penser que l'enlèvement de Steiner avait quelque chose à voir avec la dénonciation de ce que Magnus appelait « le détournement du premier des quatre piliers de la civilisation occidentale » : l'ultralibéralisme économique. Cette hypothèse – qui semblait aussi être privilégiée par les médias et la police – ne nous réjouissait guère, dans la mesure où elle signifiait que d'autres méfaits étaient à craindre pour dénoncer la perversion des trois autres piliers : individualisme, science, démocratie.

La troisième hypothèse pouvait s'énoncer ainsi : Mona Lisa nous mettait tous les quatre au défi de trouver le lieu où était enfermé Steiner, en utilisant seulement notre réflexion et notre expérience individuelle.

S'il n'en était pas ainsi, Steiner aurait certainement été tué depuis longtemps ou ses ravisseurs auraient au moins demandé une rançon. Magnus et Vittorio prétendaient n'être liés ni de près ni de loin aux activités de Steiner. Il en était de même pour moi. C'est pourquoi Magnus attendait que le déclic vienne de Barbara, mais les seules pièces du puzzle que nous avions pu rassembler jusqu'à présent se réduisaient à peu de chose : l'enlèvement d'un homme d'affaires multimilliardaire, une macabre histoire d'exploitation de main-d'œuvre dans deux de ses usines au Honduras et au Nicaragua qui avait débouché sur la mort prévisible d'une femme enceinte et une citation de Victor Hugo.

Vittorio insista pour que l'on ajoute une hypothèse : Mona Lisa ne nous était pas hostile *a priori*. Mais alors, qui avait saboté la voiture ? Barbara et moi, qui avions failli mourir dans l'aventure, trouvions que le prêtre allait un peu vite en besogne. Nous laissâmes donc ce point en suspens momentanément.

Se posait enfin la question du comportement à adopter dans l'immédiat. Barbara réaffirma qu'elle ne pouvait pas rester en Italie *ad vitam aeternam* au risque de se faire licencier, d'autant plus qu'elle ne voyait pas très bien ce que nous pouvions faire de plus. Ce à quoi Magnus répondit qu'il avait lui aussi des contraintes professionnelles, mais que la situation présente lui semblait assez importante et primait sur ce genre de contingences matérielles.

Dans la suite de la discussion, je devais également me rendre compte de l'apparente absence de vie conjugale et familiale de mes partenaires : lorsque Barbara téléphonait, ce n'était que pour appeler son entreprise à Seattle. Magnus, lui, n'avait jamais mentionné devant nous sa femme ou sa fille. Quant à Vittorio, sa condition expliquait mieux son absence de famille, même si les photos trouvées lors de ma fouille avaient fait naître en moi la conviction que, de ce point de vue, il était paradoxalement le plus « normal » d'entre nous et que sa condition de prêtre devait certainement lui peser d'un point de vue affectif.

La tournure que prenait notre discussion rappela une fois de plus à Barbara la nécessité d'appeler un collègue. Elle nous quitta un moment et le prêtre *play-boy* – qui ne semblait pas insensible à ses charmes – proposa de l'accompagner sans que l'on sût vraiment pourquoi. Magnus resta avec moi dans l'église et me resservit une tasse de café.

— Vous croyez, vous aussi, que nous ne pouvons rien faire de plus ?

— Écoutez, Magnus, je ne crois rien, je n'aspire à rien. Je veux seulement qu'on me foute la paix pour retourner chez moi le plus tôt possible.

— La désespérance ne mène nulle part, vous savez, confia-t-il en recrachant une bouffée de fumée. À votre âge, on ne peut pas vivre comme vous le faites.

— Je vous en prie, épargnez-moi vos leçons de vie.

— Mais qu'est-ce qui vous a mis dans un tel état, bon Dieu ! Ce n'est pas ce foutu procès perdu, quand même ?

Magnus comprit qu'à ce moment-là j'hésitais entre un propos convenu et une explication plus empreinte de franchise. Je bottai finalement en touche.

— Non, bien sûr. Pour faire simple, disons que je ne suis pas optimiste quant à l'évolution du monde.

— L'évolution du monde peut-être, concéda-t-il en levant les bras au ciel, mais qu'en est-il de votre évolution à vous ?

— Oh ! mon évolution à moi… J'ai eu de l'argent, une position sociale enviée, des aventures sexuelles satisfaisantes ; j'aurais pu continuer sur ce rythme : gagner encore plus d'argent, entamer une carrière politique, fonder une famille… J'ai choisi de me saborder volontairement, en quelque sorte.

— Et vous en êtes fier !

— Ne me jugez pas, s'il vous plaît, vous ne connaissez rien à tout ça. Ce que vous prenez pour de la faiblesse est en vérité bien autre chose. Vous ne savez pas ce que c'est que de renoncer à tout. Vous ne pouvez pas vous imaginer la force morale qu'il faut pour oser faire ce que j'ai fait.

— Non, Théo, la vraie force morale, le vrai courage, c'est de continuer.

— Ne vous fatiguez pas avec vos aphorismes à trois sous, pas avec moi.

Il marqua une pause, tourna son café délicatement et en avala une petite gorgée, avant de rallumer sa pipe.

À cet instant, j'aurais bien aimé lui faire comprendre que, malgré mes réponses pleines de mauvaise volonté, je lui savais gré de m'avoir tenu ce discours.

— Il y a une femme, n'est-ce pas ? demanda-t-il après un long silence.

— Où ça ? fis-je en me retournant, comme s'il avait voulu parler de quelqu'un qui venait d'entrer dans l'église.

— Derrière votre renoncement, derrière votre comportement. Il y a une femme ? Une femme qui vous a repoussé ? Une femme qui est loin de vous, qui ne vous aime plus ou peut-être... qui est morte ?

— Pourquoi dites-vous ça ? Suis-je à ce point transparent, Magnus ?

— Non, vous n'êtes pas transparent, dit-il d'un ton rassurant, vous avez même une forte part de mystère, mais il n'y a pas trente-six mille raisons qui peuvent pousser un homme à un tel état de désespoir et d'effacement après avoir mené la grande vie. Et puis, vous avez un comportement étrange avec la petite Barbara, un peu comme si vous lui reprochiez d'être belle.

— Moi ? Moi, j'ai un comportement étrange avec Barbara ? Écoutez, vous êtes sûrement un très grand généticien, mais pour ce qui est de la psychologie, ce n'est pas encore ça ! Je ne lui reproche pas d'être belle. Enfin, c'est vrai qu'elle est très belle, mais ce que je lui reproche, c'est son inculture, son égoïsme, son mépris...

Alors que j'essayais de me justifier, il éclata de rire. Pour la première fois depuis longtemps, je me sentis presque en confiance avec un de mes semblables et à mon tour j'eus envie de lui poser des questions :

— Et vous, cette tentation du renoncement, elle ne vous a jamais effleuré ?

— Si, bien sûr, avoua-t-il, et avec l'âge elle se fait de plus en plus sentir. Je pense souvent à me retirer dans ma petite propriété irlandaise pour m'y reposer et y déguster tranquillement mes grands crus de Bordeaux...

— Et qu'est-ce qui vous en empêche ?

— Mes recherches. La recherche scientifique, c'est une véritable drogue, vous savez, au même titre que celle que prend notre amie. Et puis, en cette période où la plupart de mes collègues semblent avoir perdu la tête avec cette folie du clonage, j'essaye d'utiliser ma petite notoriété pour justement éviter que la science sans conscience ne soit que ruine de l'âme.

Finalement, plus cette histoire progressait, plus je me rendais compte que les échos des messages de Mona Lisa retentissaient fortement à l'intérieur de chacun de nous.

Mona Lisa avait touché juste. Trop juste. Et si elle était l'un de nous ?

5

Elle

Magnus était dans le vrai : il y avait bien une femme.

Depuis quatre ans que nous nous étions quittés, il ne se passait pas un seul jour, pas une seule heure sans que je pense à Elle.

Je l'avais rencontrée cinq ans auparavant, lors de l'inauguration du complexe informatique d'une Junior High School dans le New Jersey. Une société de recherche pharmaceutique qui, pour résoudre ses problèmes juridiques, s'était attaché les services de mon cabinet d'avocats venait de faire don d'une centaine d'ordinateurs au collège de la ville de John's River. Pour fêter ses bonnes œuvres, la société avait organisé un grand cocktail d'inauguration dans les locaux de l'école. Le vice-président de la compagnie s'était fendu d'un discours sur l'importance de l'investissement éducatif dans la croissance économique, tandis que le maire de la ville avait remercié ces généreux donateurs grâce auxquels les enfants de la ville allaient pouvoir profiter pleinement des « bienfaits de la technologie dans l'éducation ».

Bien que le cabinet McCoyle n'eût pas d'affaire en cours avec l'entreprise pharmaceutique, j'avais fait le déplacement pour cultiver les bonnes relations que j'entretenais avec mon client.

Elle, sous la protection d'un garde du corps, assurait la représentation liée à sa fonction et répondait avec le sourire aux nombreuses sollicitations de la petite cour qui l'entourait. Au milieu de tous ces gens et des ordinateurs, je fus devant elle d'un seul coup sans l'avoir vraiment recherché. Assis devant les écrans d'ordinateurs, plusieurs dizaines d'enfants faisaient une présentation de leurs travaux scolaires réalisés grâce à l'informatique.

Elle était passée devant tous les écrans et, chaque fois, s'était arrêtée pour dire quelques mots aux enfants. J'étais à côté d'une petite fille qui lui montra fièrement son dessin : une voiture-oiseau qu'elle avait dessinée grâce à un logiciel adapté aux tout-petits.

— Ton dessin est très beau, lui dit-elle en se penchant. Avec ta voiture volante, on pourrait aller jusqu'aux étoiles.

Alors qu'elle commençait à s'éloigner, la petite fille l'avait rappelée d'une question sonore :

— Dites, madame, c'est loin les étoiles ?

Elle se retourna, revint vers l'enfant et lui demanda en souriant comment elle s'appelait.

— Victoria, déclara fièrement la petite.

— Eh bien, oui, Victoria, les étoiles sont très éloignées de nous. La plus proche, le Soleil, est à environ 150 millions de kilomètres.

— Combien il faudrait de temps pour y aller en voiture ?

— Euh...

J'étais là, tout à côté, il était presque normal que je participe à la conversation.

— Bien plus de cent ans, répondis-je, si l'on respecte les limitations de vitesse.

Elles me firent toutes les deux un sourire, tandis que je me baissais pour être au niveau de l'enfant.

— Pourtant, reprit-elle, la lumière, qui se déplace très vite et qui n'a pas besoin de respecter les limitations de vitesse, met moins de dix minutes.

— Et à part le Soleil ? demandai-je à mon tour.

— À part le Soleil, l'étoile la plus proche de nous s'appelle Proxima du Centaure, nous apprit-elle d'un ton professoral.

— C'est un beau nom, mais ça doit être loin, dit l'enfant, songeuse.

— Oui, très loin, confirma-t-elle d'un air presque triste.

— À combien de kilomètres ?

— Tu sais, quand on parle de distances si importantes, ce n'est plus le kilomètre que l'on utilise, mais l'année-lumière qui correspond à la distance parcourue par la lumière en une année. Il faut ainsi plus de quatre années à la lumière pour aller de Proxima du Centaure à la Terre.

— C'est beau une étoile, affirma Victoria un peu pour elle-même.

C'est à ce moment qu'elle se releva et caressa les cheveux de l'enfant en disant d'un air absent :

— Oui, c'est beau, mais ça ne sert à rien.

— Si, ça sert à éclairer le ciel la nuit, dit la petite fille, étonnée que cette fonction des étoiles, pourtant évidente à ses yeux, eût échappé à une grande personne qui connaissait si bien les distances entre les astres.

— Tu connais l'histoire du Petit Prince ? demandai-je à Victoria.

— Non.

— Le Petit Prince était un garçon de ton âge. Il avait été obligé de quitter la planète sur laquelle il habitait et d'y abandonner sa rose. Alors, une fois sur la Terre, il était tout heureux en regardant le ciel, car il savait que là-haut, parmi les millions d'étoiles, se trouvait une fleur qui n'existait qu'en un seul exemplaire. Et si tu aimes une rose qui se trouve dans une étoile, c'est doux la nuit de regarder le ciel.

— Oui, fit Victoria, un peu rassurée par mon histoire, c'est doux la nuit de regarder le ciel.

Et elle s'en retourna devant son écran, sans doute pour commencer le dessin d'un ciel illuminé.

— Merci, vous m'avez tirée d'un mauvais pas, dit-elle en me tendant la main.

— Théo McCoyle, avocat et grand lecteur de Saint-Exupéry.

— Enchantée.

Nous discutâmes quelques minutes avant qu'elle ne s'éclipse un moment. En effet, l'inauguration touchait à son terme et il fallait encore serrer quelques mains, distribuer quelques sourires. Elle me rejoignit sur le petit parking du collège tandis que je m'apprêtais à repartir avec ma voiture.

Puis il y eut sa façon de demander : « Vous comptiez partir sans me dire au revoir ? » en feignant d'être presque mécontente pour finalement me proposer, presque timidement, de « terminer la soirée dans un endroit tranquille ».

À sa demande, le garde du corps nous lâcha et repartit avec la voiture officielle.

Elle passa encore quelques coups de fil sur son portable pour être sûre de ne plus être dérangée. Dans cette région, je connaissais un endroit tranquille, un endroit où je savais qu'elle ne serait pas reconnue : le *fast-food* situé en face de l'entrée des urgences de l'hôpital St. Matthews. Un lieu fréquenté essentiellement par la faune des médecins et des malades et qui, pour s'adapter aux exigences de la maison d'en face, assurait un service de restauration vingt-quatre heures sur vingt-quatre. Lorsque nous arrivâmes, l'établissement était très animé. C'était l'heure des changements de garde et un régiment d'infirmières venait de poser son camp. Nous dûmes batailler un moment pour trouver une place près de la fenêtre, ce qui eut l'air de beaucoup l'amuser.

Nous commandâmes des hamburgers, des œufs, des frites et du jus d'orange. Elle dénoua ses cheveux blond cendré d'un geste très lent. Nous continuâmes à parler de tout et de rien. Comme j'avais cité Saint-Exupéry, elle me parla de littérature, me donnant envie de lire *La Lettre écarlate*, de Nathaniel Hawthorne, et *Les Vagues*, de Virginia Woolf, livre auquel je m'étais plus d'une fois attaqué sans succès, l'univers de l'auteur demeurant pour moi totalement étranger. Je lui dis ma passion pour le volumineux *Moby Dick* de Herman Melville, roman qu'elle n'avait pas lu mais dans lequel elle me promit de se lancer quand elle aurait du temps.

— Dans quelques dizaines d'années, dit-elle en riant.

Lorsqu'elle remuait les mains, tous ses bracelets tintaient le long de ses bras.

Chaque fois que l'on m'avait parlé d'elle auparavant, c'était pour me dresser le portrait d'une femme forte, calculatrice et ambitieuse, qui était parvenue à se hisser au premier rang à coups de mensonges, de séduction et de tromperie. Tout ce que je vis ce soir-là, ce fut une femme qui ne recherchait rien d'autre qu'un moment d'intimité partagée et qui n'en revenait toujours pas de passer la soirée avec quelqu'un qu'elle ne connaissait que depuis quelques heures.

Nous commandâmes plusieurs fois du café, jusque tard dans la nuit. À 4 heures du matin, elle téléphona à son chauffeur et je sortis avec elle pour attendre sa voiture dans le froid de la nuit.

Cette nuit-là, moi qui ne crois en rien, j'ai même parlé aux étoiles.

Nous nous revîmes la semaine d'après dans un restaurant de Long Island, puis régulièrement une ou deux fois par semaine pendant les six mois suivants. Pour nous retrouver, nous avions loué un petit appartement à l'ouest de Washington Square, près de la New York University. J'habitais Boston, elle vivait dans le New Jersey : Greenwich Village était un compromis pratique.

En général, c'est moi qui arrivais le premier, en milieu de soirée. Je passais acheter quelques provisions et je l'attendais en nous préparant un repas. Parfois, nous restions juste quelques heures et, à vrai dire, je ne me souviens pas que nous ayons beaucoup dormi dans cet appartement. Le matin, nous prenions un café rapide dans le seul *coffee-shop* de MacDougal Alley ouvert à cette heure. Puis elle repartait vers Newark dans le froid du matin tandis que je remontais dans le Massachusetts, en roulant trop vite sur l'Interstate 95.

Ces moments volés servaient d'exutoire à la pression et au cynisme que nous subissions tous les deux dans notre travail. Je lui parlais de mon métier avec franchise, de mes doutes, de mon idéalisme alors disparu, mais qui m'avait pourtant poussé, sur les bancs de l'université, à choisir ce métier.

Depuis longtemps, j'avais fait mon deuil de l'amour et de la justice : je changeais de petite amie tous les mois et je ne défendais plus que de grosses entreprises qui me versaient des honoraires astronomiques pour résoudre leurs contentieux. J'étais riche et reconnu dans ma profession. J'avais deux voitures de sport et un grand appartement. Je travaillais seize heures par jour. Soudain, tout ce cirque ne me parut plus avoir la même importance qu'auparavant. Souvent dans la journée, lorsque j'étudiais un dossier ou que j'étais en rendez-vous avec un de mes clients, j'avais cette impression bizarre de participer à une mascarade à laquelle je ne trouvais plus de véritable sens. Ce qui m'importait, c'était que, le soir, je la verrais, qu'il y aurait son odeur et le velouté de sa peau. Et surtout son énergie, cette détermination incroyable qui irradiait de tout son être et qu'elle répandait autour d'elle. J'étais bluffé par sa façon de combiner le réalisme qu'imposaient ses fonctions et une sorte d'utopisme totalement étranger aux gens de ma génération qui avaient été élevés dans le cynisme des années 1980. Elle n'avait pas renoncé à rendre le monde et les gens meilleurs. Et je l'admirais pour ça.

Nous avons passé le nouvel an ensemble dans une belle villa de Cape Cod prêtée par une de ses relations. En avril, nous sommes partis une semaine en France, «en amoureux», comme on dit là-bas.

De cette période que nous avons tous deux vécue intensément, il restera toujours en moi un petit noyau de souvenirs indestructibles. Elle à Paris, courant derrière les pigeons sur le parvis de la cathédrale. Elle et son étrange thermos d'eau chaude qu'elle emportait partout pour se préparer des soupes de légumes instantanées pendant qu'elle travaillait. Elle, dansant le flamenco dans une boîte de nuit parisienne. Elle, commandant du foie gras et du sauternes à 1 heure du matin dans un grand hôtel. Elle, riant la bouche pleine à la terrasse d'un restaurant pendant que je lui apprenais à décortiquer les crevettes avec un couteau et une fourchette.

Puis je ne l'ai plus revue. Je n'ai ni l'envie ni la force de décrire notre rupture, nos dernières paroles, la dernière fois que je croisai son regard, et je vais donc m'en dispenser.

Comment quelqu'un peut-il faire partie intégrante de votre vie un jour et disparaître le lendemain ? Je ne pense pas être naïf. Pas plus dans ma profession que dans ma vie personnelle. Tout au long de mon existence, j'ai toujours eu l'impression d'avoir su faire face à l'adversité. Ayant depuis longtemps perdu toute illusion sur les idées ou les gens, il n'y a pas grand-chose qui puisse vraiment m'affecter. De plus, comme j'ai toujours l'habitude d'envisager le pire, aucune nouvelle ne me désespère jamais vraiment. Mais là, j'y avais cru.

Je m'étais attendu à tout, sauf à ce qu'une rupture amoureuse me mît dans cet état-là. Et encore, je me demande si l'on peut légitimement parler de rupture « amoureuse », étant donné que nous n'avions jamais couché ensemble.

C'est elle qui me l'avait demandé. Pour d'obscures raisons, elle ne voulait pas que notre histoire se résumât à une simple liaison sexuelle. J'essayai de trouver toutes les causes possibles à son refus. Au début, je crus qu'elle voulait tester la profondeur de mon amour, ensuite qu'elle n'était pas sûre de ses sentiments ou qu'elle se trouvait trop vieille pour moi.

Un jour, par provocation, j'avais employé le terme d'amitié pour qualifier notre relation. Comme je l'espérais, elle s'était insurgée :

— Je n'ai rien à faire de ton amitié. Je t'aime.

Moi aussi, je l'aimais, et c'était bien la raison pour laquelle j'avais accepté ses conditions, pensant que c'était là le moyen de gagner sa confiance et persuadé que cette situation ne durerait pas. Pour me rassurer, je me disais que, dans mes aventures récentes, le sexe ne m'avait pas vraiment rapproché des femmes que j'avais connues. Mais, au fond de moi, je savais bien que j'aurais dû partir, que quelque chose n'allait pas et n'irait sans doute jamais.

Il est vraiment difficile d'expliquer comment nous avons pu ne pas aller jusqu'au bout de cette tendresse infinie. Pour faire simple, je pourrais dire que, lorsque j'étais avec elle, le sexe ne me manquait pas. Non pas que je n'eusse pas envie d'elle, mais tant d'autres choses nous unissaient qu'une relation physique – même si j'espérais qu'elle viendrait prolonger ce que nous partagions déjà – ne me paraissait plus une condition *sine qua non* pour l'aimer.

Lorsque j'ai compris que tout était fini, je n'ai plus quitté mon appartement pendant trois semaines. Le cabinet appelait sans cesse : nous avions plusieurs affaires importantes en cours et ma présence semblait indispensable. Je n'ai pas cédé. J'avais besoin de rester seul, de m'abrutir de solitude.

Dans l'un des tiroirs de mon bureau, j'ai retrouvé un pistolet automatique que m'avait légué mon grand-père, un PA 35 datant de la dernière guerre. J'ai mis quelques cartouches dans le chargeur, puis j'ai enfoncé dans ma bouche le canon froid. Juste pour voir l'impression que cela me ferait. Bien que l'arme n'eût plus servi depuis des années, en respirant par la bouche, je pouvais encore sentir sur mes lèvres la saveur amère de la poudre. Depuis, je n'ai plus jamais été le même.

J'ai vraiment été à deux doigts de tirer, cherchant presque en vain une bonne raison de ne pas le faire. Tout à coup, je me suis revu enfant, avec le pouce dans la bouche et mon hippopotame bleu en peluche dans l'autre main. Bizarrement, cette seule vision fugitive a suffi à me faire renoncer. Je ne sais pas vraiment pourquoi. Peut-être par fidélité à ce que j'avais été. Sans doute aussi pour ne pas décevoir ma mère qui n'aurait pas aimé que son fils meure à trente-quatre ans, en se logeant une balle dans la tête à cause d'une femme.

Mais, aujourd'hui encore, les raisons qui m'ont fait renoncer restent très floues et je n'éprouve pas vraiment le besoin de les éclaircir. Parfois, je me demande si j'ai quand même un peu compté dans sa vie. Je n'en suis même plus sûr.

6
Maumy

Nous ne les avions pas entendus arriver. Malgré l'explosion du cabriolet, nous avions tous sous-estimé le danger. Ce manque de lucidité s'expliquait par le fait que rien dans notre vie ne nous avait préparés à cela. Comme la veille, nous avions pris nos quartiers du soir dans la fraîcheur de l'église, ce qui nous permettait d'échapper tout à la fois à la chaleur étouffante et aux piqûres des moustiques. C'était un moment agréable : je me souviens que Vittorio avait fait remarquer, en plaisantant, que ces insectes étaient aujourd'hui parfaitement semblables aux hommes en ce qu'ils désertaient eux aussi les lieux de culte traditionnels !

En début d'après-midi, nous avions fermé à clé la porte de l'église alors que nous nous y trouvions. Pourquoi avions-nous omis de le faire dans la soirée ? Sans doute parce que, malgré la voiture piégée, nous nous trouvions en sécurité dans ce lieu que nous considérions, à tort, comme un sanctuaire.

Les trois hommes entrèrent sans hésitation et s'avancèrent vers nous d'un pas déterminé. Deux d'entre eux tenaient un revolver à la main ; le troisième avait le visage caché par une cagoule, mais ne portait pas d'arme.

Tout se passa très vite : en moins de trois minutes, sans avoir pu opposer la moindre résistance, nous nous retrouvâmes tous les quatre ligotés à des chaises en bois. Ils savaient d'avance que nous serions là et que nous n'aurions aucun moyen pour nous défendre. Ils savaient d'avance combien nous serions et qui nous étions.

L'homme qui, le premier, prit la parole pour nous interroger ne semblait pas vouloir perdre de temps. Il avait à peu près mon âge et ma corpulence, mais ses cheveux, très longs, étaient retenus en catogan. Il posa le canon froid de son arme sur le front de Magnus et demanda d'une voix pressante :

— Dites-moi où se trouve William Steiner, professeur Gemereck.

— Je n'en sais rien, répondit Magnus sans lever les yeux.

L'homme laissa échapper un rire nerveux. Il se dirigea vers ma chaise d'un pas rapide malgré une légère claudication.

— Où est Steiner, monsieur McCoyle ? articula-t-il en pointant son revolver vers moi.

— Qui ça ? demandai-je d'un air benêt qui me valut immédiatement un coup de crosse violent sur l'arcade sourcilière.

Un petit filet de sang s'écoula lentement le long de ma tempe droite et humidifia mon œil.

— Père Carosa, dans votre intérêt, soyez plus coopératif et dites-nous ce que vous avez fait de Steiner !

D'un geste de défi, Vittorio essaya de cracher au visage de son interlocuteur, mais il hérita de la même punition que moi.

L'homme commençait vraiment à s'énerver. Il empoigna Barbara par les cheveux et dit d'une voix brusque :

— Je vous conseille d'être plus raisonnable, mademoiselle Weber.

— Allez vous faire foutre !

— Très bien, très bien, murmura l'homme avec regret, alors tant pis pour vous.

D'un signe de la tête, il fit comprendre au « cagoulé » qu'il pouvait commencer quelque chose. Celui-ci passa alors lentement devant chacun de nous. Visiblement, Magnus ne l'intéressait pas ; il s'arrêta plus longtemps devant Barbara et s'amusa à lui enfoncer son index dans la gorge, puis, un à un, tous les autres doigts. Il les enfonça si profondément que la jeune femme était sur le point de s'étouffer lorsque, avec l'énergie du désespoir, elle réussit à mordre son agresseur qui retira la main de sa bouche sans pourtant pousser le moindre cri.

Alors que Barbara vomissait sur le sol et cherchait à reprendre sa respiration, l'autre commença à lui donner des coups de poing sur le visage avec une violence inouïe. Heureusement, dès le deuxième coup, la chaise bascula et l'homme se désintéressa de la jeune femme pour se retourner vers Vittorio. Il lui renifla lentement le visage comme le font certains animaux avant d'avaler leur repas. Le prêtre se débattit de toutes ses forces en donnant des coups de tête furieux, mais son adversaire avait une force incroyable et le maîtrisa sans peine avant de recommencer à lui humer la face avec application. Méthodiquement, il continua son exploration olfactive avec une lenteur exaspérante avant de donner l'impression d'être gêné par sa cagoule et de la retirer.

C'est alors que nous vîmes son visage et que nous comprîmes que nous allions mourir.

Nous allions tous mourir, car personne n'avait jamais réussi à échapper aux griffes de Joseph Maumy, la machine à tuer californienne, le boucher nécrophage qui dévorait parfois jusqu'à la cervelle de ses victimes.

Depuis plusieurs années, les grands titres de la presse internationale faisaient périodiquement leur une avec le parcours macabre du tueur. Sa notoriété avait atteint un tel niveau que même un scientifique plongé dans ses recherches, un jeune prêtre en pleine crise mystique ou un avocat ermite qui ne lisait plus guère les journaux auraient pu le reconnaître s'ils l'avaient croisé dans la rue. Ses cheveux étaient plus courts et son visage plus empâté que sur les photos, mais ni son regard ni sa structure de géant massif ne pourraient jamais changer.

Lorsqu'il vit l'effroi dans nos yeux, il se gargarisa d'un rire démoniaque qui nous déchira le ventre. Puis, se penchant à nouveau sur Vittorio, il lui arracha sauvagement un morceau d'oreille avec les dents.

Je me souviens d'avoir alors regardé les deux autres hommes armés en m'attardant davantage sur celui qui nous avait questionnés et qui paraissait être le chef. Il me sembla qu'à cet instant lui aussi avait peur de Maumy. Le psychopathe donnait à présent l'impression d'être entré dans une sorte de transe. Le sang avait dû l'exciter et il s'était mis dans la tête de croquer le nez du prêtre. Vittorio avait déjà la tête en sang et poussait des hurlements de douleur en essayant de retirer son visage des mâchoires du monstre.

C'est alors qu'une décharge de plomb transperça l'épaule droite de Maumy, interrompant ainsi brutalement son délire cannibale. À l'abri derrière l'autel, un vieux chasseur, le torse barré par sa besace et la tête coiffée d'un chapeau en daim, venait de tirer sur le tueur le plus dangereux des États-Unis. Il avait dû profiter des cris du prêtre pour pénétrer dans l'église par la porte du fond sans que personne l'entende ni le remarque. Il avait déjà pivoté sur lui-même et rechargé son fusil et il envoya cette fois la décharge dans la jambe de l'homme au catogan.

— On fout le camp d'ici ! cria celui-ci à ses camarades, tout en se tenant la cuisse avec une grimace de douleur.

Pour protéger leur retraite, son compagnon tira quelques coups de feu en direction de l'autel, mais le chasseur était bien protégé par le solide chêne de la table des offrandes.

Maumy et ses deux acolytes se retrouvèrent dehors aussi vite qu'ils étaient entrés. Quelques secondes plus tard, un crissement de pneus déchira le silence de la nuit. Pendant ce temps, nous regardions, incrédules, ce grand-père aux cheveux blancs et à la grosse moustache qui défaisait nos liens et à qui, sans aucun doute, nous devions tous la vie.

— Monsieur le curé, j'étais venu vous apporter deux belles perdrix à rôtir pour dimanche, se contenta-t-il de dire.

Dans sa fuite, Maumy avait recraché le morceau d'oreille du prêtre qu'il avait arraché avec ses dents. Barbara récupéra aussitôt le petit bout d'organe et le mit dans de la glace pour le transporter à l'hôpital.

Mais nous avions un sacré problème ! Comment nous présenter là-bas avec deux blessés dont l'un avait manifestement été tabassé ? Barbara nous déclara qu'elle pourrait se soigner toute seule. Sans attendre, elle monta chercher dans sa valise une trousse de premiers soins et un miroir de poche qu'elle posa sur la table du salon. Elle ne put retenir un petit cri en voyant l'image que reflétait la glace : les deux coups de Maumy avaient marqué son beau visage de plusieurs hématomes dignes de ceux qu'exhibent parfois les boxeurs après plusieurs rounds d'un combat acharné. Ses yeux s'embuèrent, mais cela ne dura pas. Une fois la surprise passée, elle s'occupa, avec sang-froid et dextérité, de son visage tuméfié. Au passage, elle en profita même pour appliquer une pommade antiseptique sur mon arcade sourcilière. Décidément, cette fille était pleine de contradictions, mais elle ne manquait pas de ressources !

Sans perdre de temps, nous prîmes ensuite le chemin de l'hôpital. Magnus et Barbara restèrent dans le hall et j'accompagnai Vittorio jusqu'au service des urgences.

Les médecins nous certifièrent qu'ils arriveraient à lui recoudre l'oreille, opération qu'ils jugeaient bénigne. Nous prétendîmes qu'il s'était fait mordre par un chien ; je crois qu'ils eurent des soupçons, mais Vittorio inspirait confiance avec sa bonne tête et sa petite croix au revers de sa veste noire. Il suivit les deux internes jusqu'à la salle d'opération tandis que j'allais rejoindre les autres dans le hall.

Joseph Maumy était l'un des tueurs en série les plus recherchés d'Amérique. Depuis dix ans, près d'une trentaine de crimes lui avaient déjà été imputés par le FBI et il déconcertait tous les *profilers* qui se cassaient les dents à essayer de déterminer son profil psychologique. Il échappait totalement à l'analyse et n'entrait dans aucune des classifications élaborées par les spécialistes du meurtre : son cas semblait en effet relever à la fois du « criminel psychopathe organisé » et du « tueur psychotique et chaotique ». Ses crimes n'obéissaient à aucun mode opératoire récurrent et ses signatures étaient multiples : victimes mutilées, décapitées, cannibalisme, nécrophagie…

Mais ce qui laissait les experts perplexes, c'est que le passé de Maumy ne présentait aucun trait commun avec les itinéraires habituels des *serial killers*. Il avait eu une enfance apparemment sans histoires et plus tard avait même été marié à deux reprises, sans que les femmes qui avaient partagé sa vie remarquent chez lui de comportement pathologique. Plus étonnant encore : Maumy avait été, pendant plus de quinze ans, un brillant professeur de littérature américaine à Harvard, où il était très apprécié de ses étudiants et de ses collègues. Seulement voilà, dix ans auparavant, par un chaud après-midi d'été, l'honorable professeur Joseph H. Maumy, spécialiste d'Emily Dickinson et de Virginia Woolf, avait étranglé un de ses collègues qui ne cessait de se plaindre de la chaleur, avant de l'enfermer dans le congélateur de l'université pour lui offrir enfin la fraîcheur qu'il réclamait. Depuis ce jour, la spirale infernale ne s'était jamais arrêtée.

Et il y avait eu cet épisode avec Patsy Diamond-Kelly…

Le suicide de Diamond-Kelly était encore dans toutes les mémoires. En moins de dix ans, cette jeune psychologue de la célèbre unité spéciale du FBI de Quantico – le Behavioral Science Unit – était devenue le *profiler* le plus célèbre d'Amérique. C'est au moment des arrestations presque simultanées de Bobby Charleston, « le buveur de sang du Tennessee », et de Phyllis Attenborough, « la mante religieuse de Kansas City », qu'avait commencé à se construire une espèce de légende autour de Patsy et de son fameux don pour pénétrer dans l'esprit des tueurs hors norme. Malgré sa médiatisation, le Dr Diamond-Kelly était une femme secrète : on ne lui connaissait ni famille ni relation sérieuse. Vouée corps et âme à sa tâche, elle passait ses jours de congé dans les prisons de haute sécurité de Californie où elle s'entretenait avec les détenus qu'elle avait contribué à arrêter, afin de constituer une sorte de monographie du crime qui viendrait enrichir les fichiers du VICAP[1] et la collection de portraits psychologiques de Quantico.

J'imagine que la jeune femme avait lutté avec acharnement pour ne pas développer une sorte d'attrait pour la morbidité. Mais on ne ressort pas indemne de dix années d'immersion dans des esprits torturés : Patsy avait fini par s'abîmer le cœur et l'esprit, à force de traques incessantes et d'enquêtes laborieuses qui la rongeaient entièrement.

Ces dernières années, elle n'avait eu de cesse de remonter dans le passé de Maumy. Elle avait rencontré ses parents à plusieurs reprises – un couple paisible d'enseignants, retirés dans une maison de retraite du Montana – et était ressortie persuadée que Maumy n'avait subi dans son enfance ni mauvais traitements ni abus sexuels. Elle n'avait rien tiré non plus de ses rencontres avec les anciennes épouses du tueur : contactée par les plus grands éditeurs, chacune avait écrit son petit best-seller – du genre *Ma vie avec Maumy* – et elles réservaient maintenant leurs informations pour

---

1. Le VICAP est un programme informatique destiné à collecter des données sur les crimes violents. Chaque enquêteur local remplit un questionnaire qui est ensuite entré dans la base de données et comparé à l'ensemble des autres crimes non élucidés afin de retrouver les crimes ayant les mêmes caractéristiques.

leurs sites Internet qui battaient des records de fréquentation. Clones l'une de l'autre, elles n'étaient séparées que par l'âge – Maumy ayant divorcé à quarante ans pour le même genre de femme mais en plus jeune. Cette dernière constatation témoignait d'ailleurs bien que, de ce point de vue là, Maumy n'avait pas été un homme très différent des autres.

Comme elle ne trouvait rien du côté familial, Patsy s'était intéressée à l'itinéraire intellectuel de Maumy. Au terme de ses recherches, elle avait réussi à établir le portrait d'un homme d'une grande culture, polyglotte, professeur aux universités Harvard et de Genève, qui avait passé sa vie à étudier la littérature, la musique et la peinture. Il avait écrit une passionnante *Histoire de la littérature américaine*, avait une connaissance approfondie de Bach et de Gustav Klimt, à qui il avait consacré des ouvrages, et donnait autrefois des conférences dans les plus prestigieuses institutions.

Un soir de décembre, Patsy était allée une nouvelle fois visiter l'ancien appartement de Maumy. Dehors, la neige tombait en flocons drus et compacts. L'électricité était coupée depuis des mois et il faisait sombre et froid dans la pièce. Malgré cela, Patsy était restée longtemps à l'intérieur de l'appartement. Elle avait regardé une à une les couvertures des CD de musique classique et de jazz, effleuré de ses mains les touches du piano en acajou et avait retrouvé dans l'imposante bibliothèque certains des livres qu'elle avait aimés dans son adolescence. Il lui avait gâché même cela.

À cet instant, elle avait su qu'elle ne comprendrait jamais comment cet homme avait pu écouter Schubert et lire Camus pendant des années pour basculer ensuite dans une boulimie de meurtres et de torture. La plupart des meurtriers qu'elle traquait agissaient d'abord sous l'emprise d'une effroyable colère vis-à-vis des victimes, qui prenait ses racines dans une violence et une humiliation subies des années plus tôt. Mais jusque-là personne n'avait vraiment trouvé vers quoi était dirigée la colère de Maumy. Au fond d'elle-même, Patsy savait déjà que rien ne l'aiderait jamais à saisir cela : ni la psychanalyse, ni la criminologie, ni la sociologie. C'était un peu comme si toute cette violence trouvait sa source dans la culture ; comme si toutes les années d'étude et de recherche, au lieu d'apporter sagesse, plénitude et rayonnement, avaient fourni à Joseph Maumy une justification pour se lancer dans un tourbillon de meurtres atroces. Elle avait tourné fiévreusement les pages de son ouvrage sur Klimt, lu ce qu'il écrivait sur « ces corps impudiques à la fois raides et pleins de grâce, emprisonnés dans des écrins dorés et qui donnent l'impression d'avoir été démembrés à force de prouesses inavouables ».

Tout était là, dans cette bibliothèque. Elle avait eu soudain le sentiment que chacun de ces classiques de la littérature portait en lui quelques gouttes d'un océan de meurtres. Depuis les chants de *L'Enfer* de Dante jusqu'aux comportements nécrophiles décrits dans les pages de Sade, en passant par le cannibalisme des sociétés primitives dont parle Lévi-Strauss, jusqu'aux épopées sanglantes de Gilles de Rais qui hantent les livres d'histoire.

En sortant de l'appartement, ce fameux soir d'hiver, le Dr Patsy Diamond-Kelly s'était logé une balle dans la tête sous les yeux du policier qui l'accompagnait.

Avec le temps, le FBI avait bien espéré que Maumy finirait par se croire invulnérable et commencerait à commettre les erreurs qu'il évitait précédemment. Mais, bien au contraire, au fur et à mesure que progressait sa série meurtrière, il laissait de moins en moins d'indices.

Que Maumy n'ait pas le *background* classique du *serial killer* était également très inquiétant. Il est toujours rassurant de pouvoir enfermer les tueurs dans une classification : cela veut dire qu'on en sait suffisamment sur eux pour être capable d'anticiper certaines de leurs actions. Mais cet homme, qui avait dépassé en horreur les limites de l'imaginable, avait aussi fait exploser toutes les typologies. Avec lui semblait renaître la crainte insupportable de l'innéité du crime. Et si nous étions tous un peu des *serial killers* en puissance ?

L'idée d'une pulsion universelle au crime, insidieusement ancrée dans l'inconscient de chacun d'entre nous, passionnait et divisait psychologues et neurologues depuis plus d'un siècle. Avec le cas Maumy, le débat avait pris une vigueur nouvelle et, signe des temps, le cinéma et la télévision s'en étaient mêlés. Il faut dire que, après une décennie de médiatisation à outrance, les *serial killers* classiques avaient presque perdu de leur originalité. Après avoir été accusé de complaisance en mettant en scène d'improbables tueurs cultivés, Hollywood tenait là sa revanche et avait commencé à décliner le thème de l'innéité du crime dans des films où un voisin sympathique, une épouse modèle ou un fils au comportement irréprochable se transformaient un beau matin en amateurs de sang.

— Jusqu'à présent, j'ai toujours entendu dire que Maumy travaillait exclusivement en solitaire, dit Barbara alors que nous attendions le retour de Vittorio.

— Vous avez raison, approuvai-je. Que fait-il alors avec ces types ?

— Ce sont apparemment des hommes de MicroGlobal qui recherchent Steiner, répondit Magnus.

— Mais pourquoi pensent-ils que nous connaissons l'endroit où il est détenu ? demandai-je, les yeux fixés sur les poissons argentés qui nageaient dans le grand aquarium placé au milieu du hall.

— C'est toujours la même question ! explosa Barbara. Pourquoi nous ? Pourquoi nous envoie-t-on des messages ? Pourquoi notre voiture explose-t-elle ? Pourquoi a-t-on reçu ces morceaux du tableau ?

— À propos de *La Joconde*, commentai-je, je ne suis pas sûr que nous ayons vraiment compris quel était le lien véritable entre cette œuvre et le patron de MicroGlobal.

— Que voulez-vous dire ?

— Réfléchissez, Magnus, réfléchissez à la logistique et aux compétences techniques qu'il a fallu déployer pour voler un tableau aussi bien protégé que *La Joconde*.

— Oui, et alors ?

— À part la mafia ou les services secrets, quelle est l'organisation capable de monter une opération comme celle-ci sans laisser d'indices et en court-circuitant un système de protection informatique réputé inviolable ?

— MicroGlobal ! s'écria Barbara.

— Exactement.

— Vous prétendez que Steiner a organisé le vol du tableau ? demanda Gemereck, sceptique.

— Ce serait crédible.

— Mais ce gars est une des plus grosses fortunes du monde, il pourrait se payer n'importe quelle toile.

— Sauf celles qui sont dans les musées nationaux, corrigea Barbara. Imaginez le sentiment de puissance qu'un homme comme Steiner pourrait tirer de la possession d'une œuvre unique, inaccessible même aux plus riches collectionneurs.

— Non, non, ça ne colle pas, affirma Magnus. Steiner n'est pas réputé pour être un passionné d'art ou de peinture. Il ne s'intéresse qu'à une seule chose : la sensation de domination que lui procure son argent.

Après trois quarts d'heure d'attente, la porte de l'ascenseur s'ouvrit et Vittorio apparut en nous gratifiant d'un large sourire qui cachait mal ses traits tirés.

— Vous voyez, les miracles parfois ça existe, dit-il en désignant le gros pansement qui entourait son oreille.

— Ne plaisantez pas, le réprimanda Barbara. Cette fois, on a vraiment failli y rester.

— *Mors ultima ratio*, articula Vittorio, fataliste, pour rappeler que la mort est la raison finale de tout.

— *Sed minima de malis*, répliquai-je, rassemblant tous les restes de mes connaissances latines pour signifier au prêtre que, de tous les maux, il fallait toujours choisir le moindre.

— Vous voilà devenu soudain optimiste, remarqua Magnus d'un air amusé.

Nous ressortîmes tous les quatre de l'hôpital au petit matin. Dans le taxi qui nous ramenait vers l'église, Barbara posa la tête sur mon épaule pour se reposer. Au bout d'un moment, Magnus demanda à Vittorio s'il connaissait une bonne recette pour accommoder les perdrix.

Tout le monde laissa échapper un sourire, mais je voyais bien que, derrière les traits d'humour et de bravade, une peur panique habitait désormais chacun d'entre nous.

7

Le contrat

On retrouva le cadavre de William Steiner dans une petite pièce au sous-sol d'une des usines de la zone franche de Managua, au Nicaragua. Il était 2 h 30 heure locale, soit 9 h 30 en Italie. Nous apprîmes la nouvelle en regardant la télévision, après avoir essayé de dormir quelques heures pour nous remettre des émotions de la nuit.

D'après CNN, la police nicaraguayenne avait été prévenue par un appel téléphonique anonyme, reçu une demi-heure plus tôt. Lorsque les policiers avaient réussi à ouvrir la porte métallique insonorisée, ils avaient trouvé le milliardaire américain sans vie, bâillonné et menotté à une chaise soudée directement au sol. Dans une telle position, j'imagine qu'il avait compris très vite qu'il n'arriverait jamais à alerter personne. Je pense aussi que, pendant ces jours d'emprisonnement, il avait eu tout le temps de sentir approcher la mort et, comme l'avait espéré Barbara, peut-être avait-il médité sur les limites de l'impunité dans ce bas monde, même lorsque l'on porte le nom prestigieux de Steiner et que l'on possède la plus grosse fortune du monde. La police locale ouvrit immédiatement une enquête, mais Washington envoya sans tarder des hommes sur place pour prendre les choses en main. Comme Magnus l'avait deviné, nous aurions pu sauver l'homme d'affaires, nous avions tous les éléments. Il y avait bien quelqu'un dans le monde pour qui Steiner représentait l'incarnation vivante des effets pervers du premier des piliers de la société actuelle : l'ultralibéralisme. Après réflexion, le discours que nous avait fait Barbara contenait – pour qui savait le lire – toutes les clés pour connaître le lieu de détention du milliardaire. En effet, celle-ci avait coordonné les activités de deux usines : l'une au Nicaragua – où avait eu lieu cinq ans auparavant la mort tragique de cette femme enceinte et dans le sous-sol de laquelle on avait retrouvé le cadavre de Steiner – et l'autre au Honduras. La veille, en ouvrant un dictionnaire pour chercher des renseignements sur ce pays, nous avions vu que ce nom venait de l'espagnol *hondura* (en profondeur), nom donné par Christophe Colomb en 1502 lorsque, abordant la côte nord, il l'avait jugée « profonde ».

Voilà l'équation que nous aurions pu résoudre : la citation de Victor Hugo, l'épisode de la femme enceinte morte dans une usine du Nicaragua ainsi que le renseignement sur le Honduras participaient à l'idée que Steiner devait payer pour son mépris et ses abus ; il était enfermé « en profondeur » dans cette usine nicaraguayenne.

Nous aurions pu sauver Steiner. Peut-être ne nous en avait-il manqué que l'envie.

Au cours d'une conférence de presse télévisée, le président des États-Unis, Bill Montana, affirma avec force que tous les moyens seraient mis en œuvre pour « retrouver et punir les auteurs de ce crime affreux, véritable insulte pour l'Amérique ».

Vittorio pointa la télécommande vers le téléviseur et l'éteignit avec dégoût.

— Je ne comprendrai jamais pourquoi le Président accorde une telle considération à des types de l'espèce de Steiner, s'indigna-t-il.

— Béotien, va ! s'exclama Magnus. Vous ne savez donc pas que MicroGlobal a été l'une des plus importantes sources de financement des deux campagnes électorales de Montana ?

Gemereck disait vrai. Depuis dix ans, Steiner investissait des sommes colossales dans deux domaines : le financement des partis politiques et la recherche génétique. Il avait créé, au début des années 1990, Cell Research Therapeutics. Cette entreprise biopharmaceutique – maintenant cotée en Bourse où elle battait record sur record – possédait plusieurs laboratoires de recherche travaillant sur des cellules de porc, de singe et d'homme. En 1998, le milliardaire et sa femme avaient d'ailleurs organisé une grande opération médiatique autour du clonage de leur chien, Marshmallow, un hideux caniche à poil jaune qui commençait à prendre de l'âge. Les médias du monde entier, toujours aussi peu inspirés, avaient alors massivement couvert l'événement pour que personne sur la planète ne pût ignorer l'avènement tant attendu de Marshmallow Junior.

— Pourtant, remarqua Vittorio, je ne saisis pas très bien le rapport entre la politique et la génétique.

— C'est pourtant très simple, expliqua le professeur du MIT. Pour aller à l'essentiel, disons que Steiner et Montana avaient passé une sorte d'accord tacite : le financement des campagnes électorales des démocrates contre la promesse que le gouvernement adopterait une réglementation très souple – pour ne pas dire inexistante – à l'égard du futur marché des « enfants transgéniques », domaine dans lequel MicroGlobal a déjà déposé un nombre impressionnant de brevets.

— Qu'est-ce que vous appelez le marché des enfants transgéniques ? demanda Barbara en nettoyant le canon du vieux fusil de chasse que nous gardions à portée de main depuis notre agression de la veille.

— Vous êtes au courant, je suppose, que ça fait maintenant près de quatre ans que le génome humain a été entièrement décrypté.

— Ouais, fit-elle, d'un air qui signifiait qu'elle n'appréciait que modérément le ton condescendant que prenait Magnus chaque fois qu'il nous expliquait quelque chose.

— Depuis lors, l'enjeu a été de découvrir la fonction précise de chaque gène et on est maintenant parvenu à identifier ceux qui déterminent chez l'être humain la couleur des yeux, des cheveux et de la peau, mais aussi et surtout ceux qui conditionnent une partie de l'intelligence.

— À cause de ça, l'homme est devenu aujourd'hui objet de brevets, fis-je remarquer.

— C'est vrai, approuva Magnus. D'ailleurs, Cell Research Therapeutics ne s'est pas privée d'en déposer à tour de bras sur des séquences génétiques. Et grâce au clonage et à la thérapie des gènes, on pourra bientôt créer des bébés sur mesure, en modifiant génétiquement les embryons humains.

Vittorio fronça les sourcils.

— Je croyais pourtant que le clonage consistait à reproduire des cellules identiques à partir d'une cellule unique.

— Ce n'est pas faux, précisa Gemereck, mais l'intérêt économique du clonage ne réside pas dans la possibilité de fabriquer des copies conformes de certains individus, mais dans celle de cibler des transferts de gènes.

— C'est-à-dire ? demanda Barbara, de plus en plus intéressée.

— Imaginez, miss Weber, que, pour améliorer l'intelligence de votre futur enfant, vous décidiez de remplacer dans son embryon l'un de ses gènes par un gène extérieur, par exemple le gène de l'intelligence d'un Prix Nobel ou d'un esprit supérieur.

— Un esprit comme le vôtre, Magnus ? insistai-je en plaisantant.

— Par exemple, sourit-il. Le problème, c'est qu'en l'état actuel des techniques la substitution ne va pouvoir s'opérer qu'une fois sur un million.

— C'est là que le clonage intervient ? demanda Carosa.

— Tout à fait : on va multiplier par plusieurs millions les cellules de l'embryon avant de tenter la substitution du gène. Au bout du compte, ce dernier aura pris sur quelques cellules et on aboutira ainsi à un être humain doté du nouveau gène à la bonne place. Fascinant, non ?

— Terrifiant plutôt, s'insurgea le prêtre. Mais dites-nous, Magnus, a-t-on déjà expérimenté cela dans la réalité ? Je veux dire… sur des êtres humains ?

Gemereck ne répondit pas tout de suite. Sans doute se demandait-il quels types de révélations il était en droit de nous faire.

— En fait, oui, avoua-t-il au bout de quelques secondes. Quelques laboratoires privés le font déjà clandestinement pour certaines personnes fortunées.

— Mais c'est encore illégal, dis-je pour amener la conversation sur le terrain juridique.

— C'est justement cette illégalité que MicroGlobal voudrait voir levée pour pouvoir enfin rentabiliser ses investissements en ce domaine.

Barbara réfléchit un moment avant d'arriver à la conclusion suivante :

— Si cette procédure est toujours illégale, cela signifie que, au bout de deux mandats, le président Montana n'a toujours pas tenu ses engagements envers Steiner.

— Il n'en a pas vraiment eu l'occasion, précisa Magnus. Les républicains, majoritaires au Congrès, ont voté une loi interdisant toute manipulation sur les embryons dans un but d'amélioration de la race. D'autre part, une frange importante de l'opinion publique reste violemment hostile au clonage, au nom du principe de dignité de la personne humaine.

Un peu plus tard, Mélanie Anderson, vice-présidente et candidate démocrate aux prochaines élections présidentielles, donna une interview sur Network TV qui devait étonner beaucoup de monde dans le pays. Contrairement à la déclaration faite par le vieux Montana, elle ne voulut pas dramatiser à outrance la disparition du milliardaire. À la question d'un journaliste qui lui demandait ses impressions sur «cette mort particulièrement intolérable», Mme Anderson osa le politiquement incorrect:

— Vous savez, plus de vingt-cinq mille crimes de sang sont malheureusement commis chaque année dans notre pays. Chacune de ces morts représente une perte et chacune est intolérable à sa manière.

Le journaliste, visiblement troublé par cette réponse, fit remarquer que «l'intelligence et l'initiative de M. Steiner avaient apporté un souffle nouveau à l'économie américaine et fait progresser la connaissance humaine dans de nombreux domaines».

En entendant cela, tous ceux qui savaient qu'une grande partie du capital de Network TV était possédée par MicroGlobal ont dû être pris, comme nous, d'une franche hilarité.

— Je ne nie pas le talent et le savoir-faire de William Steiner, précisa Mel Anderson, et sa mort est certainement une grande perte pour notre pays. Pour autant, je vous répète que, dans mon esprit, il n'est pas sain de vouloir obligatoirement hiérarchiser la valeur des personnes décédées. Je crois que nul ne contestera, par exemple, que la mort d'un enfant écrasé par une voiture en allant à l'école est tout aussi intolérable que celle de William Steiner.

L'interviewer ne tenait plus en place. Il sentait qu'il y avait du scoop dans l'air. Tout à sa satisfaction, il oublia son devoir de réserve, pressentant que Mel Anderson était disposée à aller plus loin dans ses déclarations.

— Peut-on savoir, madame la vice-présidente, ce que vous pensez de la campagne de dénigrement dirigée actuellement contre M. Steiner et ses entreprises ?

Elle marqua un temps avant de répondre. Sans doute ne voulait-elle pas tomber dans le piège énorme que lui tendait ce petit journaliste ambitieux. Il fallait donc qu'elle pèse soigneusement tous ses mots.

— Je pense qu'il est tout à fait légitime pour les médias, les citoyens et les forces de police de s'interroger sur les causes de cet enlèvement et de ce crime. De plus, je pense qu'il n'est pas mauvais que, dans certaines circonstances, la nation s'arrête un instant pour réfléchir.

— Réfléchir à quoi, madame ?

— Réfléchir à ses valeurs et à ses orientations morales. Réfléchir à son futur et à la viabilité de son mode de fonctionnement.

— Que voulez-vous dire exactement, madame ?

— Rien de bien compliqué. Les mots ont un sens et je crois avoir été suffisamment intelligible pour être comprise de nos spectateurs si ce n'est de vous, rétorqua Anderson en se levant de sa chaise, mettant ainsi un terme à l'entretien.

Ce n'était pas la première fois que les discours du président et de la vice-présidente divergeaient. Ces derniers mois, c'était même devenu de plus en plus fréquent. Depuis sa désignation, en juillet, comme candidate à la présidence par la convention du Parti démocrate, Mel Anderson était au sommet de sa popularité. Bien plus aimée des Américains que le président Montana, elle avait de grandes chances de lui succéder face à un candidat républicain assez terne.

Le parcours politique d'Anderson avait été fulgurant. Le grand public avait fait sa connaissance au milieu des années 1980. La presse multipliait alors les reportages sur les premières femmes américaines cosmonautes. Mélanie était l'une d'elles. Entre 1984 et 1986, la NASA l'avait envoyée dans l'espace à trois reprises pour de courtes missions à bord de la navette spatiale *Columbia*. De retour sur la terre ferme, elle avait épousé le sénateur démocrate Gary March et profité de sa popularité pour se lancer dans la politique. Quelques années après son mariage, elle avait, à son tour, été élue sénatrice dans un État du Nord. Mélanie Anderson avait toujours attiré les médias – c'était son grand atout – et séduit le public qui en avait fait une sorte de séduisante *alma mater* de la nation.

Quatre ans auparavant, le Parti démocrate, à court d'idées pour assurer la réélection de son candidat, avait fait appel à elle pour rajeunir l'image vieillissante de Montana, dont le premier mandat avait été plutôt terne quoique entaché d'aucun des scandales qu'avaient connus certains de ses prédécesseurs. Le ticket Montana-Anderson, efficacement dirigé par une pléiade de conseillers en communication, avait fait des étincelles pendant la campagne, jouant finement sur l'alliance de la sagesse et de la séduction ou encore sur le bon compromis entre les traditions et le changement. Durant le second mandat de Montana, leur complémentarité avait occupé tout l'espace politique et médiatique, ne laissant presque aucun champ aux attaques, sauf ces derniers temps où le président lui avait reproché à plusieurs reprises certaines déclarations maladroites. Elle avait pourtant dû lui faire part maintes fois de la nécessité d'affirmer pleinement son autonomie et sa légitimité si elle voulait espérer lui succéder dans de bonnes conditions. En effet, même si elle était pour l'instant en tête des sondages, l'accession de Mel Anderson à la présidence était loin d'être une certitude. Elle avait bien le soutien de la plupart des femmes, de la minorité noire, des syndicats d'enseignants et d'ouvriers, des groupes *pro-choice* et de Hollywood, mais elle était également détestée par une bonne quantité d'influents lobbies ainsi que par les grandes sociétés du tabac, du pétrole et des assurances maladie qui voyaient en elle le détonateur de plusieurs changements auxquels ils étaient vigoureusement hostiles. Quant à ses partisans, ils se demandaient sans doute si, une fois à la Maison-Blanche, elle parviendrait à garder cette relative indépendance d'esprit et de mouvement grâce à laquelle elle s'était rendue si populaire.

L'interview d'Anderson ne laissa personne indifférent dans notre petit groupe. Barbara admirait surtout avec quelle repartie elle avait mouché le journaliste. En nous fusillant du regard, elle lâcha que le pays irait peut-être moins mal s'il était dirigé par une femme. Cette remarque me donna à penser que les engouements féministes qu'elle nous avait confessés n'étaient pas tout à fait morts.

Magnus, privilégiant pour une fois la forme au fond, avait trouvé Anderson plus fatiguée qu'à l'ordinaire, ce à quoi Vittorio avait répondu du ton du connaisseur qu'elle était quand même encore pas mal pour son âge – son âge ! c'était bien le bout du monde si Anderson avait cinquante ans.

L'esprit toujours en éveil, le prêtre demanda à Gemereck dans quelle mesure, en cas de victoire aux prochaines élections, Anderson serait tenue par les engagements moraux pris par Montana vis-à-vis de Steiner et de son groupe.

— C'est bien là le problème, répondit Magnus en se caressant la barbe. Anderson a déjà déclaré qu'en cas de victoire elle opposerait son veto à une loi libéralisant totalement les manipulations sur les embryons humains. De plus, elle voudrait commencer son mandat en ayant les mains libres et non en se sentant prisonnière des vieilles promesses électorales de Montana, d'autant que, d'après les sondages, le Congrès pourrait bien basculer du côté démocrate.

— Je ne vois pas vraiment où est le problème, dit Barbara.

— *Auri sacra fames*, énonça Vittorio pour signifier que, quel que soit le sujet, les questions d'argent n'étaient jamais loin.

— Le problème, c'est justement que Steiner ne l'entendait pas de cette oreille. Si MicroGlobal a choisi de financer la campagne des démocrates, c'est pour avoir des contreparties. S'il retournait maintenant sa veste, d'autres grandes entreprises feraient de même. Et dans ce cas, c'en serait fini des chances de Mélanie Anderson d'accéder à la présidence.

— Mais il est inadmissible que, dans une démocratie, les préférences de quelques financiers décident du résultat d'une élection, déclara Barbara, révoltée.

— Ça fait longtemps que l'Amérique n'est plus une démocratie, fis-je remarquer cyniquement. Une ploutocratie, à la limite...

— Je croyais pourtant que les dons des firmes aux candidats étaient strictement limités, remarqua Vittorio.

— Ils le sont en théorie, expliquai-je, mais l'essentiel des sommes provient des versements à ce qu'on appelle les *political action committees*, des organisations totalement libres de collecter autant d'argent qu'elles le peuvent, à condition qu'il soit destiné à la défense d'une cause et non à la promotion directe d'un candidat.

— Le système est très hypocrite, jugea Magnus, car cet argent finance les promotions qui ont le plus d'impact, comme les spots publicitaires à la télévision ou les opérations de télémarketing. C'est contre tous ces procédés qu'Anderson veut partir en croisade si elle est élue.

— Et que pense le Parti démocrate de tout cela ? poursuivit la jeune femme.

Magnus, décidément très au fait de toutes les subtilités politiques, avait aussi une réponse à cette question.

— En fait, les démocrates auraient volontiers investi un candidat plus docile, mais ils se sont fait déborder par la popularité d'Anderson, qui a pris aujourd'hui une telle ampleur que les électeurs n'auraient pas compris que cette femme ne participe pas à la course à la Maison-Blanche.

Vittorio, qui depuis un moment retournait une idée dans son esprit, prit timidement la parole, un peu effrayé par ce qu'il allait demander :

— Peut-on dire que la mort de Steiner va dans le sens des intérêts du gouvernement en place ?

— Hum... il faut être prudent avec ce genre de choses, tempéra Magnus. Même si la mort du milliardaire et les attaques contre MicroGlobal vont déstabiliser le groupe pendant quelques jours, un nouveau P-DG sera très vite nommé et les intérêts de tous ceux qui ont investi dans MicroGlobal restent les mêmes.

Il disait vrai : comme toutes les grandes entreprises, MicroGlobal était dirigée non par un seul homme, mais par une équipe de managers. Même si Steiner – qui possédait une part importante du capital de l'entreprise – n'avait pas de fils ou d'héritier direct, le conseil d'administration lui trouverait rapidement un remplaçant qui gérerait les affaires du groupe avec les mêmes orientations stratégiques ; les intérêts des actionnaires de MicroGlobal ne changeaient pas, quel que soit l'homme à la tête de l'entreprise. Ceux qui avaient investi de fortes sommes dans cette affaire désiraient maintenant toucher les dividendes de leurs placements.

— Cette discussion m'a ouvert l'appétit, dit Magnus en se frottant l'estomac. Quelqu'un serait-il partant pour *un gelato* à la terrasse d'un café ?

Une telle proposition n'étonna personne, puisque nous avions tous remarqué qu'il était rare que le Pr Gemereck restât plus de deux heures sans céder aux appels impérieux de son ventre.

— C'est moi qui régale ! précisa-t-il pour nous décider à le suivre, ce que nous fîmes sans opposer de résistance.

Lorsque nous nous assîmes à la terrasse ombragée de l'unique café du village, nous étions tous suffisamment fatigués et commotionnés par les événements de la veille pour nous dispenser de toute conversation pendant ce moment de détente.

Magnus étudia avec attention le petit menu que lui avait tendu le serveur et, après de longues hésitations, se décida pour un chocolat liégeois avec beaucoup de chantilly et des amandes grillées.

— C'est important les amandes grillées.

Le prêtre prit un sorbet et moi un *cappuccino*. Barbara demanda simplement un petit bol vide dans lequel elle entreprit de se confectionner un mélange – 100 % bio – de blé germé et de jus de canne à sucre, aliments qu'elle transportait toujours dans son sac pour manger sainement dans toutes les occasions.

Lorsqu'il aperçut la nourriture biologique, Magnus lança un regard consterné à la jeune femme et essaya de lui confisquer ses céréales. Contrairement à l'avant-veille, Barbara ne céda pas et s'éloigna de notre table en emportant son ordinateur, non sans avoir, au préalable, décoché un violent coup de pied dans le tibia de Gemereck.

Il poussa un cri et lui lança :

— Vous êtes folle de martyriser quelqu'un de mon âge qui ne veut que prendre soin de votre santé. Un peu de respect pour vos aînés, que diable !

À l'autre bout de la terrasse, Barbara ne répondit rien, trop occupée qu'elle était à consulter sa messagerie électronique.

La fureur du professeur retomba instantanément pour faire place à un large sourire lorsque le serveur lui apporta sa coupe glacée.

À cette heure de la journée, la place du village paraissait particulièrement paisible avec sa fontaine en grès rose et ses beaux bancs de pierre blanche encadrant un platane centenaire dont l'épais feuillage offrait une ombre généreuse que nul ne boudait par cette chaleur.

— Venez voir ! nous cria Barbara derrière son écran, venez voir, bon sang !

Nous nous levâmes d'un bond. Sur le petit écran de l'ordinateur portable, on pouvait lire le dernier e-mail qu'elle venait de recevoir.

Subject : Déception.
Date : Mon, 13 Sept. 2004 17:39:22
From : Unidentified user
Vous m'avez déçu
Je vous espérais plus perspicaces
Il est maintenant temps de vous reprendre

Je remarquai immédiatement un fichier attaché, en bas du message. J'échangeai un regard inquiet avec Barbara qui cliqua pour l'ouvrir.

Un petit réveil stylisé apparut sur l'écran avec un compte à rebours qui indiquait : *99h 59min 59s.*

— Oh non, soupira la jeune femme avec consternation.

Nous nous retournâmes tous vers Magnus, qui prit un ton à la fois grave et paternaliste :

— Les enfants, le premier pilier s'est effondré pour nous laisser face à d'autres piliers et probablement à de nouveaux crimes. Le pire est devant nous, je le crains.

99h 59min 42s

Ce fut cet après-midi-là que nous nous rendîmes pleinement compte de l'ambiguïté de notre situation.

À dire vrai, aucun de nous ne semblait trouver d'immoralité à ce crime. Qu'attendait-on réellement de nous ? Pourquoi quelqu'un avait-il mis entre nos mains cet encombrant pouvoir auquel nous n'avions d'abord pas cru et qui maintenant nous effrayait ? Et, surtout, avions-nous encore la possibilité et le droit de nous dérober ?

Magnus et Vittorio avaient eu, les premiers, une intuition juste sur la logique du déroulement de cette affaire. Dès le début, ils avaient coopéré sans hésitation et ils nous demandaient à présent un engagement clair et sans retenue, chacun de nous possédant une compétence et un savoir qui, combinés à ceux des autres, pouvaient nous permettre de progresser dans la résolution de cette énigme.

Barbara avait mis ses lunettes de soleil – qui cachaient une partie de ses ecchymoses – et regardait le ciel clair de Toscane. C'était une femme de contrat qui ne donnait rien pour rien et qui monnayait chèrement tout ce qui pouvait l'être.

Magnus et le prêtre, assis sur l'un des bancs en pierre, attendaient sa réponse avec une certaine impatience, tout en se demandant ce qui pouvait bien germer dans le cerveau de la femme d'affaires. Après l'épisode du cabriolet, je savais qu'elle ne pouvait plus aller trouver la police, mais elle avait néanmoins la possibilité de refuser de coopérer et de rentrer en Amérique. Or Magnus tenait absolument à ce que nous restions groupés le plus longtemps possible.

— *Gentlemen*, je vous propose une transaction, fit-elle avec un sourire.

— Dites toujours, lança Magnus en levant les yeux au ciel et en secouant la tête.

— Je vous échange ma coopération contre vos trois parties du tableau.

— Comment ! s'insurgea Gemereck en se levant d'un bond comme s'il s'était assis par erreur sur des charbons ardents.

— C'est à prendre ou à laisser !

Ainsi, Barbara ne perdait pas le nord. En méditant sur ce que je lui avais dit auparavant, elle était à présent convaincue que celui qui posséderait les quatre morceaux pourrait peut-être en tirer un bon paquet de fric si le tableau était convenablement restauré.

Elle s'adressa à Vittorio et à Magnus en leur faisant son plus beau sourire :

— Ne me jetez pas ces regards pleins d'indignation, messieurs. De toute façon, vous n'avez pas vraiment le choix.

— Eh bien, marché conclu, dit le prêtre à contrecœur.

— De même, bougonna Magnus.

Barbara tenait presque son tableau.

— Et pour vous, Théo ? me demanda-t-elle d'un air qu'elle aurait voulu détaché.

— Je ne suis pas vraiment d'accord, dis-je en me lavant les mains dans la petite fontaine entourée de trois anges assez finement sculptés.

— S'il vous plaît, Théo, ne compliquez pas les choses.

— Gardez vos prières pour la messe, Vittorio !

— Écoutez-moi, McCoyle, réclama Magnus, je sais que vous êtes un homme d'honneur. Battez-vous avec nous pour sauver certaines valeurs auxquelles vous croyez.

— Quelles valeurs, professeur ? criai-je en lançant de l'eau vers le ciel. Il n'y a plus de valeurs sur cette Terre aujourd'hui, il est temps d'en inventer de nouvelles !

— Mais qu'est-ce que vous voulez que je vous dise de plus pour vous décider ? éclata Magnus. Quelles nouvelles valeurs voulez-vous que je sorte de ma hotte, McCoyle ? Le bien vaut mieux que le mal, la démocratie mieux que la dictature, la paix est préférable à la guerre, l'intégrité à la malhonnêteté ! Vous pouvez prendre Abraham, Jésus, Bouddha ou Confucius ; vous pouvez lire Montaigne, Rousseau ou Spinoza, personne de raisonnable n'a jamais vraiment dit le contraire depuis le début de l'humanité.

— Ça ne suffit pas, dis-je.

Le soleil commençait à se coucher et la douce lumière dorée qui colorait le toit de l'église rendait difficile d'imaginer que nous étions passés près de la mort quelques heures auparavant.

— Allez, Théo, montrez-nous que vous en avez dans le pantalon ! exhorta Vittorio en essayant de jouer sur la corde de la virilité.

Barbara, moins primaire, s'avança vers moi et me fixa d'un regard qu'on ne saurait qualifier que de violemment hostile.

— Que voulez-vous de plus, Théo ? demanda-t-elle d'un ton inquiet.

— La moitié de ce que vous récolterez en vendant le tableau, répondis-je sans hésitation.

— Mais je croyais que l'argent ne vous intéressait pas ! s'exclama-t-elle, surprise.

— En effet.

— Quelles sont alors vos motivations ?

Je la fixai droit dans les yeux.

— Si vous acceptez ma proposition, qu'est-ce qui me certifie que, une fois que vous aurez vendu le tableau, vous me verserez ma part ?

— Rien, avoua-t-elle sans ciller.

— Eh bien, c'est cela qui m'intéresse : avoir une opinion définitive sur vous. Si vous ne me versez pas l'argent, j'aurai alors la certitude de ce que je pressens.

— À savoir ?

— Que vous n'êtes pas une femme d'honneur.

D'irrité, son visage devint tout à coup rayonnant.

— Marché conclu, monsieur l'avocat, dit-elle, peut-être ravie de s'en tirer à si bon compte.

Magnus se frotta les mains.

— Nous allons enfin pouvoir commencer sérieusement nos investigations, dit-il d'un air soulagé.

8

Génie génétique

Je rentrai en France par le vol Florence-Paris de 12 h 45. À peine débarqué, je récupérai ma voiture – une BMW bleu marine que j'avais laissée sur le parking longue durée de l'aéroport d'Orly – et pris l'autoroute en direction de la Bretagne. Pendant tout le trajet, des rideaux de pluie s'abattirent par vagues et rendirent difficile toute visibilité à plus de dix mètres, à tel point que je faillis, à deux reprises, emboutir le véhicule qui me précédait. J'avais aussi du mal à me concentrer sur ma conduite, car le visage déformé de Maumy me revenait sans cesse à l'esprit.

Au bout du compte, ce n'est qu'à 18 heures que j'arrivai enfin, sain et sauf, devant la grille en fer forgé de ma maison. Je fouillai plusieurs fois dans la boîte à gants mais fus incapable de retrouver la télécommande du portail qu'en désespoir de cause j'ouvris manuellement. Lorsque je remontai l'allée de gravier bordée de massifs de fleurs, il faisait déjà presque nuit et j'étais trempé des pieds à la tête.

Une fois à l'intérieur, je refermai la porte à double tour et montai à l'étage pour m'assurer que toutes les fenêtres étaient bien calfeutrées. Je descendis ensuite à la cave, piochai quelques petites bûches dans ma réserve de bois et allumai un bon feu dans la cheminée du salon. C'est au moment où je commençais à me déshabiller pour prendre une douche que je remarquai que j'avais oublié de relever mon courrier en arrivant. Il me fallut bien cinq minutes pour retrouver mon parapluie, mais seulement quelques secondes pour récupérer mon revolver, caché à l'intérieur d'un vieux pétrin en noyer massif, acheté à une vente aux enchères alors que j'habitais encore à Boston. En empoignant la crosse de l'arme, je sus ce soir-là que, si ce revolver devait à nouveau servir un jour, ce serait pour tirer sur quelqu'un d'autre que moi. Avant de sortir sous la pluie, j'essayai d'allumer les petits lampadaires qui jalonnaient l'allée, mais le système d'éclairage extérieur ne fonctionnait pas. Je serrai mon arme un peu plus fort et dévalai la pente jusqu'à la boîte aux lettres. L'ombre fragile de Diamond-Kelly planait autour de moi.

Depuis que je vivais retiré du monde, je recevais peu de courrier. Je pris les quelques enveloppes et les mis sous mon imperméable pour les protéger de l'eau. Je remontai alors l'allée, me forçant maintenant à ne pas me presser, tout en écoutant les bruits du soir et de la pluie qui tombait en trombe sur le Finistère. J'avais peut-être peur, mais j'étais prêt désormais à défendre chèrement ma peau.

Après m'être douché rapidement, je préparai du café et m'installai enfin devant le feu avec mon courrier. Au milieu des factures, je tombai sur une enveloppe bombée qui contenait un petit cadran à cristaux liquides sur lequel un compte à rebours continuait sa triste course vers le néant. *74h 50min 37s.*

Je ne pus retenir un juron de déception, car, contrairement à ce que j'avais espéré, il n'y avait, cette fois-ci, aucun autre indice pour me guider.

Je récupérai ensuite avec émotion mon petit morceau de Joconde que j'avais caché dans le couvercle d'une grande boîte à musique. Entouré par la chaleur du feu, je m'abîmai encore de longues minutes dans la contemplation des méandres du tableau, puis je l'enveloppai dans une pochette cartonnée que je cousis dans la doublure de mon manteau en cachemire. Ainsi, le lendemain, à l'aéroport, lorsque je passerais la douane pour me rendre en Irlande, je ne serais pas inquiété puisque je porterais le manteau sur moi.

La veille au soir, nous avions décidé, d'un commun accord, de quitter l'Italie. Nous ne pouvions plus rester à Monte Giovanni : les hommes de Steiner connaissaient notre adresse et nous ne voulions pas être des proies trop faciles. Si les gens qui se cachaient derrière Mona Lisa ne semblaient pas vouloir attenter à notre vie, il n'en était pas de même pour Maumy et ses deux acolytes dont les intentions étaient incontestablement meurtrières. Il fallait donc que nous nous protégions de manière plus efficace et notre première décision avait été de quitter la Toscane sans délai. Le choix de notre destination avait été rapidement arrêté : Magnus nous avait déclaré posséder un cottage dans la baie de Dublin dont personne, en dehors de sa fille, ne connaissait l'existence. Ce serait une retraite parfaite, avait-il assuré, et aucun de nous n'avait émis d'objection. Le professeur aurait voulu nous voir partir immédiatement pour l'Irlande, mais Barbara ne l'entendait pas de cette oreille : elle avait insisté pour faire d'abord un détour par Seattle dans le but de régler quelques affaires et exigé, surtout, que je transite par la France pour récupérer le morceau de tableau que je lui avais promis.

D'ailleurs, il était peut-être préférable, pour notre sécurité, que nous ne voyagions pas ensemble. Ces différentes contraintes nous avaient donc fait embarquer vers trois destinations différentes, Vittorio suivant quant à lui Magnus à Dublin.

Ce matin-là, à l'aéroport, nous nous étions embrassés pour la première fois tous les quatre.

Mon avion avait été le premier à décoller. Avant que je passe la porte d'embarquement, Vittorio m'avait lancé un joyeux : « *Noi non potemo avere perfetta vita senza amici* » pour me faire comprendre que, comme le pensait déjà Dante, on ne saurait avoir une vie harmonieuse sans amis.

— Prenez soin de vous, m'avait dit Barbara d'un ton qui se voulait détaché, mais où perçaient quelques accents de sincérité inhabituels chez elle.

Quant à Gemereck, il avait déclaré qu'il m'attendrait chez lui le lendemain, avec impatience, pour mettre à profit le fonctionnement de mes cellules grises.

Le matin même, j'avais eu avec lui une vive discussion. Après avoir passé une bonne partie de la nuit à essayer d'assembler mentalement les éléments du puzzle, j'en étais arrivé à la conclusion que Magnus nous cachait quelque chose.

Il restait un frein à mon engagement total et inconditionnel dans la résolution de cette enquête. Et ce frein, Gemereck avait la possibilité de le faire disparaître. Je l'avais donc rejoint dans le jardin sans attendre le lever du jour. Après que j'eus secoué le hamac sans ménagement, il avait consenti à ouvrir un œil – certes réprobateur – et à écouter ce que j'avais à lui dire. J'étais allé droit au but.

— Écoutez, professeur, si vous voulez pouvoir compter sur moi, il faut me dire exactement tout ce que vous savez sur cette affaire. J'exige toute la vérité.

— Mais je vous ai déjà tout dit ! avait-il protesté d'un ton bourru.

Après un bref soupir, j'avais continué de façon peu aimable.

— Vous savez, mon vieux, vous avez beau être un futur Prix Nobel, vous ne me la faites pas…

— Calmez-vous, McCoyle, je vous répète que je ne sais rien de plus.

— N'oubliez pas que je suis avocat.

— Oui, et alors ?

— À part mon premier client, savez-vous combien j'ai défendu d'innocents dans ma carrière ?

— Dites-moi ?

— Aucun, Magnus. Aucun. Ils avaient tous quelque chose à se reprocher ou à cacher. Alors, des imposteurs, j'en ai vu défiler des tas et je sais les reconnaître. Et vous, Magnus, vous me mentez lorsque vous prétendez ne pas en savoir plus sur l'histoire qui nous préoccupe.

— Ce ne sont que des mots, mon jeune ami, rien que des supputations d'avocat. C'est ma parole contre vos insinuations. Vous ne pouvez pas prouver ce que vous dites.

J'étais convaincu que cet homme, sous des dehors affables et derrière son air paternaliste, savait des choses stratégiques qu'il aurait préféré garder pour lui. Il était plus âgé que moi, il avait des ressources et une volonté qui lui avaient permis de résister au système soviétique et de se tailler une place au soleil dans le milieu scientifique américain. Pourtant, il fallait que je trouve une faille dans son armure, et sans tarder.

Mon cerveau s'était mis alors à réfléchir à toute vitesse.

— Alors, McCoyle, j'attends.

Je n'avais plus le choix, je devais y aller au bluff, mais il ne fallait pas que je me trompe.

— N'attendez plus, professeur, et parlez-moi plutôt de vos relations avec la CIA.

— Ha ha ha… c'est tout ce que vous avez trouvé ?

— Allons, Magnus, ils vous ont fait sortir de Russie il y a trente ans, vous n'allez pas me dire que vous n'êtes pas resté en contact avec eux. Ce serait impoli.

Il avait émis à nouveau un petit rire et, comme je sentais qu'il hésitait à parler, j'avais tenté un coup de poker.

— Et votre chaire de biologie à l'université, vous voulez me dire qui la finance ?

En posant cette dernière question, j'avais eu l'impression de retrouver un peu les intonations qui étaient les miennes lorsque j'interrogeais un témoin à la barre et que je voulais qu'il se sente acculé par mes questions.

Magnus avait laissé passer quelques secondes.

— Vous savez, McCoyle, il faut absolument que nous coopérions et pas que nous nous opposions...

J'avais touché juste.

— Tout à fait d'accord ; raison de plus pour vous mettre à table.

— Eh bien, soit, avait-il capitulé, de mauvaise grâce. Tout d'abord, vous avez raison : c'est bien Steiner qui, par le biais d'une société-écran, finance ma chaire de biotechnologie appliquée. En contrepartie, il a accès à tous les résultats de nos recherches, même les plus confidentiels.

— Continuez.

— Parallèlement à mon poste de professeur, j'effectue aussi des recherches pour Cell Research Therapeutics.

— Mais pourquoi ? Je croyais que vous étiez justement hostile à l'exploitation eugéniste du clonage envisagée par Steiner.

— Tout cela reste vrai, mais je suis aussi un scientifique, qui a sacrifié toute sa vie à la recherche biologique, et nous sommes actuellement dans une période de grande intensité du point de vue des découvertes.

— Je ne suis pas sûr de vous comprendre.

— Je vous dis seulement que je ne peux pas freiner mes capacités intellectuelles, ce n'est pas digne de mon statut de scientifique. Je veux participer pleinement à toutes ces découvertes, mais, pour travailler dans de bonnes conditions, il faut des capitaux, une équipe performante et du matériel *high-tech*. Cell Research Therapeutics peut fournir tout cela. C'est une unité de recherche privée qui ne dépend pas des fonds fédéraux et qui n'a de comptes à rendre à personne, ce qui lui laisse une grande liberté.

— La liberté de mener des expériences interdites ! avais-je fulminé. La liberté de mettre en pratique toutes les possibilités du clonage humain. Vous êtes un bel hypocrite, Magnus, et vous ne pourrez pas continuer longtemps à essayer d'éteindre, le jour, le feu que vous avez contribué à allumer la nuit.

— Calmez-vous et modérez vos propos, mon garçon ! avait repris Gemereck qui n'aimait pas qu'on lui parle sur ce ton. De toute façon, ces expériences se dérouleront avec ou sans moi, alors mieux vaut qu'un œil espion supervise tout cela.

— Un œil espion ?

— Si vous m'aviez laissé parler plus de trente secondes d'affilée, vous auriez pu entendre ce que j'avais à ajouter.

— Faites donc.

— Il vous faut comprendre que c'est le meilleur observatoire possible pour être au courant des dernières techniques et connaître les intentions de ceux qui les mettent en place.

J'avais été consterné par les révélations de Magnus, même si ce n'était pas la première fois que je faisais l'expérience des douloureuses déceptions sur lesquelles débouchait parfois la recherche de la vérité.

— Est-ce que vous avez d'autres nouvelles de ce style à m'apprendre ?

— Je le crains, Théo : avez-vous déjà entendu parler des « gènes du crime » ?

— Je croyais que cela n'existait pas.

— En fait, ce projet a été remis à l'étude il y a quelques années : il s'agit d'expliquer les comportements violents de certains délinquants non pas par leur milieu social ou le contexte dans lequel ils ont été élevés, mais par leur patrimoine génétique.

— Si je vous suis bien, on ne deviendrait pas criminel, mais on naîtrait criminel ?

— Hum... c'est un peu plus compliqué. Disons que nous avons déjà identifié certains gènes qui prédisposent à la violence, à l'alcoolisme, à la névrose ou à la perversité, mais il faudrait continuer les recherches pour avoir des résultats inattaquables et trouver encore d'autres gènes.

— Est-ce que vous vous rendez compte des implications dramatiques que peuvent avoir ces allégations ? avais-je objecté en repensant à certaines déclarations de politiciens pour qui le credo génétique constituait le meilleur moyen d'aboutir à la suppression de toute aide sociale (il ne sert à rien d'aider les pauvres et les chômeurs si ce sont leurs « mauvais » gènes qui sont responsables de leur condition misérable et de leur sous-emploi).

— Bien sûr que j'en suis conscient, avait rétorqué Gemereck, qui commençait à être un petit peu échauffé par mes leçons de morale. C'est pourquoi il faut être très prudent dans les conclusions que l'on tire de ces recherches.

— OK, professeur, mais quel lien cela a-t-il avec nos préoccupations immédiates ?

— J'y viens. Pour donner plus de poids à la validité de ses travaux, Cell Research Therapeutics recherchait depuis quelques mois un sujet d'étude un peu particulier. Comment dire... quelqu'un dont les agissements singuliers dans le domaine du crime rendraient intéressante toute étude approfondie de ses gènes.

— Un prisonnier ? avais-je hasardé en pensant que les maisons d'arrêt étaient remplies de criminels dont on pouvait à loisir étudier le patrimoine génétique, tout comme on étudiait déjà la psychologie de certains détraqués.

— Je parlais de quelqu'un de vraiment exceptionnel, quelqu'un de presque… inhumain.

À l'énoncé de ce dernier mot, l'image de Joseph Maumy avait fait une irruption violente et douloureuse dans mon cerveau.

Pendant quelques instants, j'étais resté sans voix. Gemereck, conscient du choc qu'il venait de provoquer, s'était lancé dans des explications complémentaires.

— Steiner tenait absolument à mettre la main sur Maumy avant le FBI, sans quoi toute possibilité d'analyser ses gènes nous serait interdite. Pour arriver à ses fins, il a mis sur pied une sorte de police privée qui a traqué le psychopathe pendant plusieurs mois avec, à l'arrivée, plus de succès que le FBI.

— Ce n'est pas possible, une milice privée ne peut pas rivaliser avec les forces de l'ordre d'un État comme les États-Unis !

— C'est faisable pour une affaire précise, avait rectifié Gemereck, alors que le jour se levait. Steiner a concentré tous ses hommes sur la piste de Maumy, vingt-quatre heures sur vingt-quatre.

— Ils ont vraiment fini par lui mettre la main dessus ?

— Oui, ils l'ont arrêté et nous avons prélevé quelques échantillons de cellules de sa peau pour les analyser.

— Et ensuite ? Qu'ont-ils fait de lui ?

— On ne m'en a pas tenu informé. Ils ne pouvaient pas le livrer aux flics : c'était trop compromettant pour eux.

— Ils ne pouvaient pas non plus le relâcher.

— Non. Ils ont dû hésiter entre le supprimer ou l'intégrer à leur équipe de « nettoyeurs ». D'après ce que nous avons pu voir ces derniers jours, c'est cette dernière solution qu'ils ont choisie.

— Ils auraient passé un marché avec lui ? Ça paraît risqué avec un personnage si incontrôlable.

— Je ne sais pas. Sans doute continuent-ils à se livrer sur lui à des expériences scientifiques. Maumy ne possède peut-être plus tout son libre arbitre.

— C'est vraiment incroyable ! Ne me dites quand même pas que tous les salariés de Cell Research Therapeutics sont au courant ?

— Personne n'est au courant, Théo, personne. Moi-même, je ne dois ces renseignements qu'à un concours de circonstances : une nuit, seul au laboratoire, je terminais un travail lorsque deux hommes sont entrés en poussant une civière roulante. L'un d'entre eux m'a demandé d'effectuer un prélèvement de cellules sur l'homme qui était endormi, dans l'optique d'une analyse génétique.

— Et vous avez obéi ?

— Le petit homme qui m'avait donné cet ordre s'appelait William Steiner. C'était la première fois que je lui parlais et que je le voyais en chair et en os.

Ces derniers jours, j'avais eu plusieurs fois l'impression de sortir progressivement de l'état de léthargie dans lequel je m'étais enfoncé les trois années précédentes, un peu comme si, tout à coup, du sang neuf s'était mis à circuler dans mes veines. L'attaque de Maumy avait encore renforcé ce sentiment et, depuis que j'avais failli passer de vie à trépas, je retrouvais cette faculté de m'étonner de façon presque béate devant la chance que représentait le simple fait d'être en vie. Je prenais de nouveau plaisir à respirer l'air du matin, mais la confession de Magnus m'avait convaincu d'une chose : si nous voulions nous tirer sans dommage de cette histoire, il faudrait que chacun d'entre nous soit au maximum de ses capacités intellectuelles, physiques et, surtout, morales.

Au vu des conséquences dramatiques que pourrait avoir cette affaire, il était indispensable de prendre certaines dispositions. C'est dans cet esprit que, comme la loi l'autorise, je m'installai à mon bureau pour rédiger quelque chose qui ressemblerait à un testament, dans lequel je précisai ma volonté de faire don à l'État de ma maison dans le cas où je viendrais à décéder, à condition que celle-ci soit transformée en camp de vacances ou en centre de loisirs pour enfants en difficulté.

Mon téléphone sonna peu après minuit et la voix pleine et sonore de Barbara résonna. En Amérique, l'après-midi venait de commencer. Elle allait prendre son avion pour Dublin et voulait juste s'assurer que je pensais bien à elle (il fallait comprendre : à bien lui apporter le morceau de *La Joconde*). Je l'assurai de toute mon attention et lui fis part de ce que m'avait révélé Magnus avant notre départ. Elle ne manifesta pas une surprise démesurée, se contentant d'énoncer que rien de ce qui pouvait germer dans le cerveau malade des hommes ne l'étonnait plus – ce en quoi je ne me différenciais pas d'elle, bien que ma faculté d'indignation, après une longue hibernation, que j'avais crue définitive, semblât faire à présent une tentative de renaissance.

— Et à part ça, Théo, tout va bien ? Vous avez retrouvé votre petit chez-vous ?

J'imaginais facilement son sourire à l'autre bout du fil.

— Comme vous dites.

Pendant un moment, nous eûmes un semblant de complicité, cette drôle de fille et moi-même, mais le charme s'étiola lorsque nos silences commencèrent à devenir pesants.

Après avoir raccroché, j'ouvris la fenêtre de ma chambre et avalai un grand bol d'air revigorant. Puis je me mis au lit en pensant aux côtes irlandaises et en me disant que, si nous devions poursuivre l'effroyable enquête sur Mona Lisa, il serait moins inquiétant de le faire dans le cadre pittoresque de la baie de Dublin. C'est du moins ce que je m'imaginai en fermant les yeux cette nuit-là.

II
Dans la baie de Dublin

9

Abracadabra

En descendant du train, je boutonnai ma veste jusqu'au cou pour me protéger de l'air glacé qui balayait le petit port de Howth, au nord de la baie de Dublin. J'aimai tout de suite cet endroit, peut-être parce qu'il me rappelait celui où j'habitais en Bretagne. Je suivis à la lettre les instructions de Magnus et quittai le village à pied par le chemin de terre qui longeait la côte. Malgré la pluie qui s'était mise à tomber, je goûtai pleinement la beauté sauvage du paysage, les falaises escarpées et les minuscules îles rocheuses qui semblaient protéger l'accès au rivage. Je parvins bientôt au pied d'une petite colline et pris un chemin en lacets qui portait le beau nom de « promenade des Contrebandiers ». Pendant un moment, la mer disparut de ma vue, mais je la retrouvai au détour d'un virage alors que j'arrivais devant un imposant portail de fer forgé encadré par deux colonnes en brique blanche.

La résidence secondaire du Pr Gemereck était un coquet petit manoir en pierre grise et au toit recouvert d'ardoises bleutées. La pelouse verdoyante qui entourait la demeure était traversée par d'élégants pas japonais qui menaient à la lourde porte d'entrée. Au bout d'une courte allée de gravier, deux énormes molosses – sans doute des dogues argentins – jouaient à côté d'une flambante Mercedes de location, choix de Barbara qui, malgré son discours de la veille, ne se déplaçait que dans des voitures de luxe.

— Eh bien, McCoyle, qu'est-ce que vous fichez ? Entrez donc ! Les chiens ne vont pas vous dévorer, lança Magnus, goguenard, depuis le pas de la porte.

Je pénétrai dans la belle maison où je fus immédiatement accueilli par une femme grassouillette, pleine de taches de rousseur, qui me débarrassa de mon sac en souriant.

— Soyez le bienvenu, maître McCoyle, me salua-t-elle d'une façon un peu pompeuse.

— Je vous présente Rose Kierhan, la gouvernante de cette maison. Et voici Miroslaw, dit fièrement Magnus en soulevant vers moi un chat persan roux qui m'envoya un coup de patte hostile alors que j'essayais de le caresser.

Je saluai Mrs Kierhan qui me proposa de la suivre à l'étage.

— Une fois que Rose vous aura montré votre chambre, rejoignez-nous au salon, me lança Gemereck. Nous n'attendons plus que vous et il y a du nouveau.

Intrigué par son ton mystérieux, je montai les marches de l'escalier quatre à quatre et posai précipitamment mes affaires dans le placard d'une vaste chambre aux rideaux blanc cassé que Rose avait préparée à mon intention. Après lui avoir assuré que tout était parfait et que je n'avais besoin, pour l'instant, ni d'oreillers ni de couvertures supplémentaires, je redescendis avec elle au rez-de-chaussée et elle me conduisit dans la pièce sans doute la plus étrange de la maison.

Ce que Magnus appelait le salon était en fait une grande pièce d'environ huit mètres sur dix qui faisait office tout à la fois de bureau et de salle à manger. Trois des murs étaient recouverts par des boiseries et des étagères de livres. Le dernier était percé de deux portes-fenêtres. Devant l'une d'elles trônait le bureau encombré du professeur. Assis à sa table de travail, Magnus pouvait ainsi, tout à loisir, regarder tomber la pluie ou voir fleurir les gentianes de son jardin. Dans un large périmètre autour du bureau, des dossiers et des revues jonchaient le sol, sans parler des piles de livres et de brochures, dont certaines s'élevaient jusqu'à des hauteurs impressionnantes. À la droite du bureau, on pouvait apercevoir un élégant divan de cuir havane, semblable à ceux qu'on imagine chez certains psychanalystes, et, dans le coin opposé, deux fauteuils assortis, disposés de chaque côté d'un beau jeu d'échecs dont les pièces de métal et de nacre figuraient des personnages bibliques. Non loin des fauteuils, Mrs Kierhan s'affairait à étaler une nappe brodée sur une massive table rectangulaire, à proximité de laquelle on avait installé un tableau noir sur pied qui devait ressembler à ceux qu'on trouvait dans les salles de classe du temps de la génération de mes parents ou de celle de Magnus. Lorsque j'entrai dans la pièce, Gemereck jouait, en s'appliquant, une sonate de Mozart sur un petit piano à queue qui occupait une grande partie d'un coin du salon. Un verre à la main, Barbara et Vittorio écoutaient la musique en silence. Je serrai la main du prêtre et embrassai la jeune femme sur la joue, non sans lui avoir rappelé que cette pratique sociale française avait uniquement pour fonction de saluer quelqu'un et non de lui témoigner obligatoirement un quelconque sentiment amical ou amoureux. Elle me servit néanmoins un verre, tout en m'incitant à aller jeter un coup d'œil au tableau noir sur lequel on pouvait lire une inscription à la craie.

† Helena (1824-89)
24-03 12-04 03-01 29-02 15-06 12-05 18-03 09-07
Skidamarink

— Qu'est-ce que c'est encore que ce charabia ? grognai-je devant cette espèce de cryptogramme qui allait visiblement compliquer encore un peu plus nos affaires.

— Sans doute un nouveau message de Mona Lisa, répondit Vittorio, nous l'avons trouvé hier soir sur le tableau en arrivant.

— Y a-t-il eu effraction ?

— Non, aucune porte n'a été fracturée et Rose n'a rien remarqué d'anormal, m'informa Gemereck, sans cesser de jouer. Mais elle n'habite pas ici en permanence. Elle s'occupe de sa mère, très âgée et malade, qui vit dans une maison du village et elle passe avec elle la plupart de ses nuits.

Je regardai encore une fois le message et posai une question à laquelle je devinais la réponse :

— Vous êtes arrivés à le décoder ?

— Pensez-vous, rigola Barbara, nous attendions vos lumières !

— Eh bien, dis-je, si on regarde la deuxième ligne…

Magnus s'empressa de me couper :

— Nous verrons ça plus tard, McCoyle. Pour l'instant, ne faisons pas attendre Rose qui nous a préparé un *brunch* dont vous me direz des nouvelles.

En effet, la vieille gouvernante venait de disposer quantité de plats sur la table, à la manière d'un buffet : *baked beans,* saucisses, boudin, galettes de pommes de terre, œufs brouillés, toasts, bacon frit, le tout généreusement arrosé d'une épaisse bière brune. Pendant cette agréable pause-déjeuner, aucun de nous ne fut réellement pressé de parler des derniers rebondissements de l'affaire qui nous préoccupait : nous étions simplement heureux d'être ensemble, comme en témoignaient les rires et les plaisanteries qui fusèrent tout au long du repas. Nous nous régalâmes de ces mets délicieux, y compris Barbara qui, sous l'œil sévère de Rose, n'osa pas sortir sa nourriture biologique. Lorsque nous fûmes rassasiés, Magnus décida qu'il était temps de se mettre au travail. Mrs Kierhan débarrassa la table en un clin d'œil et nous prîmes chacun un siège, tandis que Magnus refermait la porte du salon derrière elle, avant de se diriger vers le tableau noir avec cérémonie.

— Les enfants, dit-il, voici notre première réunion de crise.

Je remarquai qu'il avait prononcé ces mots avec un plaisir évident.

— Si nous suivons l'ordre des citations, continua-t-il en saisissant une craie, nous voici maintenant devant le deuxième pilier de la société occidentale : l'individualisme. Et si la logique de ceux qui nous défient est respectée, nous aurons à faire tout notre possible pour éviter que d'autres crimes ne soient commis au nom de la lutte contre la perversion de l'individualisme. Je vous rappelle aussi que, pour être pleinement efficaces, nous devons éviter de porter un jugement moral sur les agissements de Mona Lisa. Notre ligne de conduite doit être de tout faire pour éviter de nouveaux crimes, même si nous avons l'impression qu'ils ne sont pas totalement impardonnables. Notre cadre de référence est la loi et la loi nous oblige à faire ce qui est codifié et non pas ce qui nous semble juste.

— Abrégez, Magnus, s'il vous plaît, demanda Barbara en faisant éclater la bulle de son chewing-gum.

Gemereck la fusilla du regard, mais continua comme s'il n'avait rien entendu.

— Pour arriver à nos fins, il semble que nous n'ayons que trois éléments à soumettre à nos méninges. Le premier est la belle phrase de John Donne reçue par Vittorio et que je prends la peine de vous rappeler.

Tout en parlant, il avait fait pivoter le tableau de cent quatre-vingts degrés et calligraphié avec application la citation qui avait déjà fait cogiter bien des lecteurs de Hemingway avant nous :

« Nul homme n'est une île complète en soi-même ; tout homme est une part de continent, une part du tout. La mort de tout homme me diminue parce que je suis solidaire du genre humain. Ainsi donc, n'envoie jamais demander : pour qui sonne le glas ? Il sonne pour toi. »

— Le deuxième élément, reprit-il, est le dernier message que Mona Lisa a eu la gentillesse de nous faire parvenir hier soir ; message certes moins poétique mais peut-être tout aussi intéressant ; du moins, c'est ce qu'il nous faudra essayer de déterminer.

D'un geste large, il fit à nouveau pivoter le tableau pour nous mettre sous le nez le cryptogramme que j'avais aperçu en entrant.

— Enfin, *last but not least*, il semblerait que, pour corser le tout, une contrainte temporelle vienne s'ajouter à ce bel édifice pour nous inciter à ne pas faire preuve de paresse dans notre réflexion.

Pour illustrer ses dires, il se dirigea vers la petite pendule placée sur la poutre de la cheminée et régla les aiguilles avec soin.

— Mademoiselle, messieurs, il ne nous reste que peu de temps pour résoudre cette énigme. Si nous échouons, il y a fort à parier que nous aurons d'autres morts sur la conscience, termina-t-il en revenant s'asseoir avec nous.

À ce discours solennel et emphatique – mais qui avait le mérite d'exposer clairement toutes les données du problème – succéda une discussion animée sur l'essence de l'individualisme.

Je proposai de partir d'une définition toute simple, considérant l'individualisme comme une philosophie envisageant l'individu en tant que seule réalité à privilégier et se refusant à considérer les problèmes humains de façon collective.

— D'accord avec vous, approuva Gemereck, mais insistons bien sur le fait que ce concept n'est pas péjoratif, du moins au départ, puisqu'il englobe l'idée de défense des libertés individuelles : liberté de posséder, liberté de penser et liberté de mœurs.

— Exact, admit Vittorio, et c'est justement en quoi il constitue un pilier de notre culture occidentale.

— Mais ce n'est pas l'individualisme en lui-même que dénonce Mona Lisa, énonça Barbara posément, c'est plutôt sa manifestation actuelle, qu'elle considère comme une forme dégénérée.

— C'est ça, fis-je, une sorte d'individualisme négatif…

— … qui prend la forme d'un égoïsme sans bornes, compléta Vittorio.

— Oui, confirma Magnus, un certain comportement qui se généralise et qui consiste à vouloir se soustraire à toutes les obligations de la collectivité.

Il se leva pour aller ouvrir la fenêtre, sortit sa pipe et une blague à tabac de sa poche, avant de demander s'il pouvait fumer.

Personne n'émit d'objection, pas même Barbara, ce qui témoignait de l'intérêt croissant qu'elle portait à la conversation.

— Mais qui veut échapper aux obligations dont vous parlez ?

— Beaucoup de gens, Barbara ; ceux qui pensent que l'État est toujours trop présent, ceux qui voient dans l'absence de règlements la fin de tous les problèmes, ceux qui trouvent que l'on paye toujours trop d'impôts...

— Les républicains ? demanda Vittorio.

— Entre autres, répondit Magnus en riant.

Barbara, elle, ne plaisantait pas lorsqu'elle ajouta :

— Ils ont raison. Moi aussi, je renâcle à payer pour des services dont je ne suis pas bénéficiaire.

— Ah bon ? fis-je de façon véhémente. Vous n'utilisez jamais les routes, l'éclairage public ou les transports en commun ?

— Si, mais tous les services dispensés par l'État pourraient l'être par des sociétés privées.

— Pas du tout, m'insurgeai-je, on ne supprimera jamais la police ni l'armée.

— Pourquoi pas ? rétorqua-t-elle en souriant, ravie de m'avoir mis en colère. On peut très bien imaginer des associations de défense qui protégeraient leurs membres en échange d'une cotisation.

— Et qui protégerait les pauvres ? s'inquiéta le prêtre.

La jeune femme haussa les épaules et secoua la tête. Je m'engouffrai dans la brèche ouverte par Vittorio :

— Et comment voudriez-vous supprimer les impôts ?

— En éliminant toutes les aides sociales, répondit-elle, comme si c'était pour elle une évidence.

Quand j'étais plus jeune, ma mère faisait des ménages chez les gens riches de Boston et j'ai été élevé en partie grâce aux aides sociales. Sans cette assistance, des gens comme moi ne seraient jamais devenus avocats et, en entendant les paroles de Barbara, je sentis comme un sentiment de rage qui montait en moi.

— Vous êtes complètement tarée, vos drogues vous ont probablement abîmé le cerveau, dis-je en vociférant.

— Du calme, les enfants, du calme ! réclama Magnus en martelant la table du poing. Nous étions convenus de ne pas nous laisser emporter par nos sentiments.

Ni Barbara ni moi ne l'entendions de cette oreille.

— Vous mériteriez d'aller en prison pour détention de stupéfiants, lui lançai-je en la menaçant du doigt.

En moins de temps qu'il n'en faut pour le dire, elle ramassa un livre et me le balança au visage.

Pendant cette petite joute, Gemereck et Carosa s'étaient installés autour du jeu d'échecs et avaient commencé une partie, sous l'œil attentif de Miroslaw qui allait de l'un à l'autre pour recevoir son lot de caresses. Quant à moi, je n'en avais pas fini avec Barbara.

— De toute façon, les aides sociales sont décidées par des gouvernements qui ont été démocratiquement élus par les citoyens.

— Vous savez très bien que le vote n'est pas réel.

— Et pourquoi donc, s'il vous plaît ?

— Parce qu'on ne demande aux électeurs que de choisir leur gouvernement et non de décider s'ils veulent ou non un gouvernement.

— Espèce de libertaire !

— Sale socialiste ! répondit-elle en brandissant le poing.

— Toxico !

— Connard !

J'allais répliquer par une insulte encore plus injurieuse lorsque je me rendis compte du ridicule de la situation et du fait que, en gaspillant du temps à ces enfantillages, nous avions perdu de vue les affaires urgentes qui nous préoccupaient. Je respirai un bon coup et regagnai mon siège, non sans avoir prévenu Barbara que nous rediscuterions de tout cela une fois cette enquête résolue. Un drôle de silence flotta dans l'air jusqu'à ce que tout le monde vînt se rasseoir à la table pour reprendre nos cogitations sur des bases plus saines.

Nous avions décidé d'explorer méthodiquement toutes les pistes que pouvait contenir le nouveau message :

† Helena (1824-89)
24-03 12-04 03-01 29-02 15-06 12-05 18-03 09-07
Skidamarink

Nous aurions bien aimé pouvoir le diviser en quatre parties, comme le tableau de Léonard et les citations qui nous avaient été envoyées. Si Mona Lisa persévérait dans sa logique, le nouveau puzzle aurait dû être composé de quatre pièces que nous nous serions réparties pour les déchiffrer, chacun utilisant les connaissances qui lui étaient propres.

Malheureusement, il ne semblait y avoir ici que trois parties différentes :

1 - † *Helena (1824-89)*
2 - *24-03 12-04 03-01 29-02 15-06 12-05 18-03 09-07*
3 - *Skidamarink*

Après un rapide tour de table, tout le monde fut d'accord pour convenir que † Helena (1824-89) faisait sans doute référence à une femme nommée Helena, née en 1824 et décédée soixante-cinq ans plus tard. La série de chiffres en revanche ne fit pas l'unanimité. Vittorio y vit d'abord la combinaison d'un coffre-fort ; je penchai plutôt pour une succession de dates : 24 mars, 12 avril, 3 janvier, 29 février, 15 juin, 12 mai, 18 mars, 9 juillet.

Magnus ne fut pas vraiment convaincu, il trouvait cela trop simpliste et était troublé par deux détails : pourquoi ne trouvait-on aucun mois postérieur à juillet et pourquoi la date du 29 février figurait-elle alors qu'elle n'existe que les années bissextiles, soit une fois tous les quatre ans ?

À mon explication, il en préférait une autre : derrière chaque couple de chiffres se cachait un mot et l'ensemble des chiffres constituait une phrase complète.

— Mais que signifie par exemple 24-03 ?

— C'est en quelque sorte les coordonnées du mot que l'on peut retrouver dans un livre qui servirait de clé. 24-03 signifie alors : le troisième mot de la vingt-quatrième page.

— Assez archaïque comme technique, souffla Barbara, toujours prête à critiquer une proposition qui ne venait pas d'elle.

Magnus se maîtrisa pour ne pas sortir de ses gonds. Il respira plusieurs fois avant d'énoncer d'un ton qui se voulait calme :

— Avec l'informatique, il y a aujourd'hui, je vous l'accorde, des milliers de façons de coder un message de manière très complexe et très sophistiquée. Mais n'oublions pas que c'est à nous, et à nous seuls, que Mona Lisa confie le soin de déchiffrer ce code. Je ne pense pas qu'il faille avoir recours à des ordinateurs surpuissants pour venir à bout de ce casse-tête. La solution viendra plutôt de la réflexion, de nos connaissances et de nos expériences personnelles.

— Vous dites que nous pouvons être plus forts qu'un ordinateur ?

— Dans un cas comme celui-ci, c'est certain. Réfléchissez : si vous voulez que votre cryptage soit vraiment efficace, il ne servira pas à grand-chose d'avoir recours à des formules mathématiques qu'un ordinateur tant soit peu perfectionné débusquera en quelques secondes. Non, la meilleure méthode reste la plus ancienne : faire en sorte que le destinataire et l'expéditeur aient le même livre.

— Et ce livre est la clé du message ?

— Oui, dans la mesure où il permet de retrouver quels mots sont cachés derrière les chiffres. Et si vous ne possédez pas ce livre, vous avez beau avoir à votre disposition des centaines de cerveaux artificiels, ils ne seront d'aucune utilité. Tous les logiciels d'inférence stylistique sont dès lors inutiles.

— Il nous faut donc trouver ce fameux livre, dis-je pour tempérer l'ardeur de Magnus.

— Oui, et ce ne sera pas une mince affaire.

En ce qui concernait la troisième partie du message, le mystérieux « Skidamarink » n'évoquait pas grand-chose pour les trois personnes de l'assistance qui avaient passé leur petite enfance hors du monde anglo-saxon, en l'occurrence Magnus, Vittorio et moi (qui avais vécu en Bretagne jusqu'à l'âge de huit ans). Notre ignorance provoqua chez Barbara une sorte de jubilation intense, mêlée à un grand étonnement.

— Quoi ! Vous ne connaissez pas *Skidamarink* ? C'est une comptine très populaire.

— Une comptine ? demanda Magnus. Comme *La Petite Marchande de Moscou* ?

— Ou comme *Frère Jacques* ?

— Mouais, grimaça Barbara qui ne connaissait pas ces chansons, une comptine comme *Bananas in pajamas* ou *Chicken soup with rice*.

— Passons, dit Gemereck. De quoi parle cette comptine, miss Weber ?

SKIDAMARINK

Elle se mit à fredonner :

> *I love you in the morning.*
> *And in the afternoon,*
> *I love you in the evening*
> *And underneath the moon ;*
> *Oh, Skidamarink a dink a dink,*
> *Skidamarink a doo,*
> *I love you !*

À ce moment, Rose entra avec un plateau sur lequel étaient posés des tasses, une théière et un gros pot de café fumant. Nous l'accueillîmes avec un plaisir non dissimulé et nous nous précipitâmes sur ces revigorants breuvages. Tout en accommodant son thé de quelques gouttes de jus de citron et d'une demi-sucrette, Barbara continuait à siffloter sa chanson avec un plaisir évident. Quand elle sortit de la pièce, Rose fredonnait, elle aussi, le petit air populaire :

> *I love you in the morning*
> *lala lala lala*

Magnus l'arrêta en la tirant par la manche.
— Vous connaissez cette chanson, Rose ?
— *Skidamarink* ? Tout le monde connaît cette chanson, monsieur. Ma mère me la chantait quand j'étais petite et je l'ai moi-même chantée à mes enfants et à votre fille.

— Vous voyez bien que j'avais raison ! triompha Barbara.

— Certes, certes, admis-je avec agacement, c'est une chanson pour enfants, mais cela ne nous avance pas dans la résolution de l'énigme.

La jeune femme me lança un regard qu'on aurait difficilement pu qualifier d'amical et s'agenouilla pour saisir un livre sur le plancher, mais Magnus avait déjà levé les mains en signe d'apaisement.

— Paix ! paix ! revenons à notre message.

Lors d'un deuxième tour de table, nous décidâmes de commencer par les recherches qui nous paraissaient les moins difficiles : trouver l'identité de la mystérieuse Helena (1824-89).

Chacun de nous se mit à lancer les idées qui lui venaient à l'esprit. Chaque fois que nous avancions un nom, Magnus et Barbara essayaient de trouver les dates correspondantes, lui dans une encyclopédie et elle sur Internet (après avoir débarrassé le divan de toutes les publications, elle s'était assise en tailleur et avait allumé son petit ordinateur pour le connecter au réseau). Ainsi, l'après-midi durant, nous passâmes au crible toutes les Hélène de l'humanité, depuis sainte Hélène (la mère de l'empereur Constantin qui, au milieu du IIIe siècle, aurait découvert la croix du Christ) jusqu'à Helena Rubinstein, en passant par Hélène de Troie et Helena Payne-Gaposchkin (l'astrophysicienne américaine connue pour son étude des étoiles variables). Malheureusement, après la lecture de chaque biographie, lorsque nous nous rendions compte qu'il n'y avait aucun lien apparent entre ces personnalités et les deux dates (1824-89), un souffle de déception emplissait la pièce. Cet état d'esprit ne durait toutefois jamais bien longtemps, car il se trouvait toujours quelqu'un pour relancer les recherches vers d'autres pistes.

— N'y avait-il pas une Hélène Machinchose, une grande prêtresse ésotérique qui vivait au siècle dernier ? demanda Vittorio en recrachant une bouffée de fumée par la fenêtre.

À chaque proposition succédait une compétition entre Magnus et Barbara, à qui serait le premier à donner une réponse convenable. Le professeur du MIT, entouré par une pile de volumes de l'*Encyclopedia americana*, prétendait être plus rapide et plus complet qu'Internet, dont les couleurs étaient vaillamment défendues par notre femme d'affaires.

Cette fois-ci, Gemereck fut effectivement le plus prompt à réagir :

— *I've got it !* s'écria-t-il en levant le poing. Helena Petrovna Blavatsky (1831-91), dite H.P.B., fondatrice de la Société théosophique destinée à étudier l'occultisme et l'ésotérisme selon des approches orientales.

— 1831-91, fis-je remarquer, on n'est pas loin de 1824-89. En quelle année a-t-elle fondé son groupe d'étude ?

— 1875, répondit instantanément Barbara qui avait gardé cette information sous la main. Aucune correspondance : encore un coup dans l'eau.

Chaque fois que nous croyions avoir terminé, une idée nouvelle jaillissait de façon inattendue des profondeurs de notre mémoire.

— J'ai le souvenir d'un roman qui s'appelait *Helena* et que mon père conservait dans sa bibliothèque, se rappela le prêtre. Un truc nordique du début du siècle.

— Exact, répondit Gemereck moins de dix secondes plus tard, *Helena* (1902) : roman de l'écrivain finlandais Arvid Järnefelt.

Vittorio et moi nous étions emparés des atlas et passions au crible chaque ville, chaque colline ou montagne qui contenait dans son nom quelque chose qui, de près ou de loin, ressemblât à Helena ou Hélène. Mais notre piste la plus sérieuse ne nous mena pas plus loin que la ville du Montana située dans les Rocheuses et qui était devenue la capitale de l'État en 1889. Cette voie fut rapidement abandonnée tant il s'avérait que l'association de cette date et de la ville ne constituait qu'une coïncidence sans rapport avec notre enquête. Comme nous ne trouvions rien, nous décidâmes de changer d'axe de recherche en concentrant nos cogitations sur notre vie privée – après tout, ce message nous avait été adressé personnellement. Commença alors le passage en revue des prénoms de nos arrière-grands-mères (tâche qui fut assez rapide puisque peu d'entre nous étaient capables de s'en souvenir, Barbara et moi ne les ayant jamais connues), auquel succéda le recensement désordonné de toutes les Hélène qui avaient pu marquer notre vie. Magnus se souvenait d'une institutrice, avec du poil sur la lèvre supérieure, qui avait terrorisé son enfance et que tous les gosses de l'école surnommaient «la femme à barbe». Vittorio nous confessa quelques rêves érotiques qui avaient germé en lui à l'âge de seize ans, après qu'il avait vu *La Belle Hélène*, l'opérette de Jacques Offenbach, dont le rôle-titre était tenu par Sabrina Opulini, la célèbre cantatrice italienne aux formes généreuses susceptibles de «faire renier à un prêtre ses vœux de chasteté».

Toutes ces anecdotes, si agréables à écouter fussent-elles, ne nous apportèrent aucune information exploitable, si bien que, lorsque la nuit tomba, nous étions presque aussi peu avancés dans nos recherches qu'au début de l'après-midi.

Pendant ce temps-là, le compte à rebours continuait.

10

Nuit d'ivresse

Les choses devaient pourtant s'accélérer plus tard dans la soirée, et ce d'une drôle de façon.

Aux alentours de 22 heures, Barbara éteignit son ordinateur en bâillant.

— Restons-en là pour ce soir, nous n'arriverons plus à rien.

— D'accord avec vous, murmura Vittorio qui dormait déjà d'un œil, affalé dans un fauteuil.

— Soit, admit Magnus. Nous avons bien mérité une pause alcoolisée.

Barbara et moi fronçâmes les sourcils.

— Ne comptez pas sur moi pour participer à une beuverie, prévint la jeune femme pendant que Gemereck allumait les trois bougies d'un chandelier en argent.

— Quelques verres de vin valent mieux que toutes les pilules avec lesquelles vous vous défoncez, se défendit-il. Et puis je ne vous parle pas d'une beuverie ! Je vous invite au contraire à une leçon d'histoire, à un voyage dans le temps...

C'était la deuxième fois de la journée que quelqu'un mentionnait la toxicomanie de Barbara et, à voir le regard noir qu'elle nous jeta, nous comprîmes qu'il serait dorénavant préférable de ne plus aborder ce sujet si nous tenions à rester en bonne santé.

Vittorio, que l'évocation d'une « pause alcoolisée » avait tiré de son siège, demanda des explications supplémentaires.

— J'ai ici plusieurs bouteilles de grande valeur, l'éclaira Magnus. Je les gardais pour des occasions exceptionnelles, mais, depuis la visite de Maumy, je me dis qu'il ne serait pas mauvais d'en ouvrir quelques-unes, étant donné la fragilité de notre existence terrestre.

— « C'est quand le soleil s'éclipse qu'on en voit la grandeur », nota Carosa pour cristalliser dans une formule une impression que nous ressentions tous.

— Évangile selon saint Marc ? demandai-je.

— Non, Sénèque, rectifia-t-il en grattant le pansement qui recouvrait encore son oreille.

— Trêve de paroles ! s'écria Gemereck. Qui m'aime me suive !

Par une petite porte donnant sur le hall d'entrée, nous descendîmes en file indienne les marches d'un petit escalier en pierre qui menait dans une cave obscure, sans aucune ouverture sur l'extérieur. Pour éviter les vibrations, le sol était recouvert de sable et de grains.

— Fait pas chaud ici, m'exclamai-je en regrettant d'avoir laissé ma veste dans le salon.

— C'est fait exprès, Théo, précisa notre hôte, la température doit constamment se maintenir autour des 11 °C.

— Qu'est-ce qui se passe sinon ?

— S'il fait trop froid, le vieillissement du vin se
ralentit et certains de ses arômes disparaissent. Dans le
cas contraire, le vin se développe trop rapidement par
l'action des levures et des bactéries.

Devant nous s'étendaient des centaines de bouteilles
couchées sur des étagères métalliques.

— C'est plein de poussière ici, grimaça Barbara en
soulevant une bouteille.

— Holà ! ne touchez à rien ! cria Magnus en se préci-
pitant vers elle, le vin ne doit pas être secoué.

Il reposa la bouteille d'un geste très lent.

— Bon, je remonte, annonça la jeune femme.
Imaginez que Maumy vienne nous rendre une petite
visite et nous enferme ici…

Gemereck se voulut rassurant.

— Les chiens veillent.

— Ils n'ont pas si bien veillé que ça lorsqu'on a
déposé le message sur le tableau ; d'ailleurs, Maumy
serait capable de les bouffer, vos chiens ! dit-elle
en remontant les marches. Je vous attends dans la
bibliothèque.

Le départ de Barbara ne troubla pas le scientifique
qui s'était mis à déambuler lentement entre les casiers
de bouteilles, s'arrêtant de longues minutes devant
certains crus pour en examiner attentivement les
étiquettes.

— Faites vite, professeur, c'est vrai qu'on se les gèle, sauf votre respect, laissa échapper Vittorio en pensant peut-être que l'absence provisoire du seul élément féminin de notre équipe l'autorisait à employer un langage moins châtié.

Après moult hésitations, Gemereck arrêta enfin son choix, et nous rejoignîmes Barbara.

Lorsque la bouteille fut placée debout sur un petit guéridon – afin que les particules en suspension puissent se déposer au fond du récipient –, nous pûmes enfin apercevoir le trésor : un château-margaux 1961.

— Ah, un bordeaux ! m'exclamai-je. Nous autres, Français, nous...

Magnus s'empressa de me couper :

— Pas si vite, n'oubliez pas que l'Aquitaine a été possession anglaise pendant plus de trois siècles.

— Ouais, il y a neuf cents ans...

— Qu'est-ce que c'est déjà que cette histoire ? demanda le prêtre, intéressé.

Magnus s'éclaircit la voix pour prendre le ton docte et professoral qu'il affectionnait tant.

— Tout a commencé lorsque la belle Aliénor, duchesse d'Aquitaine, épousa Louis VII, roi de France, en l'an de grâce 1100 et quelques. Ce roi était malheureusement plus empressé d'honorer Dieu que sa femme, sauf votre respect, Vittorio.

Le prêtre, mouché, se força néanmoins à sourire. Gemereck continua son récit.

— Déçue par le peu d'enthousiasme que son mari mettait à la satisfaire, la reine, qui appréciait les chevaliers et les poètes, eut inévitablement quelques aventures galantes. Ces frasques, bien sûr, ne furent pas du goût de son mari qui demanda sans tarder l'annulation du mariage.

— Et le vin dans tout ça ?

— J'y viens. Aliénor, une fois répudiée, récupéra ses possessions et apporta l'Aquitaine en dot à son second mari, Henri Plantagenêt. Ainsi, la ville de Bordeaux devint territoire anglais pour trois siècles et c'est à cette époque que, sous l'influence anglo-saxonne, les taxes sur les vins furent supprimées, ce qui permit de dynamiser leur exportation.

— Époque étrange et fruste, complétai-je, puisque, une fois le vin mis en fûts, il n'existait aucun procédé de conservation, ce qui faisait que le cru le mieux vendu était aussi le plus jeune, le vin trop vieux étant quant à lui distribué aux pauvres.

— Alors, on l'ouvre, cette bouteille ? Ça m'endort, vos tirades historiques, lança Barbara en brandissant un tire-bouchon.

— Doucement, jeune fille, fit Magnus en lui retirant l'instrument des mains. Procédons par étapes. Première phase : la présentation du nectar. Un château-margaux 1961. Grandissime millésime pour les médocs. Les conditions climatiques, parfaites cette année-là, donnèrent une fantastique récolte considérée comme l'un des meilleurs millésimes du XXe siècle.

Pendant que Gemereck professait, Vittorio avait débouché la bouteille avec d'infinies précautions pour éviter d'émietter le bouchon de liège, devenu très friable avec le temps. Une fois cette opération effectuée, il essuya le rebord intérieur du goulot avec un mouchoir propre qu'il avait tiré de sa poche. Tandis qu'il s'apprêtait à servir le premier verre, Magnus l'arrêta d'un geste, ouvrit l'un des tiroirs de son bureau et en sortit une astucieuse petite machine à manivelle qui permettait de procéder à un versement très lent qu'on interrompait dès que le dépôt s'engageait dans l'épaule de la bouteille. Une fois les quatre verres remplis et alors que nous allions enfin pouvoir goûter le breuvage, il réclama encore une fois notre patience.

— Deuxième étape : la stimulation visuelle. Admirez la couleur et le chatoiement chromatique de la robe.

— Rouge foncé, jugea Barbara.

— Plutôt grenat, nuança le prêtre.

— Ni l'un ni l'autre, trancha Magnus, nous avons affaire ici à une belle robe rubis.

J'avais déjà empoigné un verre que je commençais à porter à la bouche lorsque Gemereck arrêta mon mouvement.

— Troisième et dernière étape avant dégustation : la stimulation olfactive et la recherche des arômes.

Barbara se prêta volontiers au jeu et respira son verre pendant une demi-minute.

— Ça sent bon le vin.

— Précisez votre pensée, exigea le professeur.

— Les épices ?

— Hum... la truffe plutôt.

Profitant d'un moment d'inattention de Magnus, Vittorio me fit passer un verre et nous commençâmes tous deux la dégustation, bientôt suivis de nos amis.

— Apprêtez-vous à boire du rêve, prévint une dernière fois Gemereck alors qu'il portait son verre à la bouche.

Une chose était certaine : le vin était « très bon », mais ce qualificatif ne suffisait pas au scientifique qui nous incita à préciser nos impressions.

— C'est étrange, dis-je, on a presque l'impression de pouvoir le manger.

— Oui, approuva le connaisseur, il a une persistance en bouche que l'on pourrait compter en minutes. Et des connotations agréables de tabac et de cuir.

— De pruneau et de réglisse, compléta Vittorio en terminant son verre et en nous resservant une tournée.

— J'y vois aussi des effluves de cacao et de pain d'épices.

— Laissez-moi vérifier, dit Barbara en se gargarisant la bouche. Vous ne sentez pas aussi un parfum de fleurs ?

— Exact, des roses...

— Oui, ou des violettes.

Magnus était presque au bord des larmes, ému par la perfection de son vin.

— Ah ! il est superbe, su-per-be. Ça restera comme un des grands souvenirs gustatifs de ma vie. C'est une boisson pour l'âme, les enfants : équilibrée, charnue, moelleuse et veloutée.

— C'est divin, Magnus.

— Ça vaut toutes les drogues, admit Barbara, ôtant la veste de son tailleur pour s'installer langoureusement sur le sofa.

Après les heures de travail de l'après-midi, le vin nous apporta une petite sensation de griserie qui fit naître entre nous un climat de véritable camaraderie. Pendant l'heure qui suivit, nous ouvrîmes deux nouvelles bouteilles qui finirent de nous soûler complètement, ce qui déboucha sur un brouhaha de conversations animées mais peu cohérentes. Magnus et Vittorio s'étaient affalés dans les fauteuils de cuir tandis que Barbara m'avait laissé une place à côté d'elle sur le canapé.

— Cachez vos jambes et votre poitrine, s'il vous plaît, vous nous faites mal, dis-je sur le ton de la plaisanterie.

— Voyons, Théo, dit-elle avec un sourire, modérez vos paroles si vous voulez conserver mon estime.

— *In vino veritas*, beugla Vittorio, passablement gris, voulant sans doute expliquer que la vérité que l'homme ne disait pas à jeun risquait de lui échapper sous l'emprise de la boisson.

Je m'adressai au prêtre :

— Puisque nous en sommes au chapitre des vérités, je dois vous avouer que j'ai vu dans votre chambre les photos d'une superbe créature. Un physique exceptionnel... C'est une de vos conquêtes ? m'enquis-je avec un clin d'œil.

— Euh... c'est vrai qu'elle est très mignonne, répondit-il avec gêne. C'est Venusia Petrova, un *top model* italien d'origine bulgare.

— Venusia ! m'écriai-je, c'est son vrai prénom ?

— Oh non, c'est un pseudonyme, son vrai prénom, c'est...

Il s'arrêta au milieu de sa phrase, un peu comme s'il n'avait pris conscience du sens véritable de ses paroles qu'au moment où il s'apprêtait à les prononcer.

Barbara et moi avions déjà compris et nous terminâmes nous-mêmes la phrase qu'il avait commencée :

— Helena ! Helena !

— C'est vrai, reconnut-il, elle s'appelait Helena Petrova.

En trois secondes, nous fûmes tous les quatre debout. Magnus se précipita à la cuisine pour préparer un pot de café très fort, censé nous dessoûler un peu, pendant que Vittorio et Barbara regagnaient docilement leur place autour de la grande table. Avant de les rejoindre, j'ouvris une porte-fenêtre pour aérer la pièce et regarder le ciel : des nuages lourds couraient au-dessus de la lande, masquant l'éclat des étoiles et déversant sur la campagne une pluie fine et régulière.

— Très bien, dit Magnus en posant nos tasses de café sur la table, on tient peut-être une piste, mais on ne s'emballe pas. Procédons avec méthode. Vittorio, nous vous laissons la parole.

L'homme d'Église alluma un de ses petits cigares et en tira une longue bouffée avant de se mettre à parler.

— Helena Petrova est un mannequin bulgare. Elle est arrivée en Italie avec ses parents à l'âge de trois ans. Elle fait des photos de mode, des défilés, des pubs. C'est en outre la meilleure amie de ma sœur, qui exerce la même activité, et c'est grâce à son intermédiaire que je l'ai rencontrée, il y a quelques années, un jour où je rendais visite à ma famille, près de Milan. Malgré ma situation de jeune prêtre, j'ai malheureusement succombé à ses charmes et nous avons eu une liaison qui a duré quelques mois.

Il passa la main dans ses cheveux et fit mine de réfléchir quelques instants avant de reprendre son récit.

— Pour être franc avec vous, cette relation reposait essentiellement sur nos rapports sexuels. Je le dis sans provocation ni culpabilité. Bien entendu, je ne suis pas sans savoir que les prêtres font vœu de chasteté, sous prétexte que l'exercice de la chair les détournerait de leur devoir spirituel, mais je pense au contraire que c'est l'absence de relations qui...

— Vous n'avez pas à vous expliquer sur ce point, Vittorio, le coupa Barbara. Votre vie privée ne nous intéresse que dans la mesure où elle touche directement notre affaire.

Nous acquiesçâmes tous sans réserve.

— Bien, continua le prêtre, mes relations avec cette femme ont cessé lorsque je suis parti aux États-Unis.

— Qui était au courant de cette liaison ?

— Personne, assura Vittorio, sauf peut-être ma sœur ; mais, honnêtement, je ne vois pas en quoi Helena pourrait être impliquée dans cette affaire. C'est ce que l'on appelle une ravissante idiote, vous savez, rien de plus.

— Il faut néanmoins que nous entrions en contact avec elle, proposai-je. Vous avez ses coordonnées ?

— Oui, mais mon carnet d'adresses est resté en Italie.

— On devrait pouvoir retrouver son numéro grâce à Internet, dis-je en regardant Barbara.

En entendant le mot magique, elle connecta son ordinateur.

— Elle est probablement sur liste rouge, avertit-elle, mais, si elle est *top model*, elle doit travailler pour une agence.

— Oui, l'agence Calypso, je crois.

La jeune femme tapota sur son clavier et, quelques secondes plus tard, nous dicta un numéro que Vittorio composa immédiatement.

Par chance, il y avait encore quelqu'un à l'agence, qui nous indiqua que Venusia (Helena) était en train de tourner un vidéo-clip en Polynésie. L'homme nous laissa néanmoins le numéro de son téléphone cellulaire.

— Vous avez bien fait d'appeler ici, fit-il, car il semblerait que le répondeur de son appartement milanais soit en dérangement.

Après avoir raccroché, le prêtre appela son amie à Tahiti. Il faisait 35 °C, le ciel était bleu, la mer chaude, tout allait pour le mieux dans la vie de Venusia et elle ne comprit pas un traître mot de toute notre histoire. Cet appel avorté fit l'effet d'une douche froide sur notre petit groupe et notre enthousiasme retomba comme un soufflé : apparemment, nous étions encore sur une mauvaise piste.

La réflexion collective était au point mort quand une idée traversa mon esprit à la vitesse d'un Scud. Je retéléphonai à l'agence, demandai le numéro du domicile de Mlle Petrova et appelai Milan. Au bout de la quatrième sonnerie – quatre, encore ! –, une bande enregistreuse se déclencha et fit entendre quelques grésillements avant de délivrer un unique mot : *California*, bientôt suivi par une voix monotone qui égrenait le compte à rebours que nous connaissions bien :

45 h 17 min 12 s, 45 h 17 min 11 s

Nous poussâmes tous un grand cri d'exclamation. Nous tenions enfin la première pièce de notre puzzle.

Magnus se dirigea vers le tableau, prit un chiffon, effaça « † *Helena* » et inscrivit « *CALIFORNIA* » à la place :

CALIFORNIA (1824-89)
24-03 12-04 03-01 29-02 15-06 12-05 18-03 09-07
Skidamarink

— On y voit nettement plus clair, fit Barbara ironiquement.

— Ne soyez pas constamment négative, miss Weber, d'autant plus que vous aviez raison : le message comprenait bien quatre parties, chacune destinée à l'un de nous.

— Vous êtes sûr ?

— Certain. Regardez : « † *Helena* » ne voulait pas dire « Helena est morte ». La croix signifiait simplement que cette partie du message s'adressait à notre ami prêtre.

Pour se faire comprendre, Gemereck effaça entièrement le tableau et réécrivit le message avec la décomposition qu'il proposait :

MESSAGE INITIAL	DESTINATAIRE	MESSAGE DÉCODÉ
† Helena	Vittorio	California
(1824-89)	?	?
24-03 12-04 03-01		
29-02 15-06 12-05		
18-03 09-07	?	?
Skidamarink	?	?

Je pris la parole :

— Si je vous comprends bien, nous devons trouver ce qui se cache derrière les points d'interrogation ?

— Exact.

Notre premier petit succès nous avait mis dans une excitation rare, mais, à 2 heures du matin, tout le monde commençait à sentir la fatigue. C'est donc avec soulagement que nous entendîmes Gemereck lever la séance.

— Nous avons travaillé de façon acceptable, dit-il, mais nous ne sommes pas au bout de nos peines, d'autres énigmes nous attendent. Pour les résoudre, nous devons reconstituer nos réserves physiques et intellectuelles. Dormez bien. Prochaine réunion demain à 8 heures.

Pour l'amateur de beaux panoramas, une promenade en haut de la falaise de Howth Head offre une vue imprenable sur Dublin Bay et Lambay Island. Le vent avait chassé les nuages porteurs de pluie et un soleil matinal caressait maintenant les petites haies qui serpentaient à travers les terres.

Quelques mètres devant moi, Barbara escaladait les rochers et respirait l'air de la mer, pendant qu'un épervier de bonne taille survolait les buissons à la recherche de petits mammifères pour son repas. Nous avions quitté la maison tous les deux pour nous oxygéner les poumons, avant le petit déjeuner, grâce à un footing le long des chemins de la falaise.

— On fait une pause ? proposa-t-elle en reprenant son souffle, les mains posées sur les hanches.

— OK. Magnus va nous étriper si nous arrivons en retard, mais après tout nous ne sommes pas obligés de lui obéir au doigt et à l'œil, dis-je dans un élan de rébellion contre cette autorité excessive qui commençait à nous peser.

Elle boutonna jusqu'au cou son coupe-vent en Gore-Tex et nous nous assîmes sur un gros rocher plat d'où nous pouvions voir la mer et profiter du soleil qui brillait en face de nous.

— Il va revenir, n'est-ce pas ? me demanda-t-elle au bout d'un moment, sans lever les yeux.

— Qui ça ?

— Maumy. Il va revenir pour nous massacrer.
Comme il le fait chaque fois que quelqu'un lui échappe.
J'ai consulté des archives de journaux avant-hier et j'ai
lu l'histoire des deux étudiants. C'est... C'est horrible.

Barbara faisait allusion à l'un des épisodes les plus
noirs de la carrière du psychopathe lorsque, deux ans
auparavant, il avait attaqué un groupe de cinq jeunes
gens qui campaient dans le Colorado. Trois d'entre eux
avaient été tués d'une balle dans la nuque, mais un
jeune garçon et sa sœur, tous deux étudiants à l'université de Denver, avaient réussi à s'échapper des griffes
du monstre, à regagner leur 4 × 4 et à fuir vers la ville.
Grâce à leur témoignage, qui s'ajoutait à celui d'une
autre rescapée, la police avait acquis la conviction que
Maumy n'avait pas eu recours à la chirurgie esthétique
pour modifier son apparence. Certes, il devait être très
fort dans l'art du grimage puisqu'il avait évité jusqu'ici
de se faire prendre, mais il tenait à présenter son vrai
visage à ses futures victimes. Cette fois encore, bien
que d'importantes forces de police aient été immédiatement mobilisées pour quadriller le secteur et dresser
des barrages sur les principaux axes routiers, on ne
découvrit aucune trace du tueur. Pire, moins d'un mois
plus tard, le bourreau avait réussi à retrouver les deux
étudiants et s'était vengé. Les journaux avaient parlé de
scènes de torture atroces ayant précédé la mise à mort :
dépeçage à vif, ablation du cerveau et des organes
génitaux.

Je me tournai vers Barbara et vis des larmes sourdre au coin de ses yeux. Elle ouvrit son sac à dos et en sortit une petite boîte à pilules contenant une fine poudre blanche facilement identifiable. Comme je l'avais soupçonné, la toxicomanie de la femme d'affaires ne se réduisait pas au domaine des stimulants euphorisants, mais s'étendait aussi à la cocaïne, voire à d'autres alcaloïdes.

J'essayai de lui retirer la boîte des mains, mais elle opposa une résistance.

— Je ne peux pas m'en priver maintenant ! Je ne tiendrai pas le coup sinon, dit-elle d'une voix tremblante, en essuyant les larmes qui roulaient à présent sur ses joues.

Je la laissai renifler un peu de poudre, conscient des conséquences que pouvait entraîner un sevrage brutal. J'essuyai aussi ses larmes avec un mouchoir en papier et lui fis promettre d'essayer de stopper sa consommation de stupéfiants.

Je comprenais d'autant mieux le désarroi de Barbara que j'étais moi-même effrayé par les agissements abominables de Maumy. Ému par sa détresse, j'essayai tant bien que mal de lui remonter le moral, mais Barbara avait une capacité de récupération incroyable et elle me surprit une fois de plus.

— Et puis, si Maumy a la mauvaise idée de venir faire un tour par ici, j'ai de quoi lui répondre, affirma-t-elle en sortant de son sac un petit semi-automatique.

— Comment avez-vous réussi à passer ce flingue à la douane ? demandai-je interloqué.

— Il est en polymères et céramique, donc difficilement détectable par les portiques de sécurité. Fabrication sud-africaine. Je me le suis procuré auprès d'un ami.

— Vous avez de drôles d'amis.

— C'est un ancien flic qui travaille dans une agence de détectives. On s'entraîne au même stand de tir.

— Il ne manquait plus que ça !

— J'ai même ma carte de membre de la NRA[1].

— Ça ne m'étonne pas de vous.

— Vous savez ce que dit la Constitution : « Le droit du peuple à détenir et à porter des armes ne doit…

— … ne doit pas être limité », je sais, je suis avocat, je connais le deuxième amendement.

— Vous êtes contre ?

— Les armes créent plus de problèmes qu'elles n'apportent de solutions…

Elle secoua la tête en signe de désaccord.

— Une arme peut être utile pour se défendre, surtout à une femme. J'en ai plusieurs chez moi et il est rare que je n'en porte pas une dans mon sac. Pour tout vous dire, je possède même un pistolet mitrailleur…

— Ça, en revanche, c'est illégal : loi anticriminalité de 1994.

---

1. La National Rifle Association (NRA) est un puissant lobby américain qui défend le droit des citoyens à porter une arme. Il joue un rôle politique important en finançant massivement les campagnes électorales des candidats qui partagent ses idées.

— Dénoncez-moi à la police, dit-elle dans un éclat de rire.

Je l'aidai à se relever de la grosse pierre sur laquelle elle était assise. Rassérénée par la cocaïne, elle me fit un sourire reconnaissant, mais me demanda néanmoins de ne parler à personne de ce qu'elle appelait pudiquement un « incident ».

Je promis, presque content de partager quelque chose avec cette femme mystérieuse qui m'inspirait autant de fascination que de pitié.

En revenant vers la maison, nous plaisantâmes abondamment en évoquant la grande vie qu'elle pourrait mener si elle réussissait à vendre *La Joconde* après l'avoir fait restaurer.

Lorsque nous pénétrâmes dans le salon, nos deux acolytes nous lancèrent un regard réprobateur.

— Je ne voudrais pas être pessimiste, les enfants, mais il ne reste que quelques heures avant l'expiration du délai. Gardons à l'esprit que nous nous battons aussi contre la montre.

Devant nous était placé un plateau contenant un petit déjeuner frugal que Magnus avait préparé lui-même.

— Rose a téléphoné tout à l'heure, nous déclara-t-il d'un ton bougon. Je crois qu'il faudra nous passer d'elle pendant deux ou trois jours, car l'état de sa mère s'est aggravé dans la nuit.

Nous nous contentâmes d'acquiescer en silence, tout en avalant en vitesse un bol de café déjà froid. Puis tous les regards se portèrent sur le tableau noir où s'étalaient les trois parties du message qu'il restait à décoder.

— Quelle répartition des tâches proposez-vous ? demandai-je.

Gemereck, qui aimait les chiffres, était persuadé que le cryptogramme ressortissait à son domaine. Quant à la chanson, *Skidamarink*, elle n'avait évoqué quelque chose qu'à Barbara. Il ne me restait alors que ce que nous prenions pour une date : (1824-89), Vittorio ayant fait sa part de travail en décodant, avec notre aide, « † *Helena* ».

Nous commençâmes notre réflexion collective en cogitant sur le cryptogramme. La veille, Magnus nous avait déjà fait part de sa conviction selon laquelle cette partie du message était bien plus complexe qu'une simple succession de dates. S'il avait d'abord pensé que ces couples de chiffres (jour-mois) représentaient les coordonnées d'un mot à l'intérieur d'un ouvrage de référence, ses réflexions nocturnes l'avaient conduit à amender son raisonnement, à cause de la présence d'une date bien particulière : le 29 février.

— Comme vous le savez, expliqua-t-il, le 29 février n'est présent que les années bissextiles. Je pense donc que sa mention dans cette série de dates est là pour nous orienter vers une année bien particulière.

— Ce n'est peut-être qu'un hasard, lança le prêtre.

— Possible, mais peu probable, commentai-je, il n'y a qu'une chance sur 366 d'écrire cette date au hasard.

Il y a donc de fortes chances qu'elle ait été placée ici intentionnellement.

Barbara tira de son sac un agenda qu'elle se mit à feuilleter fébrilement.

— J'ai déjà vérifié, miss Weber, l'interrompit Gemereck, l'année en cours est bien une année bissextile.

— Pourtant, il ne s'est rien passé d'exceptionnel aux dates indiquées, signala-t-elle. 24 mars, 12 avril, 3 janvier... ça ne me dit rien, du moins en apparence.

— C'est exact, confirma le scientifique en hochant la tête, voilà pourquoi j'y trouve une confirmation de ma première intuition : ces dates ne font pas référence à des événements précis, mais jouent le rôle de coordonnées de mots.

— Et l'année bissextile dans tout ça ?

— J'y arrive, miss Weber. Je pense que ces coordonnées n'ont pas deux dimensions, comme je l'ai d'abord cru, mais trois : ainsi, 24-03 ne signifie pas page 24, troisième mot, mais autre chose.

— Quoi ?

— Cette année, le 24 mars tombe un jeudi, le cinquième jour de la semaine. Jeudi 24 mars : 05-24-03.

— Ce qui donne ?

— Ce qui donne par exemple : cinquième chapitre, vingt-quatrième page, troisième mot.

Nous marquâmes un temps d'arrêt pour assimiler le raisonnement. Tout semblait se tenir, à l'exception d'un petit détail qui me chiffonnait. En effet, si l'on examinait la suite de dates, on pouvait constater qu'aucun mois ne dépassait juillet, soit la septième position d'un mot sur une page. Pourtant, dans la plupart des publications, le nombre de mots par ligne est généralement supérieur à dix. Il paraissait donc étrange que l'auteur du message se soit limité au nombre « sept ».

— Ce n'est pas faux, convint Magnus d'un air intéressé. Vous avez une explication à proposer ?

— Deux, professeur, j'ai au moins deux explications possibles. Soit le texte de référence est imprimé en colonnes, comme c'est parfois le cas dans les journaux ou les bibles...

— Soit... ?

— Soit les trois coordonnées indiquent successivement non pas le chapitre, la page et la position d'un mot, mais la page, le mot et la position... d'une lettre.

Tous observèrent un moment le tableau.

— Nous aurions alors à découvrir non pas une phrase, mais un mot, résuma Barbara.

— Votre alternative paraît séduisante, Théo.

— Quoi qu'il en soit, il reste à accomplir le travail principal : trouver le livre de référence, celui qui constitue la clé pour décoder notre énigme.

— Alors au boulot !

La première idée qui nous vint à l'esprit fut de vérifier en priorité nos propres publications. Les ouvrages signés Magnus Gemereck figuraient en bonne place dans la bibliothèque et constituèrent la première mise en application de notre méthode de déchiffrage. Malheureusement, ce premier essai ne déboucha sur rien. Vittorio sortit la bible qu'il portait toujours sur lui : nous eûmes un moment d'espoir en voyant l'impression en colonnes mais, là encore, aucune de nos trois méthodes de déchiffrage ne donna de résultat. Les livres à consulter ensuite étaient tout naturellement les miens, mais ces ouvrages n'avaient apparemment pas été jugés assez remarquables pour figurer dans la bibliothèque du chercheur.

— Notez bien que je ne vous en veux pas, professeur, dans la mesure où je ne possède moi-même aucune de vos publications.

— Certes, ravi que vous le preniez aussi bien, mais cela n'arrange pas nos affaires.

— Vous n'avez qu'à téléphoner à votre mère, signala Vittorio en se tournant vers moi. Les mères sont habituellement fières des créations de leurs fils.

— Mauvaise idée, grognai-je, je n'ai pas vu la mienne depuis plusieurs années, alors je m'imagine mal lui téléphonant pour lui raconter une sombre histoire de tableau découpé en morceaux et de piliers de la culture occidentale.

— Vous avez une meilleure proposition pour vous procurer ces deux livres dans la demi-heure ?

— Non, mais je trouve que, là, vous m'en demandez quand même beaucoup.

Barbara me tendit son portable et je sortis téléphoner dans le jardin.

Depuis la mort de son second mari, ma mère habitait seule dans un petit pavillon de la banlieue de Boston. Je détestais cette ville et cet endroit en particulier. Depuis le jour où j'avais gagné mon premier salaire, j'avais pris l'habitude de lui envoyer un peu d'argent chaque mois pour lui épargner d'avoir à faire des ménages. Les premières années où j'étais avocat, j'allais passer tous les Noëls avec elle à Boston. Je faisais livrer un sapin que nous décorions ensemble. Nous mangions du foie gras de France et du saumon fumé en buvant du champagne. Une année, je n'avais pas pu venir, un de mes clients m'ayant invité pour le réveillon dans sa grande villa de Palm Beach. Professionnellement, c'était une occasion intéressante. Celle de pouvoir côtoyer des gens comme ceux chez qui ma mère allait faire ses ménages. Dans la soirée, je lui avais néanmoins téléphoné pour lui souhaiter un « *Merry Christmas* ». Depuis ce jour-là, je n'avais plus jamais mis les pieds dans la banlieue de Boston. Je me contentais de téléphoner... parfois. Puis je n'ai même plus pris cette peine, et j'étais sans nouvelles d'elle depuis plusieurs mois. Ce fut donc avec une grande honte mâtinée de culpabilité que je composai le numéro de Boston.

Je ne pense pas qu'il y ait de place, dans ce récit, pour raconter en détail la conversation que nous eûmes ce jour-là. Disons seulement qu'elle avait bien gardé mes ouvrages et que je lui fis vérifier les lettres qui correspondaient aux coordonnées du message de Mona Lisa. Mais cette opération ne donna rien non plus de cohérent, comme je l'annonçai aux autres en regagnant le salon.

Commença alors ce qui restera dans mon esprit comme un travail colossal, puisque nous entreprîmes la consultation de tous les ouvrages de la bibliothèque, opération ingrate et laborieuse à laquelle tout le monde s'affaira pourtant sans renâcler.

Les heures de la journée défilèrent ainsi sans que notre travail méthodique et rigoureux débouche sur quelque succès. C'était la première fois que nous restions ensemble plus de dix minutes sans qu'aucune dispute éclate entre nous et, malgré l'infortune de nos recherches, j'avais plaisir à voir que nous travaillions désormais comme de véritables membres d'un équipage, soudé pour le meilleur et pour le pire.

Au milieu de l'après-midi, le téléphone sonna dans le hall. Rose étant absente, Magnus, du haut de l'échelle de sa bibliothèque, me fit signe d'aller répondre. C'était sa fille, Célia, qui appelait des États-Unis pour prendre de ses nouvelles. Elle avait une voix douce et une intonation charmante qui me parurent presque familières. Gemereck me fit répondre qu'il ne pouvait pas lui parler maintenant, car nous avions du travail. J'étais un peu gêné d'annoncer cela à la jeune fille, mais elle semblait être habituée à voir son père absorbé dans toutes sortes de tâches.

— Papa va bien au moins ? me demanda-t-elle sans vraiment douter de la réponse. Il m'a téléphoné pour m'informer de son séjour en Irlande mais, comme à son habitude, il a été assez bref.

— Très bien, répondis-je sans mentir, je travaille avec lui depuis quatre jours et il me semble très alerte, tant intellectuellement que physiquement.

— Vous êtes un scientifique ?

— Non, je suis avocat.

— Moi aussi en quelque sorte ! Je suis conseillère juridique dans une grande entreprise de Floride.

— Bonne continuation dans votre travail, Célia.

— Merci. Et dites à papa que je rappellerai demain.

En raccrochant le combiné, je me dis une nouvelle fois que, décidément, cette voix ne m'était pas inconnue.

11

Skidamarink

Lorsque 18 heures sonnèrent à la petite pendule de la bibliothèque, nous n'avions toujours pas avancé d'un pouce.

Le compte à rebours affichait *27 h 39 min 41 s*. Il nous restait trois énigmes à résoudre et le découragement commençait à se faire sentir. Encore une fois, nous craignions de passer de peu à côté de la solution et de devoir le regretter ensuite pendant longtemps.

Barbara proposa de faire une pause pour aller « s'aérer la tête ». Comme je redoutais une prise de cocaïne, je décidai de ne pas la laisser seule et de l'emmener boire un verre dans un pub de Dún Laoghaire. Vittorio, que la perspective de descendre quelques bières n'effrayait pas, accepta volontiers de nous accompagner ; seul Magnus déclina l'invitation et préféra continuer son exploration des livres.

C'était un peu comme s'il avait fait une affaire personnelle de cette partie-là du message tant il semblait persuadé que ce cryptogramme ne pouvait être destiné qu'à lui, l'homme de science et de chiffres, qui avait passé sa vie au milieu des livres, des tubes à essai et des ordinateurs.

— Rassurez-vous, nous continuons à cogiter de notre côté sur les deux autres énigmes, lui avons-nous lancé en quittant la pièce.

Malgré les protestations de Barbara, je m'installai moi-même au volant du coupé Mercedes.

— Vous allez voir ce qu'on appelle de la vraie conduite, dis-je en allumant le contact.

— Dans ce cas, nous ne sommes pas près d'arriver, répliqua-t-elle joyeusement, un peu comme si elle était ravie d'avoir déjà trouvé un sujet de dispute.

Pendant un moment, nous évoquâmes les deux autres parties du message : « 1824-89 » et « *Skidamarink* », mais aucune idée fulgurante ne traversa notre esprit, même lorsque Barbara nous chanta la comptine plusieurs fois d'affilée.

I love you in the morning...

Au bout de quelques instants, plus personne ne fit d'effort de réflexion et nous nous contentâmes d'admirer le paysage qui défilait devant nos yeux.

Puis Vittorio alluma la radio pour écouter les informations de la BBC. Il n'y avait pas véritablement de faits nouveaux, mais nous avions au moins appris que les médias faisaient leur miel de cette affaire : tous les hebdomadaires titraient sur « les quatre vacillantes fondations du monde » ou sur « la vengeance de *La Joconde* ». Un philosophe à la mode était même sur le point de sortir

un livre intitulé *Les Quatre Cavaliers de l'Apocalypse.*
Sur Internet, les sites consacrés à l'affaire pullulaient et,
chaque jour, la police recevait des dizaines de revendica-
tions farfelues émanant de groupuscules ou de simples
plaisantins qui se vantaient d'avoir volé *La Joconde,* tué
Steiner, et qui annonçaient pour les semaines à venir la
disparition de la tour Eiffel, l'explosion de la Maison-
Blanche ou la décapitation de Big Ben.

Quand notre voiture entra dans le petit parking du
port, il faisait encore jour et de nombreuses personnes
se promenaient le long de la jetée en observant le
retour des ferries qui faisaient la liaison avec l'Écosse.
Vittorio acheta trois cornets de glace à la vanille dans
l'une des baraques du port et nous nous promenâmes
pendant un long moment sur la digue. Tout en dégustant ma glace, je regardais les gens autour de moi : cet
homme qui courait avec son chien, ce groupe de musi-
ciens qui faisaient la manche en chantant des ballades
traditionnelles, ces enfants qui jouaient au football en
mangeant des bonbons. À cet instant, je pensai que,
plus tard, lorsque cette affaire atteindrait son épilogue,
il serait peut-être encore temps pour moi d'avoir une
vie normale : reprendre mon travail, faire des enfants,
avoir un chien et courir dans la forêt le dimanche
matin. Pourtant, cette pensée s'évanouit rapidement
quand, au bout de la jetée, je passai devant un couple
de touristes allemands qui poussaient un landau dans
lequel dormait un bébé. Le blond cendré des cheveux
de la femme me fit instantanément penser à Elle, à son

odeur, à son visage, à sa façon de défaire son chignon lorsqu'elle était avec moi et à l'enfant que j'aurais aimé avoir avec elle.

Me retournant vers Barbara et Vittorio, je vis leur regard triste qui se perdait dans l'éclat orangé de l'horizon. J'imaginai que, comme chez moi, certains souvenirs douloureux venaient peut-être raviver leurs anciennes blessures, et je me demandai par quel engrenage cette femme belle, intelligente et opportuniste en était venue à vivre sous la dépendance de la drogue. Le cas de Vittorio me semblait encore plus énigmatique. Pourquoi un homme généreux et entreprenant comme lui avait-il pu être attiré, dans ce monde séculier, par une Église encore crispée sur ses rites, qui interdisait le mariage de ses prêtres et condamnait l'utilisation de contraceptifs ? Toutes ces réflexions tourbillonnaient dans mon esprit au milieu des chiffres, 1824-89, sur lesquels j'étais censé cogiter.

— Bon, on le boit ce verre ? demanda Barbara alors que nous passions devant *The Wild Goose*, un pub chic qui bordait le rivage.

Après nous être installés à une table, nous commandâmes trois crèmes de whisky tout en appréciant l'ambiance raffinée du lieu. Vittorio alluma un de ses cigarillos. Son geste, combiné à l'odeur de tabac présente dans l'établissement, me donna une envie folle de fumer. Je tirai un paquet de cigarettes de la poche de mon manteau (de la doublure duquel j'avais bien entendu retiré le morceau de tableau que Magnus avait mis en lieu sûr dans la cave à vin) et en offris une à Barbara. Pendant quelques minutes, je me lançai dans un réquisitoire contre l'hypocrisie de la société américaine actuelle qui avait lancé une véritable chasse aux sorcières contre les fumeurs. Une jeune femme souriante nous apporta nos verres avec un bol de cacahuètes.

— Ce soir, tabac, sexe et alcool! dis-je en levant mon verre.

— Tabac et alcool, rectifia Barbara en trinquant avec moi.

En avalant notre premier verre – qui serait bientôt suivi de plusieurs pintes de Guinness –, nous eûmes une pensée pour Magnus, resté seul au milieu de ses livres.

— Il y a un détail qui me chiffonne, dit Barbara, à qui l'alcool ne faisait pas perdre l'esprit.

— Lequel?

— Il y a pas mal de photos dans la bibliothèque de Gemereck, fit-elle remarquer: des clichés de la Russie, de ses parents, de ses collègues de l'université et même une photo du chat, mais aucune photo de sa fille ou de sa femme. C'est bizarre, non?

— D'autant plus bizarre qu'il les a enlevées avant que vous ne veniez, précisa Vittorio mystérieusement.

— Comment ça?

— Lorsque nous sommes arrivés avant-hier soir, il s'est enfermé un moment dans la bibliothèque avant d'en ressortir avec cinq ou six photographies dans leur cadre, qu'il a montées dans sa chambre.

— Vous les avez vues ? demanda Barbara.

— C'est sa vie privée, répondit le prêtre, mais pour votre information sachez qu'il n'est pas marié. Je me suis renseigné auprès de Rose et elle est formelle : Gemereck n'a jamais eu de femme.

— Et qui est la mère de sa fille ?

— Sujet tabou. D'après Rose, il s'agirait peut-être d'une Russe qui aurait vécu avec lui avant son passage à l'Ouest.

Dans l'heure qui suivit, nous continuâmes à boire et à fumer dans une bonne humeur désespérée, proche de celle qui anime les soldats un dernier soir de permission avant de retourner au front le lende-main. Quoi que nous en disions, il était évident que la rencontre avec Maumy avait instillé au plus profond de nous une intense fébrilité. Nous avions tous peur.

— C'est moi qui vous invite, lança Barbara alors que nous nous levions pour aller payer nos verres au comptoir.

Il m'a toujours semblé que coexistent, sur cette Terre, deux sortes de personnes : celles qui prennent leurs déci-sions en se fondant sur le calcul et celles qui se laissent plus volontiers guider par leurs intuitions. À la diffé-rence de Barbara – une maniaque de la rationalité –, je fais incontestablement partie de la deuxième catégorie, ce qui m'a permis de gagner un nombre important de procès – et d'en perdre quelques-uns aussi, il est vrai… Pourtant, ce soir-là, l'intuition me faisait cruellement défaut et c'est Barbara qui, finalement, résolut une des énigmes.

Elle avait sorti une liasse de billets de son porte-feuille et s'apprêtait à tendre 20 euros au barman. Mais comme celui-ci tardait à venir encaisser notre addition, elle me demanda une nouvelle cigarette. Je lui tendis machinalement le paquet sur lequel j'avais griffonné quelques heures plus tôt les chiffres « 1824-89 ».

Lorsque le barman se décida enfin à venir vers nous, Barbara, livide, tenait l'argent dans une main et le paquet dans l'autre. Elle resta quelques instants immobile, puis demanda un grand verre d'eau, se massa les tempes et s'écria enfin :

— *My God !* 1824-89 renvoie à 182 489 dollars et c'est à moi que cette partie de l'énigme s'adresse.

Lorsque Vittorio poussa la porte de la bibliothèque un peu plus tard, il trouva Magnus endormi sur le canapé. Miroslaw s'était posté sur le ventre de son maître et semblait veiller sur son sommeil. Lorsque je pénétrai à mon tour dans la pièce, bientôt suivi de Barbara, le chat nous lança un « pscheeeet » strident qui ne laissait aucun doute sur ce qu'il pensait de notre intrusion dans son monde paisible.

— J'étais vanné, avoua Gemereck en s'étirant. J'ai vérifié tous les bouquins, mais il n'y a rien de concluant. Et de votre côté ?

— Oh, nous avons seulement résolu la deuxième partie de l'énigme, répondis-je avec flegme.

Rapidement, je le mis au courant de ce que Barbara nous avait raconté sur le chemin du retour : quatre ans auparavant, lorsque MicroGlobal avait voulu se séparer d'elle après l'épisode du Nicaragua, elle avait négocié une indemnité de licenciement. Grâce à Internet, nous avions pu vérifier auprès de sa banque le montant exact de la somme reçue à l'époque : 182 489 dollars. À notre grand étonnement, elle nous affirma avoir reversé l'intégralité de cette somme à la famille de la jeune femme terrassée par la décharge électrique alors qu'elle était enceinte. Ainsi, Barbara représentait bien le côté positif d'un des quatre piliers de la culture occidentale, mais on aurait dit qu'elle en éprouvait comme un sentiment de honte, un peu comme si son geste trahissait une faiblesse au lieu de révéler une qualité.

La résolution de cette partie de l'énigme fit naître en nous des sentiments contrastés. Nous fûmes d'abord atterrés de voir que Mona Lisa connaissait les moindres détails de notre existence. Depuis la vie privée du prêtre jusqu'au compte en banque de Barbara, les gens qui étaient derrière cette manipulation connaissaient des événements qu'aucun de nous n'avait jamais ébruités. Cette situation acheva de nous plonger un peu plus dans l'impression d'insécurité et de vulnérabilité que nous ressentions déjà. Pourtant, si nous cédions maintenant au découragement, les choses ne pourraient aller qu'en s'aggravant. Il fallait battre Mona Lisa sur son propre terrain. Le compte à rebours continuait, mais nous avions parcouru la moitié du chemin en trouvant le deuxième élément que Magnus se fit un plaisir d'inscrire au tableau. Il effaça donc « (1824-89) » et inscrivit à la place le nom de MicroGlobal.

CALIFORNIA MicroGlobal
24-03 12-04 03-01 29-02 15-06 12-05 18-03 09-07
Skidamarink

— Attendez, demanda Vittorio, pourquoi choisir MicroGlobal ? Rien ne laisse présager que c'est le mot qui se cache derrière (« 1824-89 »).

— Qu'est-ce que vous voulez que ce soit d'autre ? se défendit Magnus. L'énigme porte sur le montant du chèque et c'est bien MicroGlobal qui l'a signé.

— Le raisonnement se tient, approuva Barbara.

— Bof, fit le prêtre, dubitatif.

Je n'étais moi-même qu'à moitié convaincu.

Par acquit de conscience, Barbara vérifia sur l'annuaire électronique quelles activités de MicroGlobal étaient basées en Californie. Comme elle s'y attendait, la liste était fort longue et difficilement exploitable à ce stade.

— Eh bien, Théo, me dit Gemereck, j'ai comme l'impression que nous sommes les seuls à ne pas savoir quelle partie du message nous est destinée.

— Vous voulez un conseil ? dis-je. Commencez à cogiter sur la chanson !

Il était bientôt 23 heures, mais personne n'avait envie de monter dans sa chambre. Les nécessités de notre enquête et aussi la crainte d'être renvoyés à nos angoisses solitaires nous maintenaient soudés. La fin de la soirée se déroula dans la cuisine autour d'une bouteille de San Pellegrino (nous avions bu trop d'alcool ces deux derniers soirs...). Après avoir fait griller quelques tranches de pain, Magnus descendit à la cave en nous promettant de revenir avec une surprise non alcoolisée. Il fut de retour cinq minutes plus tard en tenant dans les bras un cylindre d'environ vingt-cinq centimètres de haut sur quinze centimètres de diamètre, entouré par un gros torchon à carreaux bleus et blancs. Il posa son trésor sur la table et enleva délicatement le linge.

Je m'attendais alors à tout : une ogive nucléaire, un bocal contenant un embryon extraterrestre...

— Du fromage, fis-je d'un air dépité.

— Oui, répondit fièrement Magnus, en caressant une croûte grise et bien sèche. Du stilton, le plus fin des fromages anglais ; je le fais directement venir des meilleures caves du Leicestershire.

— Et que voulez-vous faire avec ça ? demanda Barbara d'un air dégoûté.

— Béotienne ! Le déguster, bien sûr, s'insurgea Magnus en prenant un couteau de boucher pendu au-dessus de la cuisinière. La première fabrication remonte à 1730, expliqua-t-il en découpant avec délicatesse quatre grandes tranches qu'il posa dans de belles assiettes en porcelaine. Au XVIIIe siècle, on le servait traditionnellement avec un doigt de vieux porto au salon ou au fumoir, entre hommes naturellement...

mais vous pouvez rester ma chère, nous ne voudrions en aucun cas nous priver de votre compagnie.

Il tendit à chacun une assiette ainsi que plusieurs toasts grillés à point.

— Admirez la texture : pâte molle, souple, veinée de bleu-vert et affinée pendant six mois en cave humide.

— Moi, je sens surtout une odeur immonde de moisissure, fit remarquer Barbara en se bouchant le nez.

— En tant qu'adepte de l'agriculture biologique, vous devriez pourtant apprécier. Le lait de vache, c'est naturel et très nutritif : calcium, phosphore, protéines, sodium...

— Mouais, vous oubliez surtout les lipides. Connaissez-vous la quantité de matières grasses que vous vous apprêtez à absorber ? Et en plus de ça, ce sont des matières grasses saturées qui perturbent la digestion et font augmenter le cholestérol. Et je ne parle même pas des risques autrement plus importants liés à toutes ces nouvelles maladies qui touchent les animaux...

Vittorio et Magnus se régalaient déjà avec les succulentes moisissures et ne prirent même pas la peine de polémiquer avec la jeune femme. Je goûtai à mon tour pour découvrir une délicate saveur, à la fois mielleuse et piquante, mais plus douce que celle du roquefort français.

— C'est une splendeur, jugea le prêtre, mais c'est un péché de boire de l'eau minérale avec ça !

— Vous avez raison, approuva Gemereck en sortant une bouteille de sherry.

Barbara et moi refusâmes le verre d'alcool mais nos deux compagnons trinquèrent.

— À Dieu ! fit Magnus en levant son verre vers le prêtre. Qu'Il nous vienne en aide, s'Il existe.

— À la science ! rétorqua Vittorio, déjà passablement éméché par les bières que nous avions descendues au pub.

Gemereck se rassit sur sa chaise en souriant.

— Dieu et la science ! Il y a toujours eu un malentendu entre nous.

— Une guerre plutôt, corrigea Vittorio.

— Et pourtant, tout aurait pu être si simple, soupira le scientifique.

— Dans quelle mesure ? demanda Barbara en mettant de l'eau à bouillir pour se préparer une infusion.

— Dans la mesure où la science n'a jamais nié l'existence de Dieu, expliqua le professeur. Elle ne l'utilise simplement pas dans sa démarche.

— Vous voulez dire que le scientifique recherche des lois de fonctionnement du monde qui ne soient pas d'origine divine mais que, pour autant, cela ne l'empêche pas de croire en Dieu ?

— Exactement, approuva Gemereck.

— Cette position semble pourtant contradictoire, jugea Barbara.

— Pas du tout. Il est d'ailleurs rare de trouver des scientifiques qui soient totalement athées.

— Il n'y en a pas non plus beaucoup qui soient de fervents catholiques, remarquai-je en essayant de recenser mentalement tous les chercheurs que ma profession m'avait donné l'occasion de rencontrer.

— Oui, mais il existe une position intermédiaire.

— C'est la vôtre ?

— C'est la mienne et c'est aussi celle d'Einstein, précisa-t-il avec une certaine fierté.

— Que disait-il déjà ? demanda le prêtre, de plus en plus intéressé par l'allure que prenait la conversation.

— Pour lui, il n'existait pas d'opposition tranchée entre la recherche scientifique et la religion, dans la mesure où, si l'on veut découvrir les lois qui régissent le monde, on postule obligatoirement qu'il existe un ordre dans l'univers et qu'une force supérieure, une espèce de grand architecte, l'a créé.

Le rappel de cet argument parut quelque peu redonner confiance à Vittorio. Lui qui était dans une période de doute quant à sa foi devait se sentir revigoré par les paroles du grand scientifique qu'était Magnus.

— En tout cas, remarqua-t-il, toute puissante que soit la science actuellement, les religions n'ont aucun souci à se faire sur un point : à partir du moment où la science exclut Dieu de sa démarche et de ses hypothèses, elle se prive de pouvoir jamais infirmer une existence divine.

— Elle ne pourra jamais non plus donner de réponses aux interrogations liées au sens de la vie et à la morale, dis-je.

— Non, et c'est très bien comme ça, conclut le scientifique.

Sur ces bonnes paroles, tout le monde monta se coucher car, si nous voulions avoir une chance de démêler les fils de cette intrigue, la nuit serait de courte durée.

Le ciel était clair et aussi bleu que la mer lorsque j'ouvris ma fenêtre, tôt, le lendemain matin. Un léger vent d'ouest, souvent présent près des côtes, rafraîchissait et purifiait l'atmosphère. Je me douchai rapidement et frappai à la porte de la chambre de Barbara.

— Qui est là ? demanda-t-elle.

— Maumy, répondis-je d'une voix sourde.

Elle tira le verrou et passa la tête dans l'entrebâillement de la porte.

— Qu'est-ce que c'est que ça ? demandai-je d'un air étonné, en voyant son visage recouvert d'une espèce de pâte verdâtre.

— Un masque à l'argile pour entretenir la peau.

— Ah bon, vous me laissez entrer ?

— Je ne peux pas, dit-elle avec un sourire malicieux, je ne suis pas en tenue décente.

— Je demande à voir !

— Revenez dans dix minutes avec un petit déjeuner, répondit-elle entre deux battements de cils langoureux.

Puis elle referma la porte.

Je descendis l'escalier quatre à quatre et déboulai dans la cuisine où je fis du café, pressai quelques oranges et emplis deux gros bols de céréales. Dans le frigo, je trouvai les réserves de Barbara en aliments biologiques. Je sortis une bouteille de lait de soja (en fait un infâme mélange de fèves de soja et d'eau qui n'avait de lait que la couleur) et en versai une petite quantité dans un pot. Je coupai aussi quelques tranches de pain et fis frire des œufs et du bacon pour ne pas me priver du plaisir d'entendre Barbara pourfendre la graisse animale.

Quelques minutes plus tard, j'étais devant sa porte avec un plateau bien garni et, dans un verre, une rose que j'avais cueillie dans le jardin. Elle avait enlevé son masque d'argile et d'un mouvement de son joli visage me fit signe d'entrer. Le déshabillé qu'elle avait passé entretemps ne laissait rien ignorer de ses sous-vêtements en dentelle blanche.

— Merci pour la fleur, mais ne gâchez pas tout avec vos yeux qui sont en train de me lorgner comme un objet sexuel ! prévint-elle en voyant mon regard qui, une fois encore, avait du mal à se détacher de ses jambes parfaites.

Je posai le plateau sur la petite coiffeuse près de la fenêtre. Cette chambre était située à l'est et le soleil du matin inondait le lit encore défait, au centre de la pièce.

— Pourrais-je savoir ce qui me vaut toutes ces attentions ? demanda la jeune femme en faisant le service.

— Simple geste d'amitié.

— C'est à cause de l'histoire que je vous ai racontée hier, hein ? Je suis remontée dans votre estime parce que vous avez appris qu'un jour j'ai donné une grosse somme d'argent à une famille nécessiteuse ?

— Il y a un peu de ça, admis-je.

— Et je suppose que vous êtes aussi satisfait de m'avoir vue vulnérable et dépendante de la drogue ?

— Pas du tout, pourquoi dites-vous cela ?

— Écoutez-moi bien, monsieur l'avocat, je ne partage pas vos foutus idéaux de fraternité et de générosité, pas plus que je ne suis accro à la cocaïne.

Sur ce, elle prit dans un tiroir la petite boîte de coke, ouvrit la fenêtre et éparpilla la poudre blanche au vent.

— Ne me sous-estimez pas, Théo. Ne faites pas cette erreur, dans votre propre intérêt.

Elle venait de gâcher notre petit déjeuner.

— J'avais presque oublié combien vous pouviez être désagréable, dis-je en quittant la chambre.

Avant de partir, j'avais réussi tout de même à subtiliser son pistolet caché dans le tiroir de la table de chevet. (Sait-on jamais ce qui peut traverser notre esprit lorsque l'on a une arme en notre possession ?)

La veille, la jeune femme avait sans doute vu de la compassion dans mon regard, et je commençais à comprendre que, pour quelqu'un comme elle, inspirer de la compassion à un homme était ressenti comme une sorte d'humiliation.

Une demi-heure plus tard, nous nous retrouvâmes tous assis autour de la table de travail, au milieu de laquelle Magnus avait posé la petite pendule qui nous servait de repère dans notre course contre la montre.

— Il ne nous reste que treize heures et trente minutes pour résoudre deux énigmes, dit-il, j'attends vos propositions.

— Nous attendons aussi les vôtres, professeur, répliquai-je pour rappeler que son aide n'avait pas été déterminante dans la résolution des deux premières parties du message.

Pendant une minute, un étrange silence flotta dans l'air, jusqu'à ce que chacun avouât ne pas avoir la moindre proposition à formuler.

— Bon sang ! jura Vittorio en tapant du poing sur la table, on ne va pas échouer si près du but.

Barbara, qui avait retrouvé l'attitude hautaine qui était généralement la sienne, se leva et sortit par la porte-fenêtre.

— Vos énigmes me fatiguent, je vais courir près des falaises.

Elle disparut avant que Gemereck ait pu émettre la moindre protestation.

À cet instant, la sonnerie du téléphone retentit dans le hall.

— Ce doit être votre fille, Magnus, elle avait prévu de vous rappeler.

Le professeur sortit de la pièce au pas de course et me laissa seul avec Vittorio. Nous étions nerveux et fatigués. Il se cala dans un fauteuil et alluma un cigarillo pendant que je prenais l'air à la fenêtre. Au bout de quelques minutes, Magnus entra dans la pièce en me lançant un regard mauvais.

— Elle insiste pour vous parler, dit-il en me tendant le téléphone sans fil.

Je haussai les épaules pour signifier que tout cela n'était pas ma faute et emportai le combiné dans le jardin pour parler sans être entendu.

— Bonjour, Célia.

— Bonjour, monsieur McCoyle. Que se passe-t-il avec mon père ? Je le sens très préoccupé, même s'il m'affirme le contraire.

— Ne vous inquiétez pas, Célia. Votre père va bien, nous avons simplement beaucoup de travail et, en ce moment, nous piétinons un peu.

— Mais vous travaillez sur quoi ? Lorsque mon père bosse sur ses recherches, il le fait dans des laboratoires et pas dans notre maison de vacances.

— C'est assez compliqué, Célia.

— Et qu'est-ce qui vous bloque en ce moment ?

— Hum… disons une série de dates et une chanson.

— Une chanson ?

— *Skidamarink.*

Lorsque je prononçai ces mots, elle se mit à chantonner comme l'avait fait Barbara :

> *I love you in the morning*
> *And in the afternoon,*
> *I love you in the evening*
> *And underneath the moon;*
> *Oh, Skidamarink a dink a dink,*
> *Skidamarink a doo,*
> *I love you !*

— Je vois que vous connaissez, lui dis-je, les sens en alerte.

— Bien sûr, c'est Rose qui me la chantait quand j'étais enfant. C'était même le nom d'un de mes jouets.

— Ah bon? fis-je de plus en plus intéressé.

— Oui, j'avais une grosse peluche de Popeye, le marin. C'était en fait un porte-pyjama que j'avais surnommé Skidamarink.

Bon sang, nous la tenions notre piste!

— Célia, savez-vous où est cette peluche aujourd'hui?

— Eh bien, sans doute dans l'un de mes coffres à jouets, si Rose les a conservés.

— Ici, en Irlande?

— Oui, dans le grenier, je crois.

— Vous êtes géniale, Célia. Peut-être les choses vont-elles s'éclaircir grâce à vous. Je dois raccrocher maintenant, mais nous vous rappellerons dès que possible.

— OK, à bientôt.

Je retournai dans la bibliothèque en passant par la porte-fenêtre.

— Vous avez une fille formidable qui nous a peut-être fait avancer dans nos recherches, Magnus.

— Nom de nom! Qu'est-ce que vous êtes allé lui raconter, McCoyle?

— Plus tard, professeur, plus tard. Pouvez-vous nous conduire au grenier?

Il se laissa gagner par mon excitation et nous demanda de le suivre. Ce que Célia avait appelé «le grenier» était en réalité une belle pièce mansardée et bien éclairée qui abritait toutes sortes d'objets qui n'avaient pas trouvé leur place dans le reste de la maison. Il y avait en particulier trois grosses malles en bois qui contenaient des jouets.

— C'est par là qu'il nous faut commencer, dis-je. Nous cherchons une peluche de Popeye.

— Une peluche ?

— Vous m'avez bien entendu. Au travail !

Nous n'eûmes pas à chercher longtemps puisque, à peine deux minutes plus tard, Vittorio leva victorieusement le bras.

— Voici Popeye le marin !

— Exact, dis-je en me tournant vers Gemereck. Un jouet auquel votre fille avait donné un nom : Skidamarink.

Avec fébrilité, je fis sauter les agrafes de la peluche. Il y avait, à l'intérieur, plusieurs morceaux de chiffon roulés en boule et, en étalant un de ces bouts de tissu sur le parquet, nous pûmes lire une phrase écrite à l'encre rouge :

Le poison est dans l'eau.

Radieux, je me tournai vers Gemereck qui, paradoxalement, ne semblait pas partager notre excitation.

— Nous n'avons jamais été si près du but, les amis, déclara-t-il d'un ton lugubre.

12

Fighting spirit

Il ne manquait plus à présent qu'une seule pièce du puzzle.

— Rappelez immédiatement miss Weber! tonna Magnus. Il faut qu'elle exploite pour nous cette nouvelle information grâce à Internet.

Les deux battants de la porte-fenêtre s'ouvrirent justement à cet instant et la jeune femme, en pantalon de survêtement et coupe-vent rose bonbon, pénétra dans la bibliothèque, le teint plus pâle que d'habitude. Elle était escortée sans ménagement par les deux hommes qui nous avaient déjà attaqués en Italie. D'un geste brusque, l'homme au catogan la projeta au milieu de la salle. Encore une fois, c'était lui qui menait les opérations. Son compagnon, les doigts crispés sur la détente de son arme, était prêt à nous abattre au moindre geste douteux. Il me suffit d'observer les regards que nous jetaient nos deux agresseurs pour me persuader qu'ils n'avaient pas gardé un bon souvenir de leur petit séjour à l'église de Monte Giovanni. Nous avions encore été pris au dépourvu et ne disposions d'aucun moyen pour nous défendre. Et cette fois-ci, pas question de compter sur un *deus ex machina* pour nous tirer d'affaire. L'homme au catogan fit signe à son comparse de nous menotter. Malgré la situation, j'essayai de me rassurer, constatant que, dans notre malheur, nous avions au moins la chance que Maumy, ce jour-là, ne les accompagne pas.

— Une seule question, messieurs-dame : où se trouve le tableau ?

Ce disant, le colosse tira de sa ceinture un poignard rutilant dont l'efficacité n'était pas à mettre en doute. Nous échangeâmes rapidement quelques regards inquiets, mais aucun de nous ne répondit à la question. Notre interlocuteur, qui semblait s'attendre à notre réaction, ne laissa pas le silence s'installer. Il se retourna et, dans un geste brusque, attrapa par la peau du cou le chat persan de Magnus qui ronronnait sur le divan, indifférent jusque-là à l'agitation nouvelle qui régnait dans la pièce.

Sans même prendre le temps de répéter sa question, l'homme, sous nos regards horrifiés, éventra l'animal sur toute sa longueur. Miroslaw poussa un cri bref mais atroce pendant que ses entrailles se répandaient sur la moquette, formant un amas de viscères et de boyaux sanguinolents. Magnus, effaré, n'eut même pas le temps de prononcer une parole. Le tueur lança violemment ce qui restait du chat sur le mur lambrissé puis, essuyant avec calme une tache de sang sur la manche de sa veste, répéta sa question distinctement :

— Où est *La Joconde* ?

— Je vous dirai où est le tableau une fois que vous nous aurez donné quelques explications, rétorqua Magnus avec plus d'assurance qu'il n'en ressentait sans doute.

— Quelles explications ? s'enquit l'autre, un peu ébranlé par le ton de Gemereck.

— Comment avez-vous retrouvé notre trace ?

— Chacun possède son talon d'Achille, répondit l'homme au poignard. Vous n'auriez pas dû téléphoner à votre fille. Vous savez, on fait des prouesses aujourd'hui avec les écoutes téléphoniques et on n'a même pas eu à s'occuper d'elle physiquement, ajouta-t-il en ricanant.

À l'évocation de sa fille, Magnus avait serré les poings.

— Nous ne savons même pas qui vous êtes, fulmina-t-il.

— Connaître notre identité ne vous avancerait à rien.

— Peut-on au moins savoir pour qui vous travaillez ?

Les deux hommes hésitèrent quelques secondes, puis celui qui menait la danse répondit :

— Nous travaillons pour Steiner, je croyais que vous l'aviez compris.

— Steiner est mort, remarquai-je.

— C'est bien pour cette raison que nous voulons récupérer notre bien, affirma le géant.

Magnus objecta que *La Joconde* était tout sauf la propriété de deux sous-fifres de troisième zone, remarque qui, sans surprise, lui valut un violent coup de crosse dans la mâchoire.

— Assez discuté, professeur, cette œuvre nous appartient, car nous l'avons volée. Alors, pour la dernière fois : où est ce putain de tableau ?

— Dans la cave, répondit notre ami d'un ton las, en regardant la dépouille de Miroslaw.

Ainsi, les dires de l'homme confirmaient bien la participation active de Steiner dans le vol de *La Joconde*. Restait à savoir par quelle opération le tableau était parvenu jusqu'à nous.

En descendant les marches, personne n'eut l'occasion de tromper l'attention de nos ennemis ou de leur soutirer d'autres informations. Une fois en bas, Magnus indiqua précisément l'endroit où il avait caché le tableau, mais l'agitation des deux hommes se transforma en véritable fureur lorsqu'ils s'aperçurent qu'il avait été découpé et qu'il en manquait une partie.

— Vous allez payer ça ! cria l'homme au catogan, en agitant devant nous la lame acérée de son poignard.

Chacun protesta à sa façon, affirmant que le tableau nous avait été expédié dans cet état, mais nos paroles ne réussirent qu'à augmenter la colère de notre agresseur. Après avoir peut-être pensé à nous faire subir le même sort qu'à Miroslaw, voire à nous loger simplement une balle dans la tête, il inspecta minutieusement les lieux et ses yeux étincelèrent lorsqu'il remarqua les deux lourds anneaux métalliques scellés dans le plafond voûté de la cave. Par une manipulation habile, les deux hommes menottèrent Magnus et Vittorio au premier anneau, Barbara et moi au second. Le plafond, fort heureusement, n'était pas très haut, ce qui permettait à nos pieds de reposer – mais tout juste ! – sur le sol. Sans hésitation, ils se dirigèrent ensuite vers les deux bouteilles de butane nichées sous une voûte, arrachèrent le conduit en plomb qui courait le long du mur et ouvrirent les robinets pour libérer le gaz. Immédiatement, un petit sifflement se fit entendre, puis une odeur reconnaissable commença peu à peu à envahir la pièce.

— Vous êtes vraiment des sans-couilles ! lâcha rageusement Barbara, en direction du mastodonte au poignard qui venait de nous condamner à une mort par asphyxie.

Comme il fallait s'y attendre, ce dernier n'apprécia que modérément cette insulte et gifla violemment la jeune femme. Pour la défendre, je le repoussai d'un coup de pied bien placé qui l'envoya à terre. Fou de rage, il se rua vers moi et, pendant que son compagnon m'immobilisait les jambes, m'envoya plusieurs coups de poing dans le foie qui m'arrachèrent des cris de douleur.

— C'est bon, Seth, il a eu son compte, jugea mon agresseur après le cinquième coup. Attrape les trois morceaux et tirons-nous d'ici en vitesse !

Je repris mon souffle avec peine lorsque le dénommé Seth lâcha mes jambes et disparut en emportant sous le bras ce qui restait du tableau (il manquait le morceau de Barbara resté en Amérique). Il fut bientôt suivi par son comparse qui, arrivé en haut de l'escalier, nous regarda une dernière fois avec un rire sonore en imaginant sans doute notre mort imminente.

— Respirez à pleins poumons, ricana-t-il avant de refermer la porte derrière lui, non sans avoir, au préalable, jeté les clés des menottes dans un coin de la pièce pour nous narguer.

Le gaz continuait à se répandre dans la cave. Malgré la température du lieu, nous transpirions tous à grosses gouttes.

— Ça va, McCoyle ? Vous récupérez ? s'inquiéta Vittorio.

— Je tiens le coup, répondis-je en serrant les dents, car une intense douleur me tordait le ventre.

— Et vous, Barbara ?

— Ça va, mais je ne peux pas croire que nous allons mourir dans des conditions pareilles.

— C'est regrettable, en effet, admit Magnus avec flegme, d'autant plus que nous étions sur le point de résoudre notre petit problème.

Elle leva un œil sur le professeur du MIT.

— Vous avez trouvé la troisième partie de l'énigme ?

— Eh oui, miss Weber, en votre absence, McCoyle s'est illustré brillamment et nous avons maintenant le message de la troisième partie : « Le poison est dans l'eau. »

— Le poison dans l'eau ?

— Oui, affirma Magnus, agacé. Cela fait peut-être référence à un réservoir, une citerne ou une piscine que Mona Lisa aurait cherché à contaminer. Nous ne serons vraisemblablement pas les seuls protagonistes de cette affaire à trépasser cet après-midi.

— Il est certain que nous ne nous en tirerons pas si nous restons attachés comme des saucissons en attendant la mort.

Au lieu de réagir à la remarque de Barbara, Gemereck prit un air inspiré.

— Que disait Montaigne déjà à propos de la mort ? Attendez... Ah oui, je me souviens : « La mort est l'unique port des tourments de cette vie. » C'est joli, n'est-ce pas ?

J'étais excédé.

— Vous croyez vraiment que c'est le moment de citer...

Il me coupa.

— J'avais oublié que les gens de votre génération ne goûtaient guère les classiques.

— Là n'est pas la question, me défendis-je, de plus j'apprécie beaucoup la littérature, j'ai même gagné un concours de poésie à l'université. Mes poèmes d'amour avaient tellement de succès que la bibliothèque en a édité une petite plaquette.

Magnus, le visage soudain déformé par la colère, me lança un regard sévère.

— Et vous avez attendu tout ce temps pour nous le dire !

— Je ne vois pas où est le problème...

— Le livre de référence, Théo ! Imaginez que votre plaquette de poèmes soit l'ouvrage qui permette de décoder la quatrième partie du message. Nous aurions pu vérifier si vous nous aviez prévenus avant...

C'était, en effet, une possibilité que nous ne pouvions écarter. En attendant, le gaz continuait à se répandre dans la pièce. À ce moment, la palette de nos attitudes allait du silence pieux de Vittorio à la colère rageuse de Barbara, en passant par mon attentisme habituel. Seul Gemereck ne paraissait pas s'inquiéter outre mesure de la situation et il me sembla même apercevoir un rictus se dessiner dans sa barbe argentée. Sa décontraction et son assurance m'agaçaient fortement, jusqu'à ce qu'un détail me revienne à l'esprit. Ce matin, en préparant le petit déjeuner, j'avais remarqué, sans y prêter vraiment attention, que la cuisinière fonctionnait à l'électricité et non au gaz.

— Rassurez-vous, les enfants, déclama-t-il enfin, il n'y a pas assez de gaz dans cette bouteille pour faire frire deux tranches de bacon.

Comme cette assertion ne nous rassurait qu'à moitié, il compléta alors ses explications : quelques négligences répétées de Rose – qui avait tendance à oublier d'éteindre le gaz – avaient conduit récemment Gemereck à remplacer dans la cuisine le gaz par l'électricité.

— Bénie soit-elle, lâcha Vittorio qui ne manquait plus une occasion de mêler Dieu à notre affaire. La faiblesse humaine a parfois du bon.

Tout le monde acquiesça à cet aphorisme saugrenu. Pourtant, malgré les garanties données par Magnus, le gaz délétère continuait à s'échapper et l'odeur devenait maintenant incommodante.

— Il y a deux bouteilles de gaz, remarqua Barbara avec inquiétude.

— N'ayez crainte, répondit placidement Magnus, les deux sont presque vides. Il n'y en a plus pour longtemps.

Presque aussitôt, en effet, le sifflement cessa et nous poussâmes un long soupir de soulagement. Nous avions un répit.

Les mains toujours attachées au plafond, je tentai d'essuyer, avec le haut du bras, la sueur qui coulait sur mon visage. Je fis quelques mouvements pour décontracter mes jambes et c'est là que je sentis, dans ma poche, l'arme confisquée à Barbara le matin même.

— Merde, j'ai votre flingue dans ma poche.

— Vous ne pouviez pas vous en rendre compte plus tôt ! me reprocha-t-elle avec acrimonie.

— De toute façon, je n'aurais jamais pu le sortir : les deux gorilles ne m'ont pas quitté des yeux.

— Je vais essayer de le récupérer.

— Oserais-je vous rappeler que nous avons les mains attachées ?

— La chaîne de nos menottes est longue et il me reste mes jambes et mes pieds…

— Et vous pensez être assez souple pour récupérer cette arme avec vos pieds ?

— Pour votre gouverne, sachez que j'ai été meneuse de la revue des majorettes au lycée et que j'entretiens régulièrement mon corps.

En deux secondes, Barbara se déchaussa et enleva ses petites chaussettes blanches à rayures roses.

— Mon bas de survêtement me gêne, aidez-moi à le retirer, Théo.

— Euh… je veux bien, mais comment ?

Pour toute réponse, elle fit basculer ses pieds à hauteur de mes mains menottées et posa une jambe sur mes épaules.

— Attrapez un pan du survêt avec les dents, dit-elle d'un ton qui n'admettait ni remarque ni contestation.

Je mordis dans le morceau d'étoffe et Barbara tira ses jambes vers le sol pour ôter son vêtement que je laissai ensuite tomber par terre. Elle ne fut plus vêtue alors que d'un tee-shirt et d'une petite culotte de dentelle blanche très sexy.

L'opération déshabillage terminée, elle projeta, avec une remarquable dextérité, ses jambes vers le plafond. Elle tenta de stabiliser sa position ; sa jambe gauche prit appui sur mon épaule tandis que son pied droit pénétrait dans ma poche à la recherche du revolver. Je cessai de respirer et immobilisai mon corps afin de faciliter ses manipulations. Elle retira sa jambe gauche de mon épaule et, pour être plus à l'aise, entoura mon dos de sa cuisse et de son mollet.

— J'y suis presque, dit-elle.

La transpiration qui mouillait son tee-shirt révélait encore un peu plus sa plastique parfaite. Je me dis alors que, même au moment de rendre l'âme, il serait doux, pour un homme, de finir sa vie attaché à quelqu'un comme Barbara.

— Il me semble que vous avez du bide, dit-elle de façon intempestive pour détendre l'atmosphère.

— Je ne vous permets pas.

Elle poussa une exclamation :

— Enfin, je l'ai !

Elle ressortit son pied de ma poche en tenant le revolver entre ses orteils. Inquiet de voir le canon dirigé dans ma direction et quoique le chien ne fût pas relevé, je m'écriai :

— Prenez garde à ne pas appuyer sur la détente !

Dans un dernier effort, elle hissa son pied au niveau d'une de ses mains et put enfin se saisir de l'arme sous les exhortations de Magnus et de Vittorio. Lorsque ses jambes retombèrent, la peau douce d'un de ses mollets effleura furtivement ma joue. Mais cet instant de grâce ne dura pas : sans perdre de temps, elle pointa son arme vers les menottes qui la retenaient enchaînée.

— Faites attention, Théo. Éloignez-vous le plus possible de moi, car je vais essayer de faire sauter la chaîne.

— C'est de la folie, vous allez nous exploser les poignets !

— Non, la chaîne est suffisamment lâche.

Elle respira profondément et se concentra pour atteindre sa cible. Elle était sur le point de faire feu lorsqu'une inquiétude traversa subitement l'esprit du prêtre.

— Ne faites pas ça, vous risquez de tout faire exploser : cette pièce est remplie de butane.

— Mais non, miss Weber, vous pouvez tirer sans crainte, l'air n'est pas saturé, promit Magnus.

À l'évidence, la confiance que Barbara accordait au scientifique fut plus forte que les mises en garde du prêtre. Bien lui en prit puisque, lorsque la jeune femme appuya sur la détente, l'explosion que Carosa redoutait ne se produisit pas et le coup brisa la chaîne de ses menottes. Le recul de l'arme la projeta brutalement en arrière, mais elle se releva sans trop de casse. Barbara ne m'avait pas menti : elle s'y connaissait vraiment en armes à feu.

Désormais sans entraves, elle grimpa rapidement l'escalier de pierre et ouvrit la porte pour renouveler l'air vicié.

— Merde, fit-elle alors.

— Qu'y a-t-il encore ?

— J'entends un crissement de pneus sur le gravier. Je crois qu'ils sont revenus.

— Venez vite nous libérer ! cria Magnus.

Après avoir refermé la porte, Barbara redescendit l'escalier à toute vitesse, ramassa les clés des menottes et s'apprêtait à nous détacher lorsque de l'agitation se fit entendre au rez-de-chaussée. Sans paniquer, elle se cacha derrière un casier à bouteilles et chacun retint son souffle. Quelques secondes plus tard, l'homme au catogan pénétra dans la cave, un mouchoir sur le nez. Il n'eut probablement pas le temps de se rendre compte de ce qui se passait et s'écroula instantanément. Barbara avait tiré avec une rapidité fulgurante. La balle avait traversé la tête de l'homme en pénétrant dans la région de l'œil gauche. Une petite purée sanglante s'échappa de la partie supérieure du crâne et vint tacher le mur de pierre. Alors Barbara tira à nouveau, puis tira encore.

Et ce fut comme si le crâne de notre agresseur explosait littéralement en fragments osseux et sanglants. Son corps dégringola jusqu'au bas de l'escalier. Le sang qui jaillissait de son front dégoulinait maintenant sur tout son visage.

Je tournai les yeux vers la jeune femme. Elle était sous le choc. Même de loin, je pouvais sentir les frissons qui parcouraient ses membres. Mais, malgré quelques tremblements, une grande détermination se lisait sur son visage. Toujours en petite culotte, elle gardait son arme serrée dans les mains, les bras tendus, comme si elle s'entraînait dans un stand de tir pour agents du FBI. Apparemment, l'homme au catogan était le seul à être descendu de voiture et il fallut attendre encore quelques secondes pour voir débarquer Seth, alerté par les détonations. Malheureusement pour lui, il n'imagina pas que ces coups de feu avaient pu être tirés par l'un de nous. C'est sans doute pour cela qu'il accourut sans se méfier vraiment et en lançant à son compagnon qui ne pouvait plus l'entendre :

— Bordel, qu'est-ce que tu fous ?

À peine fut-il apparu dans l'embrasure de la porte qu'il s'écroula à son tour, frappé par une balle en plein cœur.

Barbara était toujours concentrée, le corps dans la même position, comme prête à régler son compte à un éventuel troisième homme qui, heureusement, ne vint jamais.

Elle put alors nous détacher. À ce moment, ce ne fut ni l'apaisement ni la délivrance qui résonnèrent le plus fort en moi, mais plutôt l'effroi de ce que nous venions de faire. Je dis «nous» sans hésitation, car, si Barbara avait appuyé sur la détente, nous étions tous les quatre responsables de la mort de ces hommes. Pour autant, je ne pensais pas qu'il faille se poser trop de questions : ces individus avaient attenté à notre vie et nous avions agi en légitime défense. Le problème, c'était que nous nous retrouvions avec deux cadavres sur les bras, au cœur d'une histoire rocambolesque que nous ne pouvions expliquer à personne et surtout pas à la police. Une fois détaché, Magnus entreprit d'examiner les corps de nos ennemis plus attentivement et, pendant un instant, le nombre de cadavres que nous avions à notre actif fut révisé à la baisse.

— C'est incroyable, dit-il, penché sur le corps de Seth, cet homme n'est pas mort : je l'entends encore respirer.

Il disait vrai. Même s'il était en train de perdre tout son sang, Seth était toujours vivant.

— Je vais appeler une ambulance, nous pouvons peut-être encore le sauver ! s'écria Vittorio, dans un acharnement religieux totalement irrationnel.

Il grimpa les marches à toute vitesse et nous l'entendîmes décrocher le combiné et composer un numéro.

— C'est de la folie, dit Barbara, cet homme sera probablement mort avant l'arrivée des secours.

Magnus acquiesça d'un signe de tête qui me conforta dans ce que je pensais déjà. À peine libéré, je n'avais aucune envie de me retrouver à nouveau les menottes aux poignets, entouré par quatre policiers, tout cela à cause d'une tentative désespérée pour sauver un homme qui, à plusieurs reprises, avait déjà essayé de nous tuer.

Ce qui se passa ensuite restera comme l'un des épisodes les plus traumatisants de ma vie. Moi, l'avocat idéaliste et non violent, je pris le revolver des mains de la jeune femme et m'avançai vers le blessé. Il avait déjà la poitrine en sang. Je pointai l'arme dans sa direction. Il fallait que je le fasse : d'autres existences que les nôtres étaient en jeu. Je détournai la tête au dernier moment pour ne pas voir ce que je m'apprêtais à faire. Mon index se posa sur la détente, mais c'était impossible, je ne pouvais pas tirer. Rien dans ma vie ne m'avait jamais préparé à tuer un homme. Résigné, je baissai le canon de l'arme...

— Attention !

Magnus et Barbara avaient crié en même temps pour me prévenir.

Je tournai la tête vers Seth. Il venait d'ouvrir les yeux et le canon de son arme se levait lentement vers moi. Comme déconnecté de mon cerveau, mon doigt pressa la détente.

— Vous pouvez raccrocher, Vittorio, il ne respire plus, cria Magnus en direction du prêtre.

13

L'enterrement au clair de lune

CALIFORNIA MicroGlobal
24-03 12-04 03-01 29-02 15-06 12-05 18-03 09-07

Il était hors de question de perdre du temps.

Quand nous remontâmes dans le salon, le soir tombait et le compte à rebours indiquait : *2 h 29 min 40 s*. Nous avions encore le temps de vérifier une dernière piste.

Gemereck s'installa à son bureau, appela la bibliothèque universitaire de Northeastern et demanda si une plaquette de poésie, signée Théodore McCoyle, était consultable dans leurs murs.

Après l'avoir laissé patienter un moment, la documentaliste répondit finalement que la plaquette n'était pas en accès direct mais se trouvait bien dans les archives.

— Est-ce que vous pourriez me faxer toutes les pages de cette plaquette à un numéro en Irlande ?

— Cela n'est pas permis par le règlement, monsieur.

— C'est une urgence ! aboya Magnus.

— Ils disent tous ça.

Gemereck, excédé, me tendit le combiné.

— Débrouillez-vous avec elle, McCoyle. Jouez de votre charme.

— Miss Weber vous dirait que j'ai perdu la main.

— Voilà une bonne occasion de vous entraîner.

Magnus déclencha le chronomètre de sa montre lorsque j'empoignai le combiné.

— Bonjour, mademoiselle, je…

— Madame, me coupa la femme d'un ton sec.

— Eh bien, bonjour, *madame*, je suis Théo McCoyle, un ancien élève de votre université. C'est moi qui ai écrit ces poèmes il y a presque dix-huit ans, lorsque j'ai rencontré sur le campus celle qui devait devenir ma femme.

— Oui ?

Je continuai sans me démonter.

— Voilà, nous… nous fêtons notre anniversaire de mariage en fin de semaine et j'aurais aimé lui offrir un album souvenir qui raconterait notre histoire en incorporant des photos, des lettres d'amour, des poèmes, des tickets de manifestations où nous sommes allés en amoureux, etc.

— C'est une bonne idée, jugea la femme d'une voix adoucie, je suis sûre que ça lui fera plaisir.

Parfait, je suis tombé sur une romantique. Bobards puissance 10.

— Le problème, c'est qu'il me manque mes poèmes de l'époque universitaire. Voilà pourquoi je vous aurais été très reconnaissant si vous aviez pu me les envoyer.

Alors que j'essayais de prendre un ton badin, des images du cadavre de Seth envahissaient ma tête.

— Dix-huit ans de mariage, c'est une belle performance de nos jours, me complimenta la femme.

— N'est-ce pas ?

— Et il n'y a jamais eu de petits écarts ? pouffa-t-elle.

— Grands dieux non ! m'écriai-je, faussement outré. La fidélité est la pierre de voûte de l'édifice amoureux.

Gnan gnan gnan gnan gnan...

— C'est ce que je n'arrêtais pas de répéter à mon premier mari. Tous les hommes ne sont malheureusement pas comme vous.

« Grouillez-vous », inscrivit Gemereck à mon intention sur le tableau noir.

Facile à dire. J'aimerais bien t'y voir.

— J'ai aussi quelques petites faiblesses, vous savez, dis-je d'un ton coupable.

— Vraiment, n'est-ce pas indiscret de vous demander lesquelles ?

Je viens de tuer un homme.

— Eh bien... il m'arrive quelquefois de regarder un match de basket à la télé en buvant des bières avec des copains.

— C'est ce que vous appelez des petites faiblesses ?

— Oui, dans la mesure où je pourrais consacrer ce temps libre à mon épouse et à mes enfants.

— Vous pourrez dire quelque chose à votre femme ?

— Volontiers.

— Dites-lui qu'elle a de la chance d'avoir un mari comme vous.

C'est ça.

— Je vous remercie. Alors, pour les poèmes, c'est oui ?

— Ah ! c'est vrai, les poèmes. Patientez quelques instants, je vais chercher la plaquette.

Vite, vite.

Au bout d'un moment, j'entendis le bruit des pages que l'on feuillette, puis la femme déclama un de mes quatrains particulièrement insipide, mais que mon jeune âge excusait en partie :

Tu débarquas tranquille au milieu de la guerre
Pour chasser de ma vie les peurs et les tourments.
Tu vins poser ton cœur sur mes blessures ouvertes,
Accrocher dans mon ciel un soleil éclatant.

Elle laissa passer quelques secondes puis demanda :

— À quel numéro dois-je envoyer le fax ?

Magnus arrêta le chronomètre.

— Quatre minutes quinze, ce n'est pas trop mal, McCoyle ; qu'est-ce que vous en pensez, miss Weber, il retrouve la main, non ?

— Mouais. À propos, vous nous ferez lire vos poèmes, Théo ?

— Ça, n'y comptez pas.

Nous reçûmes le fax quelques minutes plus tard. Immédiatement nous appliquâmes nos techniques de déchiffrage et, ô miracle, quelque chose de cohérent apparut enfin : *the quote.*

— *The quote* : la citation. Mais quelle citation ? demanda Vittorio.

— Sans doute la phrase de Donne, répondit Magnus en retournant le tableau.

« *Nul homme n'est une île complète en soi-même ; tout homme est une part de continent, une part du tout. La mort de tout homme me diminue parce que je suis solidaire du genre humain. Ainsi donc, n'envoie jamais demander : pour qui sonne le glas ; il sonne pour toi.* »
John DONNE, *Devotions upon emergent occasions*, 1623.

— Nous voilà revenus à la case départ, déplora Barbara, dépitée.

— Pas du tout, objecta le professeur du MIT en tournant autour de son bureau, nous savons exactement où chercher.

— Comment ça ?

— Reprenez la liste des activités de MicroGlobal fournie par l'annuaire électronique et voyez si vous avez quelque chose avec « homme », « île », « continent » ou « genre humain ».

La jeune femme s'exécuta, puis :

— Il y a pas mal de trucs avec « *human* » : *Human being research, Human health care, Human food…*

— C'est trop vague, jugea le scientifique.

— Attendez, il y a aussi quelque chose avec « île » : *Real Island.*

— Real Island ? demandai-je, intéressé.

— C'est une des plus grandes villes privées du pays. Construite et entretenue par MicroGlobal.

— Une ville privée ! m'exclamai-je. Hum… ça cadrerait bien avec notre recherche sur l'individualisme.

— Il y a un site Internet correspondant, fit Barbara. Regardez, c'est incroyable.

Je commençai à lire ce qui ressemblait à une campagne de marketing :

Real Island
Un univers plus que parfait
Pour vivre dans un monde à part
Au sud-est du comté d'Orange, loin de la violence et de la misère des centres-villes californiens, s'étend un havre de paix, un paradis terrestre.
Rejoignez, vous aussi, les vingt mille privilégiés qui profitent déjà d'une vue imprenable sur les forêts et les terrains de golf. Devenez propriétaire d'une maison spacieuse, équipée d'une piscine et d'un garage pour trois voitures.
Goûtez au plaisir de vous promener dans les rues pittoresques sans éprouver la crainte d'être agressé à tout moment.

La suite du document détaillait les nombreux équipements collectifs : piscine olympique, sauna, jacuzzi, terrain de jeu, piste de jogging…

Pourtant, ce que les résidents de Real Island semblaient apprécier par-dessus tout, c'était la présence de hautes barrières en acier qui entouraient la propriété, de vigiles en uniforme et de caméras vidéo qui surveillaient le périmètre du quartier vingt-quatre heures sur vingt-quatre. Au sein d'une région hantée par la peur du crime, ces gens, qui doutaient de la capacité de l'État à maintenir l'ordre, avaient fait du désir de vivre dans une oasis libérée de la violence une véritable obsession.

Suivait en effet un descriptif du système de sécurité très perfectionné. Depuis les vigiles surveillant le portail d'entrée jusqu'aux patrouilles de sécurité qui quadrillaient inlassablement l'intérieur de la ville, rien n'était laissé au hasard.

Les « heureux propriétaires » recevaient une carte à puce qui, une fois insérée dans un lecteur optique, leur ouvrait automatiquement la grille. Grâce à un boîtier électronique fixé à l'avant de leur voiture, ils pouvaient se garer sans que leur véhicule soit aussitôt enlevé par les patrouilles de sécurité. Et, lorsqu'ils recevaient un visiteur, les vigiles relevaient immédiatement son nom et le numéro d'immatriculation de sa voiture.

Tout était entièrement privé à Real Island : les rues, l'hôpital, les écoles, la police, la distribution de l'eau, car, pour les résidents, les réglementations étatiques n'avaient qu'un seul but, brider la liberté de l'individu.

Après une telle apologie du libéralisme, le plus étonnant était sans doute la liste des obligations (tondre sa pelouse, repeindre sa maison en blanc tous les deux ans, planter des rosiers dans son jardin) et des interdictions (tendre des cordes à linge, recevoir des visiteurs après 23 heures…) qui régissaient la vie dans cet endroit.

Certes, cela faisait des années que ce genre de communautés se multipliait à travers les États-Unis, et les villes privées attiraient déjà près de 10 millions d'Américains qui fuyaient le contact avec la ville, la présence du crime et la proximité des pauvres.

De telles structures étaient le plus souvent régies par des associations de propriétaires qui fonctionnaient comme une municipalité et levaient des impôts destinés à couvrir les frais de sécurité, d'entretien et de construction d'équipements. Il n'était donc pas rare d'entendre les résidents de ces enclaves protester qu'ils ne devraient plus être soumis à la fiscalité d'un État ou d'un comté dont les difficultés économiques et sociales ne les concernaient plus. Pour résoudre ce problème, Real Island avait quasiment fait sécession et rompu avec les autorités locales au point de proclamer son indépendance. À partir de là, les conditions d'admission étaient devenues drastiques. Pour avoir le droit de rejoindre les « vingt mille privilégiés », vous deviez, entre autres, avoir des revenus supérieurs à 200 000 dollars par an, être citoyen américain depuis plus de vingt-cinq ans, ne pas avoir de casier judiciaire…

La suite du site Web de Real Island conduisait à un recueil de témoignages de certains des « heureux privilégiés » qui expliquaient de façon touchante combien ils avaient toujours souhaité fonder une famille dans un endroit où les gens croyaient encore en Dieu et aux vraies valeurs de l'Amérique. Ils voulaient pouvoir envoyer leurs enfants à l'école, dans la rue ou sur les terrains de sport sans s'inquiéter des problèmes de drogue ou d'immoralité. D'autres, qui se proclamaient descendants des pionniers européens, faisaient part du plaisir qu'ils avaient de pouvoir à présent se retrouver entre gens «civilisés» et expliquaient combien, depuis une quinzaine d'années, toutes sortes d'«immigrés» avaient transformé leurs anciens quartiers. De nombreuses personnes confessaient ne plus avoir quitté leur tour d'ivoire depuis plusieurs années. «Je pratique le télétravail, racontait une mère de famille, grâce à ça, je n'ai plus besoin de quitter Real Island. D'ailleurs, pourquoi le ferais-je? Il y a tout ce dont vous pouvez avoir besoin ici: cinéma, théâtre, centre commercial, équipements sportifs, restaurants…»

— Ne cherchez plus, dit Magnus après avoir lu ces derniers témoignages, je crois que nous avons trouvé: Mona Lisa a certainement empoisonné les réserves d'eau potable de Real Island.

— C'est probable, confirmai-je. Il y a ici tous les ingrédients de la perversion de l'individualisme.

Barbara n'était pas de cet avis, ce qui ne nous surprit guère.

— Mais quelle perversion? Je ne vois pas où est le mal à vouloir vivre loin de la violence et de la misère.

— Poussez votre raisonnement plus loin, Barbara, dis-je sans m'énerver. Mettez d'abord les riches avec les riches et les pauvres avec les pauvres. Toutes ces gentilles personnes pourront ainsi vaquer à leurs occupations, à l'abri de la misère et de la détresse qui les entourent. Et pendant ce temps, les plus pauvres continueront à subir la violence quotidienne dans des quartiers entiers laissés à l'abandon parce que les riches, bien à l'abri dans leurs cités privées, ne payeront plus d'impôts aux municipalités. Cela porte un nom, Barbara : la ségrégation.

— Je ne suis pas d'accord ; la Constitution empêche une telle dérive en interdisant toute discrimination fondée sur la race ou sur la religion.

— Ne soyez pas naïve, ricana Magnus, ce genre de cités privées ne fait au contraire que renforcer l'émergence d'habitats ethniquement et socialement homogènes et on aboutit réellement à une sorte d'apartheid urbain.

— Qu'est-ce que vous proposez ? demandai-je en me retournant vers lui.

— Il nous faut immédiatement prévenir les médias.

— Pourquoi pas directement la direction de Real Island ? m'étonnai-je.

— Parce qu'ils étoufferont l'affaire et que nous ne saurons jamais si nous avions vu juste. Pour être sûrs de connaître la vérité, mieux vaut avertir directement une chaîne de télé locale.

— Nous n'avons plus beaucoup de temps, s'alarma Barbara en regardant le compte à rebours.

— Ce sera suffisant, trancha Gemereck.

Aussitôt dit, aussitôt fait. Magnus appela une chaîne californienne ainsi qu'un journal de Los Angeles pour les prévenir de la présence de poison dans les réserves d'eau de Real Island. Bien entendu, il ne révéla pas son identité, mais il savait qu'une menace de ce genre ne laisserait probablement pas indifférents les médias de la côte ouest, surtout dans le contexte de paranoïa qu'avait provoqué l'« affaire Mona Lisa ».

Nous avions terminé notre tâche. Ce qui pouvait se passer maintenant ne dépendait plus de nous, mais il nous fallait encore attendre quelques heures avant de savoir si nous avions eu raison.

En fait, l'attente se révéla moins longue que prévu : dans les titres de son flash de 23 h 30 Network TV annonça la découverte d'acide détirocoqtique – un poison de synthèse extrêmement dangereux – dans l'une des cuves de ravitaillement en eau de la « petite cité tranquille de Real Island ». D'après les commentaires du journaliste qui s'agitait devant les grilles d'entrée de la ville, « le poison aurait été injecté en quantité suffisante pour tuer d'une mort foudroyante tous ceux qui auraient absorbé quelques gouttes du liquide ». Fort heureusement, la première des deux cuves-réservoirs qui alimentaient la ville n'avait pas été contaminée et le basculement automatique d'une cuve vers l'autre avait été bloqué après qu'un appel anonyme eut révélé la présence du poison. « Le pire a donc été évité cette fois-ci, continua le journaliste. Pourtant, si aucune victime n'est à déplorer, cet acte malveillant relance bien évidemment le débat sur l'existence des enclaves privées qui… »

D'un geste, Barbara éteignit la télévision tandis que Magnus, près de son tableau noir, mettait symboliquement fin à la résolution de cette énigme.

California MicroGlobal
Real Island
Le poison est dans l'eau

Il était près de minuit et il nous fallait inhumer les corps.

La résolution de l'énigme avait fort heureusement occupé nos esprits et notre énergie durant les heures qui avaient suivi la mort des deux hommes. Après le flash d'informations, une sorte de langueur s'abattit sur nous : Barbara avait perdu sa fraîcheur et son éclat, Vittorio semblait particulièrement taciturne et même Gemereck paraissait éreinté malgré notre succès. La mort de Miroslaw, mais aussi celle de ses dogues argentins, que les tueurs avaient descendus de deux balles dans la tête, l'avaient beaucoup affecté. Je compris que nous nous étions trop souvent déchargés sur lui, en croyant à tort que ses capacités étaient sans limites.

Ce fut lui pourtant qui aborda à nouveau la question des cadavres. Il fallait, bien entendu, mettre en terre les corps au plus vite, non seulement pour offrir une sépulture décente aux tueurs – « qui n'en restent pas moins des hommes », remarqua Vittorio avec un mélange de sagesse et de naïveté –, mais surtout pour effacer toute trace de notre mésaventure. Devant la difficulté de transporter les corps, il nous sembla plus simple de les enterrer dans le jardin et je fus chargé de trouver un endroit où la terre serait assez meuble et nous demanderait le moins d'efforts. Il nous parut naturel, à Magnus, à Vittorio et à moi, de dispenser Barbara de prendre part à ce qu'aucun d'entre nous n'osait encore appeler « l'enterrement ». « La petite est traumatisée », constata Magnus, en profitant d'un instant où la jeune femme s'était isolée dans la salle de bains, mais Barbara ne se résolut pas à nous laisser terminer seuls le « sale boulot » qu'elle avait commencé en nous débarrassant des deux types.

Ce soir-là, pour la première fois, nous eûmes l'impression d'être unis par un lien indestructible. Le meurtre, bien sûr, nous rendait solidaires, chacun étant, qu'il le voulût ou non, impliqué désormais dans l'affaire. Mais notre union dépassait l'intérêt personnel que chacun avait à dissimuler le crime. Nous ressentions une sorte d'esprit de famille, même si notre intimité s'était scellée dans le sang.

Adoptant la même attitude bienveillante et paternaliste que Magnus avait eue quelques instants plus tôt à l'égard de Barbara, Vittorio et moi pensions qu'il était absurde, vu son âge, que le professeur porte un corps.

Blessé dans sa fierté lorsqu'il apprit notre intention de nous passer de ses services, Magnus, ayant comme par magie recouvré sa volonté et ses ressources, s'indigna.

— Je ne suis pas grabataire et ce n'est pas moi qu'on enterre aujourd'hui !

Nous eûmes beau nous défendre avec force, notre attitude renforça son obstination. Une fois tous réunis dans la cave, il s'improvisa, comme à l'habitude, chef des opérations ; vexé par mes remarques désobligeantes, il feignit de m'ignorer et préféra demander l'aide de Carosa en se frottant les mains.

— Allez-y, mon père, prenez-le par les pieds.

Lui-même empoigna avec force l'un des cadavres par les aisselles, puis les deux hommes gravirent pas à pas l'escalier de pierre avant de prendre la direction du jardin.

Pour abréger au plus vite ce défilé macabre, je me résolus à transporter seul le deuxième corps. Nous nous retrouvâmes tous les quatre au fond du jardin.

Le souffle court et le visage sombre, Magnus nous demanda alors d'aller chercher les chiens pendant que lui s'occuperait de Miroslaw.

Creuser un trou suffisamment profond pour y enterrer deux corps se révéla être une entreprise plus difficile que nous l'avions cru. Armés de pelles, à la lueur de deux lampes-torches, nous nous mîmes tous les quatre au travail.

Dans le jardin d'une maison d'Irlande, une bien étrange cérémonie se déroula cette nuit-là. Une lune éclatante brillait dans un ciel très dégagé. Tout autour de nous, la brise légère et glaciale soufflait dans les grands arbres qui résonnaient du bruissement des feuilles et des branches. Lorsque les corps des hommes et des bêtes eurent été mis en terre, Vittorio improvisa un court service funèbre qu'il conclut par un solennel « *Requiescant in pace* ».

Barbara, encore sous le choc, fut la première à prendre la parole :

— Ces salauds méritaient la mort, affirma-t-elle avec conviction, comme pour se rassurer et relativiser son geste.

Magnus, qui n'approuvait probablement ni la morale pragmatique et vengeresse de Barbara, ni sa façon de décider qui méritait ou non la mort, ajouta cependant, pour alléger le fardeau de la jeune femme :

— « Si quelqu'un verse le sang de l'homme, par l'homme son sang sera versé. »

Vittorio, qui avait aussitôt reconnu un extrait de la Genèse, approuva d'un signe de la tête.

Lorsque nous fûmes réunis dans le salon cossu du manoir, la tension qu'avaient fait naître en nous ces sinistres obsèques de fortune retomba progressivement. Magnus, comme toujours soucieux d'apporter du réconfort, nous servit à tous un verre de cognac avant d'ajouter d'un ton grave :

— Si jamais, pour une raison ou pour une autre, quelqu'un venait à découvrir les corps, je me déclarerais responsable, seul responsable.

Secouant la tête, Barbara fit part de sa désapprobation.

— Vous ne croyez tout de même pas que je vous laisserais assumer seul les conséquences de mes actes ?

Gemereck, énergique, essaya de la raisonner.

— Ce que vous avez fait, chacun d'entre nous l'aurait fait à votre place ! Le hasard a voulu que ce soit vous qui appuyiez sur la détente, mais ces meurtres ont été commis dans ma propriété et les corps sont dans mon jardin. Aucun d'entre vous n'était là ce soir, c'est bien compris ? fit-il d'un ton sévère.

— De toute façon, il y a peu de chances que quelqu'un aille déterrer nos deux énergumènes, dis-je pour apaiser les esprits.

Nous étions tous épuisés mais il nous restait encore à nous débarrasser de la voiture des deux malfrats, un *light truck* [1] qu'ils avaient garé en plein milieu de l'allée. Je pénétrai le premier dans le gros véhicule. Après avoir récupéré les trois morceaux de toile, que je tendis à Magnus, et m'être assuré qu'il n'y avait rien à l'intérieur qui permettrait de remonter jusqu'à nous, je voulus mettre le contact, mais impossible de trouver les clés pour faire démarrer le véhicule ! Bon sang, Seth avait dû les garder sur lui et, dans notre hâte, nous n'avions même pas pris la précaution de fouiller les corps.

Pendant un moment, je nous imaginai en train de déterrer les cadavres pour récupérer le sésame, mais c'était sans compter sur certaines connaissances très particulières qu'il me restait de ma vie dans les mauvais quartiers. Je sortis, me penchai sur le moteur, rassemblai mes souvenirs, puis frottai quelques fils les uns contre les autres. En moins de deux minutes, le moteur se mit à ronronner. Jamais je n'aurais pensé que ces techniques particulières pourraient m'être un jour si

---

1. Véhicule mi-loisir, mi-utilitaire qu'affectionnent les Américains.

utiles, mais force était de constater que, jusqu'ici, ce n'étaient pas vraiment nos connaissances orthodoxes qui nous avaient permis de sortir du pétrin.

Sans perdre de temps, je m'installai au volant du *light truck* et descendis l'allée (nous avions décidé que Magnus et Vittorio resteraient au manoir). Barbara me suivit avec la Mercedes. Nous roulâmes le long de la côte en remontant vers le nord. Près des falaises, les endroits ne manquaient pas pour balancer la voiture, mais nous voulions nous éloigner suffisamment de Howth. Au bout d'une demi-heure de route, je repérai, au sortir d'un virage dangereux, un endroit sans barrière de sécurité. Exactement ce qu'il nous fallait. La nuit était noire et silencieuse. Éclairé seulement par les phares de la Mercedes, j'amenai prudemment le *truck* jusqu'au bord de la falaise, desserrai le frein à main et précipitai le véhicule dans les eaux froides de l'océan, en espérant qu'aucune voiture ne passerait à ce moment-là.

J'avais l'impression de déambuler dans un rêve sans fin, un peu comme si, tel un malade souffrant de schizophrénie, une partie de mon être s'était désolidarisée de moi et assistait, impuissante, au cours que prenait mon existence. Je restai encore quelques minutes au bord de ce gouffre, à écouter les vagues puissantes qui s'écrasaient contre les rochers. Le vent me glaçait la peau. Comment en étions-nous arrivés là ?

On ne prononça pas le moindre mot sur le chemin du retour. Mentalement et physiquement éreintés, nous allâmes nous coucher sans tarder. Il était plus de

5 heures lorsque je me glissai entre les draps soyeux de mon lit ; la tête pleine de questions et de doutes, je sombrai pourtant dans un sommeil pesant. Ma dernière vision fut celle des arbres, à travers la fenêtre : ils se découpaient dans le bleu sombre du ciel qui avait veillé, le temps d'un soir, sur quatre petites silhouettes que le sort venait d'unir à tout jamais.

III
America, America

14

Romance à Manhattan

Je n'avais plus remis les pieds à New York depuis quatre ans et ça ne me manquait pas. Je n'ai jamais fait partie des accros de Big Apple qui ne jurent que par la 5e Avenue, les *yellow cabs* ou les Twin Towers. Je ne regrettais ni le rythme accéléré que peut prendre la vie là-bas ni le cri des sirènes de police qui déchire la nuit et donne l'impression de vivre dans un climat de siège permanent.

Seule me manquait peut-être la luminosité intense de l'Atlantique qui éblouit la ville certains jours. Cette lumière bleu acier très particulière qui donne un vernis éclatant à Manhattan et régénère ses habitants. Pour être tout à fait honnête, je gardais aussi de bons souvenirs des illuminations et de l'odeur de la neige au moment de Noël, mais je crois vraiment que, sans cette histoire, je ne serais jamais retourné là-bas. New York était trop liée à ma vie d'avant, celle que j'avais voulu quitter comme on quitte sa patrie pour un exil sans retour.

Pourtant, lorsqu'il nous avait fallu partir d'Irlande, le lendemain du carnage, il était nettement ressorti de notre première concertation matinale que le lieu de nos investigations futures ne pourrait être que le nord-est des États-Unis. Magnus était en effet persuadé que le prochain défi de Mona Lisa concernerait le domaine des biotechnologies. Deux mois auparavant, dans les bureaux de Cell Research Therapeutics, il avait entendu parler à mots couverts de la mise en route d'une expérimentation de chirurgie génétique. Il soupçonnait le laboratoire de Steiner de s'être livré, dans le plus grand secret, à une opération interdite de modification génétique de certains embryons, avant de les réimplanter dans des utérus humains.

Quelle était la nature exacte de ces manipulations ? Gemereck ne pouvait – ne voulait ? – nous en dire plus sur ce point mais, d'après lui, il n'aurait pas été étonnant que Mona Lisa ait eu vent du projet et cherche à le saboter.

Nous prîmes donc l'avion pour New York à la première heure le lendemain matin. Les jours précédents avaient été éprouvants et nous avions plus que jamais besoin de souffler. Aussi, en l'absence de nouvelles informations, je proposai à mes compagnons de nous accorder deux jours de battement pour vaquer à nos occupations. Mais, avant de nous séparer, j'invitai tout le monde à prendre un *brunch* dans l'une des cafétérias de JFK Airport. Après notre collation, Vittorio continua jusqu'à Washington pour rendre visite à des amis séminaristes tandis que Magnus allait voir sa fille qui habitait près d'Orlando. Nous étions tous convenus de nous retrouver le surlendemain, en fin d'après-midi, au bar du Waldorf Astoria.

En sortant de l'aéroport, Barbara et moi prîmes un taxi jusqu'à l'Upper West Side où l'oncle de la jeune femme possédait un appartement. Il était hors de question que je la laisse seule après ce que nous venions de vivre. D'ailleurs, j'avais autant besoin d'elle qu'elle de moi.

Les deux tours du vénérable San Remo Building – l'un des immeubles *prewar* les plus cotés de Manhattan – s'élevaient à l'angle de Central Park West et de la 74e Rue.

À l'entrée, le gardien nous salua et appela un ascenseur. Barbara connaissait son prénom et lui parla sur un ton familier : apparemment, elle venait ici assez souvent. L'appartement était situé au dixième étage ; la jeune femme ouvrit la porte sur un magnifique duplex qui offrait une vue superbe sur le « Park ». Elle se plaignit un peu de la chaleur et alla chercher des rafraîchissements à la cuisine tandis que j'ouvrais les fenêtres.

— Vous avez le droit de jouer les blasés, dit-elle en me rejoignant sur la terrasse, un verre d'ouzo à la main, il n'empêche que cet appartement bluffe tout le monde, moi y compris...

Il était difficile de lui donner tort : le logement s'étendait sur deux étages, ce qui devait porter sa surface à plus de deux cents mètres carrés ; dans le salon, une fontaine d'appartement coulait au milieu d'une incroyable forêt de bonsaïs centenaires, et deux grandes toiles de Robert Ryman étaient accrochées aux murs. Sur les étagères, deux bouddhas en argent encadraient des livres anciens, et dans l'un des coins, près de la terrasse, était exposée une étonnante collection de jouets artisanaux conçus par des créateurs de mode dont la pièce principale était un magnifique cheval à bascule en bois ciré. Plus loin, près de l'escalier, une élégante vitrine abritait un assortiment de Colt et de Smith & Wesson de toutes les époques. Les armes étaient décidément une affaire de famille chez les Weber...

Vivre dans un tel cadre était un incontestable privilège. De nombreuses célébrités du *show-business* et du monde des affaires avaient d'ailleurs fait leur refuge du San Remo. Moi-même, dans un passé récent, j'avais nourri l'espoir d'habiter un jour dans un appartement comme celui-là pour y recevoir des collègues avocats qui en crèveraient de jalousie.

Lorsque je visitai la cuisine au style élégant que, d'après Barbara, on qualifiait de « nouveau chic américain », je me surpris à compter mentalement les patients que son oncle, chirurgien en Californie, avait dû opérer pour s'offrir un tel pied-à-terre.

— Il passe ici moins de trente jours par an, m'apprit-elle en ouvrant le frigidaire chromé pour y prendre une bouteille de Perrier.

— Ah oui ? Et qui s'occupe de l'entretien ?

— Une femme de ménage passe deux fois par semaine et un jardinier taille les bonsaïs et les arrose

tous les deux jours, expliqua-t-elle, le plus naturellement du monde.

— Bien sûr, soupirai-je.

— Vous n'aimez vraiment pas le luxe ? demanda-t-elle
avec un sourire.

— Je n'aime pas ce luxe, nuançai-je avant de boire
une gorgée d'eau minérale au goulot.

— Pourquoi ?

— Je vous l'ai déjà dit : j'ai passé ma jeunesse à
Boston-Sud, ma famille était pauvre et nous mangions
souvent grâce aux bons alimentaires fournis par l'aide
sociale. Je connais trop la valeur de l'argent pour aimer
le voir gaspiller dans des dépenses aussi ostentatoires
qu'inutiles.

Je savais que mes arguments ne la convaincraient pas.

— L'année dernière, j'ai claqué 20 000 dollars dans
une robe de soirée sur mesure d'une grande marque
italienne, se vanta-t-elle. Je n'ai ressenti aucun état
d'âme, aucune culpabilité, aucun scrupule, rien qu'une
formidable revanche sur la vie car, si je n'ai jamais été
pauvre, je ne suis pas née riche.

— Je trouve cet achat assez indécent. Pensez à tous
les gens que vous auriez pu aider avec cette somme.

— Aider les gens, aider les gens, ricana-t-elle, on croi-
rait entendre un étudiant idéaliste de première année
de droit !

— Je n'en ai pas honte, me défendis-je. Quand j'ai
choisi cette voie, j'avais de grands idéaux, je voulais
vivre le métier d'avocat comme une vocation. Je désirais

mettre mes compétences au service des plus nécessiteux pour combattre les injustices de notre société. J'admirais Ralph Nader[1]...

— C'est ça ! Et comme tous les autres vous avez fini par défendre des hommes d'affaires en facturant vos services 400 dollars de l'heure.

— C'est vrai, admis-je, des types qui possédaient des jets privés à 40 millions de dollars avec une robinetterie en or, alors que les employés qui étaient chargés de nettoyer l'avion touchaient, eux, 5,05 dollars de l'heure !

Elle me renvoya à mes contradictions.

— Vous savez très bien que, où que vous alliez, on jugera votre réussite en fonction de vos revenus et de votre patrimoine. L'argent conditionne tout : depuis votre lieu d'habitation ou votre façon de vous habiller jusqu'au ton que prennent les serveurs lorsqu'ils s'adressent à vous au restaurant, sans oublier les relations amoureuses que vous pouvez espérer avoir... ou pas.

— Exact, concédai-je avec regret. Le temps passe et on a des emprunts à rembourser. On veut acheter une voiture de sport pour épater les filles, avoir une Rolex en argent parce que ceux qui ont réussi en possèdent une, partir en vacances dans le sud de la France et jouer au golf pour faire comme ses collègues...

---

1. Avocat américain très célèbre qui, dès les années 1960, a lancé le mouvement de défense des consommateurs.

— Et un jour, vous, Théo McCoyle, brillant avocat issu des quartiers difficiles de Boston, vous avez décidé de renoncer à tout ça, lança-t-elle d'un ton ironique.

— Exactement, j'ai renoncé à la vanité du monde et je m'en porte bien mieux.

Le pire, c'est que je ne le pensais pas vraiment.

En début d'après-midi, nous sortîmes faire des courses au Chelsea Market, une galerie marchande de la 9ᵉ Avenue où les grossistes alternaient avec d'élégantes petites boutiques d'alimentation. Comme nous commencions à avoir faim, elle m'emmena manger des « petits-suisses » chez Périgord Attitude, un salon de thé tenu par des Français dans lequel nous dénichâmes aussi des « *french kisses* » – de formidables pruneaux en forme de cœurs, marinés à l'armagnac et remplis de foie gras – que nous dévorâmes tout en buvant un café parfumé à la noisette. Puis elle m'entraîna dans les luxueux magasins de lingerie de la 5ᵉ Avenue, me demandant tour à tour un avis éclairé sur un déshabillé pastel, une nuisette de dentelle blanche ou un ensemble en coton couleur prune. Et je dois bien avouer que c'est non sans plaisir que je la suivis à travers ces boutiques à l'intérieur desquelles les vendeuses nous prenaient immanquablement pour un couple très amoureux.

Nous regagnâmes l'Upper West Side en fin d'aprèsmidi. À notre demande, le taxi nous laissa à une centaine de mètres du San Remo. Il faisait déjà froid en ce début d'automne mais le ciel était magnifique et, en longeant Central Park West en cette saison, on pouvait admirer les arbres dont les feuilles étaient en train de prendre une jolie teinte dorée.

Barbara avait troqué ses tailleurs gris de femme d'affaires contre un jean, des mocassins, un pull en laine brodé de perles de verre et une longue écharpe frangée en maille chinée qui ondulait le long de son corps.

Alors que je portais nos achats dans deux sacs en toile canevas, elle courait sur le trottoir devant moi en écartant les bras au milieu des feuilles d'or qui tombaient en planant autour d'elle. Son sourire était à tomber. Comme je l'avais déjà remarqué, elle pouvait être parfois très attachante.

Cet après-midi-là, il me sembla que tout était beau et léger comme les deux libellules turquoise et argent qui retenaient les cheveux fous de mon amie. Je ne le nie pas : la vie pouvait être douce et charmante dans les beaux quartiers de Manhattan et, pendant quelques instants, j'eus même l'impression que nous étions, tous les deux, dans l'une de ces publicités de mode de *Cosmopolitan* ou dans un moment heureux d'un film de Woody Allen.

Une fois rentrés à l'appartement, nous nous installâmes dans la cuisine pour préparer le repas. Alors que j'étalais précautionneusement sur la table les aliments que nous venions d'acheter (potiron, parmesan, amandes, cannelle, noix muscade, aneth, gingembre, saumon et sauternes), je ne pouvais m'empêcher de penser à Magnus et à sa passion pour le vin et la bonne nourriture. J'avais promis à Barbara de lui faire déguster une de mes vieilles spécialités : un gratin de potiron aux épices, tandis qu'elle s'était engagée à préparer un carpaccio de saumon à l'aneth et une tarte aux noix de pécan selon une recette ancestrale qu'elle tenait de sa grand-mère.

Emmitouflés dans deux plaids, nous dînâmes sur la terrasse en écoutant du jazz et en buvant du vin blanc, pendant que le soleil se couchait. Nous étions bien : les épreuves difficiles que nous avions vécues ces derniers jours avaient fait disparaître toute animosité entre nous.

Pas une fois nous n'abordâmes la tragédie que nous avions connue en Irlande et personne ne prononça les noms de Mona Lisa ou de Joseph Maumy. Je savais déjà qu'il nous faudrait du temps et sans doute beaucoup de recul pour ne plus nous sentir coupables d'avoir mis fin à la vie de deux hommes.

Le vin aidant et comme nous recherchions des sujets de conversation futiles, elle me parla de son désir de se réincarner en oiseau migrateur si cela était possible :

— Vous imaginez le bonheur de pouvoir regarder la Terre en prenant de la hauteur ! Être là-haut dans le ciel, libre et éloignée de tout…

— Très tentant en effet.

— Vous avez des projets pour une vie prochaine ?

— Je me réincarnerai en tortue géante et j'irai vivre dans l'archipel des Galápagos. Certaines grosses tortues vivent parfois près de deux cents ans. Elles sont contemplatives, passent la plupart de leur temps à dormir et restent immobiles pendant si longtemps qu'on les confondrait presque avec des minéraux.

Elle riait beaucoup.

Il se passait quelque chose entre nous.

Lorsque la nuit tomba, nous regagnâmes la chaleur du salon. Pendant qu'elle terminait un verre de vin sur le divan en cuir gris perle, je filai à la cuisine où j'avais repéré une magnifique Elektra, la plus ancienne et la plus mythique des cafetières italiennes, habillée de cuivre étincelant. Je nous confectionnai deux expressos et regagnai le salon avec un plateau.

Elle me remercia pour mon attention puis me pria de lui réciter quelques poèmes en français. Elle connaissait un peu ma langue maternelle et me demanda de plus amples renseignements sur la différence entre le « vous » et le « tu », voulant savoir quel pronom il convenait d'utiliser si nous nous adressions l'un à l'autre en français.

— Je crois que ceux qui ont failli mourir côte à côte sont suffisamment proches pour se tutoyer, répondis-je simplement.

— Pourtant, je ne te connais guère, remarqua-t-elle, tu parles souvent de ce que tu n'aimes pas, mais peu de ce que tu apprécies dans la vie.

Je me levai et fis le tour du canapé en souriant.

— Voyons voir... J'aime Schubert, Paul Cézanne, l'odeur de la fleur d'oranger, courir sous la pluie, l'alpinisme et les randonnées... À toi maintenant.

Elle entra dans le jeu après un moment d'hésitation.

— J'aime les robes de soie, les camées, les dentelles, les crucifix, l'absinthe, les chardons…

Je m'arrêtai devant elle et repris la parole en faisant toutes sortes de gestes avec les mains :

— J'aime le silence, les petites églises, les oiseaux, le vent, les antiquités, les anciennes odeurs qui rendent mélancolique…

Elle se leva du fauteuil pour se porter à ma hauteur et reprit à son tour, en mettant dans ses paroles un zeste de provocation :

— J'aime la démesure, l'effusion, la lingerie, le sexe et les larmes.

Je m'approchai d'elle, la pris dans mes bras et la soulevai pour la faire tournoyer. Elle passa les bras autour de mon cou en riant et, alors que ses lèvres se rapprochaient des miennes, la sonnerie du téléphone retentit. Comme pris en faute, je la reposai précipitamment sur la terre ferme. Au bout de la quatrième sonnerie, le visiophone s'enclencha automatiquement et la bouille souriante de Magnus apparut à l'écran.

— Désolé d'interrompre vos roucoulements de colombes, les amis, mais il va falloir précipiter les choses.

En quelques mots, Gemereck nous mit au courant de ses intentions : pour anticiper les agissements de Mona Lisa (et trouver au plus vite des renseignements sur le projet scientifique secret de Steiner), il avait dans l'idée de s'introduire dans le centre de recherche de

Cell Research Therapeutics. Il prétendait avoir bien réfléchi : dans ce cas de figure, le mieux était sans doute de profiter de la nuit du samedi au dimanche pour « visiter » le laboratoire, l'activité étant moindre à ce moment de la semaine.

— C'est de l'inconscience ! m'écriai-je. Cet endroit est sûrement mieux gardé que Cap Canaveral.

— Il s'agit certes d'une mission délicate, admit le professeur, c'est pourquoi il est inutile que nous participions tous à cette dangereuse expédition.

— En tout cas, il est hors de question que j'aille encore risquer de me faire trouer la peau dans un traquenard ! tempêtai-je. Vous m'avez bien compris, Gemereck ? Je n'irai jamais avec vous. Jamais.

15

Le laboratoire

Il pleuvait à torrents quand nous arrivâmes de nuit à proximité du centre de recherche de Cell Research Therapeutics, à l'ouest du New Hampshire, près de Montpelier. Tapi sous les sièges arrière du monospace de Magnus, j'apercevais néanmoins les lumières des grands bâtiments qui brillaient dans la nuit froide. Entouré d'un mur d'au moins trois mètres surmonté d'un grillage électrifié, le site ressemblait plus à un camp militaire qu'à un centre de recherche scientifique.

Alors que nous bouclions les derniers cent mètres qui nous séparaient du poste de garde, Magnus m'avoua en riant que les chercheurs qui travaillaient sur place surnommaient entre eux cet endroit « le Bagne », appellation qui n'eut pas précisément pour effet de me rassurer.

Dès que nous fûmes arrivés devant le poste de contrôle, le macaron électronique fixé sur le pare-brise de la voiture commanda l'ouverture automatique de la barrière d'entrée. Alors que la grille s'ouvrait lentement, les deux vigiles, guère tranquillisés par l'insigne officiel, scrutèrent notre véhicule jusqu'à ce que Gemereck abaisse la vitre de sa portière.

— Salut Diego, salut Johnny, foutu temps n'est-ce pas ?

— Oui, professeur, approuva le Latino, rassuré de voir un visage familier, s'il fallait boire tout ce qui va tomber cette nuit, nous pisserions jusqu'à la fête de l'Indépendance !

— Tu l'as dit, approuva Magnus tandis que la barrière finissait de s'ouvrir pour nous laisser le passage.

Entre deux battements d'essuie-glaces, j'eus à peine le temps de discerner, à droite de la barrière, d'imposantes lettres argentées qui s'étalaient sur un monticule de gazon illuminé par des projecteurs.

CELL RESEARCH THERAPEUTICS
Fighting for a better world

Par bonheur, la pluie avait dissuadé les vigiles de quitter l'abri que leur offrait le petit bungalow de protection et ils s'étaient tenus assez éloignés de la voiture pour ne pas m'apercevoir. Après un salut de la main, Gemereck remonta sa vitre et s'engagea enfin sur l'accès pentu qui longeait la clôture et menait au parking en plein air.

Lorsque je vis la lourde barrière se refermer derrière nous, j'adressai mentalement une prière au Dieu de Vittorio pour lui demander de veiller sur nous et de faire en sorte que, dans sa grande mansuétude, Il ne nous inflige pas cet endroit hostile et humide pour dernière demeure.

— Cela ne paraît-il pas bizarre de débarquer ici en pleine nuit ? demandai-je, en essayant de m'extraire de ma cachette.

— Non, me rassura Magnus, quelques personnes travaillent ici la nuit. Certains aiment se retrouver dans le calme et le silence, sans parler de ceux qui dorment carrément dans leur bureau ou qui évitent de rentrer chez eux pour ne pas avoir à faire la conversation à leur conjoint…

En effet, lorsque nous pénétrâmes sur le parking, celui-ci était loin d'être vide. Gemereck se gara près de l'entrée pour être à même de repartir plus vite au cas où les choses tourneraient mal. Il inspecta les alentours puis me fit signe de sortir discrètement. Du coffre de sa Chrysler, il tira une blouse blanche brodée aux armoiries de CRT.

— Enfilez ça, McCoyle, ordonna-t-il en ouvrant un parapluie pour se protéger de l'orage qui redoublait d'intensité, à partir de maintenant vous êtes mon assistant : le professeur Henry Jenkils.

Je passai la blouse en vitesse, sans oublier de prendre sur le siège arrière la mallette que nous avait préparée Barbara et qui contenait divers objets et armes dont elle pensait, non sans raison, qu'ils pourraient nous être utiles. Ainsi équipé, je rejoignis en courant le professeur qui me fit une place sous son parapluie.

Nous atteignîmes rapidement un vaste bâtiment en verre photochrome qui dominait le centre et dont la construction en hélice n'était pas sans rappeler la structure d'une molécule d'ADN. S'avançant jusqu'aux grandes portes vitrées de l'entrée, Gemereck composa un code secret qui permettait d'accéder à une deuxième série de portes. Les premières s'ouvrirent immédiatement mais, alors que je m'apprêtais à le suivre, il me conseilla de rester à l'extérieur.

— L'ouverture de la deuxième rangée de portes est commandée par un système d'identification de pupille, expliqua-t-il. Avec la disparition de Steiner et l'échange musclé que nous avons eu avec ses sbires, je ne suis peut-être plus *persona grata* dans cet endroit.

— Vous pensez que les gens de Cell Research vous soupçonnent de quelque chose ?

— Pour tout vous dire, ils se méfiaient déjà un peu de moi ces derniers temps et, à la lumière des récents événements, je pense qu'ils devaient me faire surveiller bien avant l'enlèvement de Steiner ou le vol de *La Joconde*. Je ne sais pas de quelles informations ils disposent, mais je crains que les derniers développements n'aient changé leurs soupçons en certitude et qu'ils ne m'aient rayé de la liste de ce qu'ils appellent leurs « identifiants-pupille ».

— Que se passera-t-il si c'est le cas ?

— Si le système ne reconnaît pas ma pupille, l'alarme se déclenchera automatiquement au bout de trois minutes.

— Pourquoi la sonnerie met-elle trois minutes avant de retentir ?

Magnus secoua la tête en esquissant un sourire.

— Pour permettre à ceux qui portent des lentilles de les retirer et de faire un nouvel essai. Il y a pas mal de chercheurs qui en portent et qui oublient de les enlever avant d'entrer.

Je fis trois pas en arrière et levai les yeux vers le sommet lumineux de l'immeuble, battu sans relâche par la pluie et le vent, en me demandant encore ce que nous étions venus faire dans cette galère.

— Pourquoi dois-je rester à l'extérieur ? demandai-je en grelottant.

— Lorsque je vais me placer devant l'identificateur de pupille, un mécanisme va immédiatement commander la fermeture des portes que nous venons d'ouvrir. Si, au bout de quelques secondes, la deuxième série de portes s'ouvre, c'est que tout a bien fonctionné et que mon « identifiant-pupille » est encore valable.

— Hum… et que se passera-t-il dans le cas contraire ?

— Eh bien… je resterai bloqué entre les deux rangées de portes et vous aurez alors trois minutes pour prendre vos jambes à votre cou, regagner la voiture et vous tirer d'ici en vitesse avant que l'alarme se déclenche, déclara mon ami, sans émotion apparente.

— Je suppose qu'il n'y a pas d'autre solution ? dis-je en le regardant dans les yeux.

— Pas que je sache.

Nous n'étions pas ici pour faire du sentimentalisme, mais je lui souhaitai néanmoins bonne chance.

Il se plaça devant le petit appareil et, comme il me l'avait expliqué, les premières portes de verre se refermèrent aussitôt sur lui. Moins d'une seconde plus tard, je pus lire à travers la vitre l'inscription «identification rejetée» qui clignotait sur l'écran.

Magnus se retourna instantanément vers moi.

— C'est foutu! vociféra-t-il en tambourinant sur la vitre. Tirez-vous le plus vite possible!

En plissant les yeux, je pouvais voir, sur le petit écran, le compte à rebours qui avait commencé à s'égrener: *2 min 59 s*, *2 min 58 s*... Je lançai un bref coup d'œil à ma montre et, sans un regard pour Gemereck, me ruai hors du bâtiment.

La pluie avait redoublé et des éclairs en cascade transperçaient violemment le ciel dans un grondement continu. La nuit était sombre mais toute la zone du laboratoire baignait dans la lumière blanche des nombreux spots installés tous les dix mètres au ras du sol.

Je ne pensai pas une seconde à regagner le parking et fis plutôt le tour du bâtiment en sprintant. Une fois à l'arrière, j'aperçus l'entrée de la cafétéria du centre, encore ouverte malgré l'heure tardive. Trempé des pieds à la tête, j'avais l'impression que mon rythme cardiaque s'était emballé et qu'un sang brûlant irriguait mes veines, avec un débit qui m'était jusqu'alors inconnu.

2 min 15 s.

Un rapide coup d'œil à l'assistance me fit diriger mes pas vers l'une des quatre personnes qui peuplaient encore le lieu : un homme fatigué, aux cheveux grisonnants, planté devant un gobelet de café et dont le nom, imprimé sur son badge, se laissait distinctement déchiffrer : Pr F.W. Abraham.

— Je vous cherchais, professeur Abraham, dis-je d'un ton énergique destiné à le tirer de sa léthargie, je suis Henry Jenkils, l'assistant du Pr Gemereck.

— Hum… que puis-je pour vous, jeune homme ? marmonna-t-il en levant vers moi ses sourcils broussailleux.

— Le Pr Gemereck vous attend dans son laboratoire. Il aurait besoin de votre avis sur un sujet important.

1 min 52 s.

Abraham laissa échapper un soupir plein de ressentiment.

— Il doit s'agir en effet d'un sujet important pour que le Pr Gemereck daigne se souvenir de mon existence.

J'acquiesçai en continuant à sourire comme si je n'avais pas saisi qu'une sourde hostilité l'opposait à Magnus.

— De quoi s'agit-il exactement, jeune homme ?

— Je vous en laisse la surprise, monsieur, dis-je d'un air qui se voulait mystérieux.

— Je finis mon café et je vous rejoins.

1 min 30 s.

— Je me permets d'insister, monsieur, euh… ce que nous avons à vous montrer ne peut guère attendre.

Abraham poussa à nouveau un long soupir et, avec une infinie lenteur, boutonna son imperméable avant de se lever pour payer ses consommations.

— Je vous invite, professeur, dis-je en posant sur le comptoir un billet de 10 dollars pour gagner du temps.

— Vous n'en ferez rien, jeune homme, aboya l'autre en me lançant un regard outré, j'ai l'habitude de payer moi-même les biens que je consomme.

Il tira de son portefeuille un billet de 100 dollars mais, comme il ne restait plus assez d'argent dans la caisse, la serveuse fut incapable de lui rendre la monnaie.

Plus qu'une minute, c'est presque foutu.

— Je mets ça sur votre note, proposa-t-elle gentiment.

— Soit, soit, articula sèchement Abraham avant de se diriger vers la sortie.

À peine avait-il franchi la porte que je lui plantai sans ménagement une grosse seringue dans la jugulaire.

— Maintenant, écoute-moi bien, trou-du-cul, on a moins de cinquante secondes pour atteindre l'entrée des labos. À la moindre résistance, au moindre geste de défiance, je te crame les veines *illico presto*, pigé, papy ?

Abraham poussa un petit cri mais hocha la tête.

Dans la nuit pluvieuse, je l'entraînai au pas de course vers l'entrée principale de l'immeuble. À mi-chemin, nous aperçûmes un garde qui patrouillait au loin avec son chien. Je stoppai net et plaquai le vieux contre un mur.

— Un seul mot et tu es mort, soufflai-je en secouant un peu brutalement l'aiguille de la seringue dans sa veine.

— Pitié, se contenta de souffler l'autre à mon intention.

Le garde, sans doute pressé d'atteindre la cafétéria, ne leva même pas les yeux dans notre direction.

Il nous restait quinze secondes lorsque nous arrivâmes devant la porte d'entrée du laboratoire. Magnus, qui n'en croyait pas ses yeux, m'accueillit d'un air incrédule.

— Filez-moi vite le premier code, criai-je en m'efforçant de continuer à maîtriser mon prisonnier.

— 45-3-06, s'époumona Gemereck à travers le double vitrage.

8 secondes.

Je tapai les cinq chiffres sur le petit clavier. Tout mon corps était secoué de tremblements.

Dès que les portes s'ouvrirent, je m'engouffrai dans le sas et plaçai Abraham devant l'identificateur de pupille.

0 min 2 s, indiqua l'écran avant de se bloquer et de permettre l'ouverture de la dernière rangée de portes.

— Eh bien, assistant, il vous en a fallu du temps, lâcha Magnus pour masquer son soulagement.

— Arrêtez de fanfaronner, s'il vous plaît, demandai-je en tentant d'essuyer les gouttes de pluie et de sueur qui ruisselaient sur mon visage, que fait-on de lui maintenant ?

— Salut, Friedrich, ironisa Magnus en tirant l'oreille d'Abraham. Qu'y a-t-il dans la seringue, Théo ?

— Un mélange surdosé de Rohypnol et d'anesthésique très puissant, enfin si on en croit les dires de Barbara ; mais je ne sais pas si…

— On prend le risque, trancha Gemereck. Bonne nuit, Friedrich.

D'une pression rapide, je déversai le liquide dans la grosse veine d'Abraham qui s'effondra immédiatement dans mes bras. Barbara m'avait prévenu que l'absorption du médicament par le corps serait quasi instantanée. J'espérais seulement que ses « connaissances médicales » étaient suffisamment solides et que le contenu de la seringue n'était pas toxique. Son armoire à pharmacie regorgeait de somnifères et de drogues en tout genre qu'elle se procurait sur Internet, mais personne ne pouvait en garantir la provenance et la qualité.

Magnus ouvrit une porte dérobée, non loin de l'entrée, et m'aida à cacher le corps derrière un conteneur à ordures.

— Comment va-t-on sortir d'ici ? demandai-je en pensant déjà à assurer nos arrières.

— Chaque chose en son temps, répondit placidement mon ami en refermant la petite porte derrière nous. Vous savez, vous êtes définitivement un homme d'action, Théo. Jusqu'à présent, j'en doutais un peu, mais là, vous m'avez convaincu. Si, si, je le pense.

À la pénombre du hall d'entrée succéda la lumière agressive d'une grande salle dallée de marbre blanc et froid que nous traversâmes en quatrième vitesse pour atteindre les rangées d'ascenseurs aux portes transparentes. Dans la fusée de verre qui nous emmenait au quatrième étage, tandis que le bruit du tonnerre résonnait dans tout le bâtiment, j'eus soudain l'impression d'être au milieu d'un océan vitreux, mélange étrange de turquoise et de Javel.

La porte de l'ascenseur s'ouvrit sur un large couloir qui nous mena à une porte d'acier chromé portant l'inscription : « Laboratoire Crick et Watson – Entrée strictement réglementée ». Un garde était bien en faction devant la porte, mais Magnus le salua sans trembler et lui lança une boutade salace de son cru pendant qu'il composait le code d'entrée. Heureusement, celui-ci n'avait pas été changé et la porte s'ouvrit sans difficulté. Aussitôt, un éclairage puissant se répandit dans le laboratoire. Ce dernier était constitué d'une succession de grandes pièces en enfilade, chacune formant ce que Gemereck appelait une sous-section.

Le silence n'était troublé que par le ronronnement de plusieurs ordinateurs disposés en cercle sur des tables de porcelaine laiteuse et par le bruit de la pluie qui tombait sur le toit.

— Vous êtes ici au cœur du dispositif, prévint Magnus en s'installant devant un appareil.

— Pourquoi n'ont-ils pas verrouillé l'entrée de cette pièce ? demandai-je, un peu étonné.

Magnus sortit de l'attaché-case un petit lecteur de DVD qu'il brancha à l'ordinateur principal.

— Ils ont verrouillé l'ordinateur, expliqua-t-il. Hormis Steiner et certains de ses proches collaborateurs, il y a très peu de personnes qui ont accès au système d'exploitation de cet appareil.

— Comment comptez-vous procéder ?

— Pour parer à la barrière de l'identification, j'ai enregistré sur un support toutes les caractéristiques de la pupille de Steiner, en prévision du jour où je ne serais plus en odeur de sainteté auprès de MicroGlobal.

Je n'étais pas sûr de bien saisir ce qu'il voulait dire.

— Comment avez-vous fait ?

— Ces derniers mois, j'ai placé dans mon ordinateur une sorte de caméra numérique très puissante, chargée de photographier et d'analyser les pupilles de toutes les personnes qui s'approchaient à moins de deux mètres de l'écran, ce que Steiner a fait à plusieurs reprises le fameux soir où il a voulu que j'effectue des prélèvements de cellules sur Maumy.

— Ça paraît ingénieux, mais vous êtes sûr que ça marche ?

— De quoi est-on sûr dans ce monde, Théo ?

— En tout cas, vous savez assurer vos arrières.

— *Sic transit gloria mundi*, déclara-t-il en imitant la voix de Vittorio.

Il opéra rapidement et le système d'exploitation afficha un message pour avertir qu'il avait bien reconnu la pupille de Steiner.

— Et voilà le travail, lança Gemereck avec un sourire satisfait.

— Formidable, mais pourquoi ne pas avoir utilisé cette technique pour pénétrer dans le bâtiment ?

— Parce que ce n'est pas le même système : pour l'ouverture de la porte...

— OK, OK, le coupai-je à voix basse, épargnez-moi les détails techniques. Alors, qu'y a-t-il sur cet ordinateur ?

— C'est ici que sont consignées toutes les données concernant le projet RC.

— Le projet RC?

— RC pour ReCreation. Un programme d'expériences grandeur nature, dont le but est de mettre au monde des enfants génétiquement améliorés.

— Des enfants sur mesure? demandai-je en reprenant l'expression que l'on trouvait parfois dans des articles scientifiques de prospective.

— C'est ça, confirma-t-il en scrutant sur son écran des graphiques et des séries de mesures qui n'avaient pour moi aucune signification.

— Que trouve-t-on au juste dans ces bases de données?

— Un récapitulatif précis de toutes les modifications génétiques subies par des embryons avant qu'ils soient réimplantés dans l'utérus de... attendez... cinq femmes différentes.

— Cinq femmes? Et qui sont-elles?

Il tapota sur le clavier et énonça:

— Voyons ça: Nancy Steiner, la propre femme de Steiner, Sherry Boyle...

— Boyle?

— Ed Boyle est le secrétaire d'État au Commerce extérieur. Vient ensuite Cindy Donovan – sans doute la femme ou la fille du président de la Réserve fédérale –, Ouafa Fayad...

— Une parente d'un roi du pétrole saoudien?

— Mouais... et enfin Jacky McGillis, la femme du grand producteur hollywoodien. Au total, cinq femmes dont les embryons ont connu une manipulation.

— Qu'est-ce que vous appelez au juste « manipulation » ? demandai-je, un peu perdu.

— L'ajout, le retrait ou la transformation de gènes déterminant le physique ou le mental des futurs individus. Vous savez, McCoyle, les humains partagent près de 99 % de leurs gènes avec les chimpanzés et même 30 % avec une laitue ! Vous comprendrez que les manipulations ne vont porter que sur un très petit nombre de gènes, mais qui ont des fonctions stratégiques.

Magnus faisait défiler les informations sur l'écran. Au fur et à mesure, il me tenait au courant de ce qu'il trouvait.

— Les premières manipulations concernent les gènes déterminant l'apparence physique, expliqua-t-il. Ceux conditionnant la couleur de la peau, des yeux et des cheveux.

— Qu'ont choisi nos cinq couples ?

— Cheveux blonds et peau claire pour les Américains. Rien n'est précisé pour le Saoudien.

Je me rapprochai encore de l'écran, tout en gardant un œil sur la porte. Je redoutais toujours que le garde ne fasse intrusion dans la pièce. Magnus émit un petit cri d'exclamation.

— Vous avez appris autre chose ?

— Nos nantis génétiques ont été traités pour éliminer de leur organisme toutes les anomalies suivantes : diabète, myopie, daltonisme, dyslexie, obésité, tendance à l'alcoolisme, maladie cardio-vasculaire et maladie d'Alzheimer. Certains ont même demandé que leur enfant soit droitier.

— Peut-on vraiment faire tout cela ? insistai-je, un peu incrédule.

— Sans grande difficulté, trancha Magnus. Nous savons même le faire depuis plusieurs années. Mais l'autre série de transformations pose plus de problèmes.

— Celle qui concerne les caractères intellectuels et affectifs ?

— Oui. Il s'agit de ce que l'on appelle les « gènes de l'intelligence », mais en fait ils conditionnent la mémoire, la vitesse de raisonnement, la capacité à s'adapter aux changements…

— Et pour les caractères affectifs ?

— Il y a toute une série de gènes qui conditionnent une partie du caractère, de l'humeur, de la stabilité affective et même de la fidélité conjugale !

— C'est impressionnant, mais comment fait-on pour transformer ces caractères ?

— On se livre à une espèce de chirurgie génétique sur les cellules de l'embryon avant que ce dernier ne soit réimplanté dans l'utérus de la mère.

Gemereck pianotait maintenant frénétiquement sur le clavier de l'ordinateur pour essayer (à ce qu'il me semblait) d'identifier la source des gènes transformés.

— Vous trouvez quelque chose d'anormal ?

— C'est difficile à dire, marmonna-t-il en se caressant la barbe.

Sur l'écran, on pouvait voir les bilans de santé détaillés des basketteurs, joueurs de football, athlètes et mannequins qui avaient donné – ou sans doute plutôt vendu – un échantillon de leur patrimoine génétique. Suivaient le descriptif et les CV de ceux dont les gènes avaient été utilisés pour modifier les caractères intellectuels : professeurs, chercheurs, personnes ayant fait des études brillantes dans des universités prestigieuses...

— Tiens, c'est bizarre, fit tout à coup Magnus en fronçant les sourcils, l'origine de certains gènes liés au caractère n'est pas mentionnée.

— D'où peuvent-ils provenir ?

— Je n'en ai pas la moindre idée. Quoique...

Il réfléchit encore un instant puis lança un autre programme.

— C'est une gigantesque banque de données, plus vaste encore que celle utilisée par le FBI, expliqua-t-il. Elle rassemble les caractéristiques génétiques de dizaines de milliers de criminels.

Après quelques manipulations, il soumit au moteur de recherche les gènes inconnus. Avec une rapidité foudroyante, le programme commença à balayer le profil génétique des différents criminels recensés. Au bout d'un court instant, la photo numérisée de Joseph Maumy apparut sur notre écran, au moment précis où un terrible éclair déchirait le ciel.

— Bordel, qu'est-ce que cela signifie ? demandai-je en essuyant des gouttes de sueur qui commençaient à perler sur mon front.

— Ça signifie tout simplement que Mona Lisa a saboté leur manipulation, répondit froidement mon ami en enlevant les lunettes demi-lunes qu'il avait chaussées pour regarder l'écran. Je ne sais pas comment mais, lors de l'opération de chirurgie génétique, quelqu'un est parvenu à remplacer certains des gènes destinés aux embryons par ceux de Maumy.

Si je comprenais bien, les cinq mères qui s'imaginaient donner prochainement naissance à un petit génie portaient en réalité un embryon avec les gènes d'un des plus grands tueurs en série de l'histoire.

— Que pouvons-nous faire ? fis-je, un peu désemparé.

Magnus ne fut pas long à trouver une solution : en un tour de main, il se connecta aux sites des grands médias américains et leur envoya par e-mail le contenu des fichiers auxquels nous avions eu accès, avec un mot d'explication. C'était la bonne solution : en rendant cette affaire publique, nous faisions d'une pierre deux coups. Cela permettrait d'abord aux mères de se débarrasser de leur petit monstre en procédant à une interruption de grossesse. Et cela attirerait l'attention de l'opinion publique sur les dangers des manipulations génétiques et sur le comportement scandaleux de certaines élites qui, pour conserver leurs privilèges, tentaient de constituer une espèce de caste génétique. En pensant à ce dernier point, je me demandai d'ailleurs si le but de Mona Lisa n'avait pas été, justement, de nous attirer ici pour que nous révélions cette affaire au monde entier. En somme, nous lui rendions peut-être service.

Une chose en tout cas était sûre : ce qu'avait fait Cell Research était absolument interdit et les conséquences de cette histoire ne seraient pas minces. Le laboratoire allait être traîné en justice, l'image de Steiner serait encore un peu plus discréditée et il était probable que le secrétaire d'État impliqué serait dans l'obligation de démissionner.

Pendant que Gemereck effectuait ces opérations, je m'étais installé devant un ordinateur voisin pour en explorer le contenu. Comme les machines avaient été branchées en réseau, je n'avais pas besoin de mot de passe pour naviguer dans le disque dur en toute liberté. Après quelques minutes de recherche, je tombai sur un fichier exposant dans le détail la stratégie marketing que MicroGlobal comptait mettre en place, une fois votée la fameuse loi sur la libéralisation génétique.

Ce projet de campagne publicitaire reposait sur une série de sondages actualisés mensuellement. Le dernier en date révélait que 89 % des Américains «approuvaient l'utilisation de thérapies géniques pour améliorer les caractéristiques physiques et mentales des nouveau-nés».

— Le marché est énorme, dis-je tout haut. On comprend pourquoi Steiner a voulu que la loi soit modifiée.

— Ouais, grogna Magnus en levant un sourcil. Les Américains dépensent déjà des fortunes en chirurgie esthétique et en drogues de synthèse pour soigner leurs angoisses. Pas étonnant qu'ils se disent prêts à adopter les thérapies géniques pour donner naissance à des enfants parfaits. Ce sont des dingues, ils n'ont pas conscience de ce que cela signifierait.

— Je sais bien mais... hum... est-ce vraiment condamnable de vouloir un enfant intelligent et en bonne santé du moment que la science le permet ?

— Les manipulations génétiques ouvrent la voie à une altération radicale de l'espèce humaine, me sermonna-t-il sévèrement. Nous nous dirigeons vers une civilisation eugénique, dominée par l'argent, dans laquelle seuls les individus les plus riches arriveront à se payer des enfants parfaits et à assurer leur domination sur le monde. Il n'y aura plus aucune promotion sociale possible et, à terme, il se peut même que l'humanité soit scindée en deux espèces : une caste biologique d'êtres parfaits et une masse de sous-hommes dominés et exploités.

Il était évident que les manipulations génétiques présentaient des risques importants de dérive, mais était-il sérieux de redouter pour autant la scission de l'humanité en plusieurs espèces hiérarchisées ? Pendant un moment, je crus avoir trouvé le point faible du raisonnement.

— Attendez, Magnus : les gens ne vivent pas dans un monde clos. Il y aura toujours des mélanges de gènes. Depuis le début de l'humanité, les rois font des enfants aux bergères et les valets aux reines. Vos « nantis génétiques » ne feront pas exception à la règle : ils s'uniront un jour ou l'autre à des individus « normaux », ce qui provoquera un brassage génétique.

Mais lorsque Gemereck secoua tristement la tête, je compris que la menace était plus grave que je l'imaginais.

— Candide que vous êtes ! Certains scientifiques sont déjà en train d'essayer de fabriquer des molécules chargées de modifier la liaison ovule-spermatozoïde pour empêcher les individus de se métisser.

16

Tambour battant

— Décampons d'ici en vitesse, Théo, ça risque de devenir dangereux.

Gemereck s'était levé de sa chaise, mais il ne prenait pas la direction par laquelle nous étions arrivés.

— Mieux vaut essayer de ressortir par-derrière, expliqua-t-il, on peut atteindre un escalier de secours situé trois pièces plus loin.

— Quoi ! Nous allons traverser d'autres laboratoires ? dis-je en marquant un mouvement de recul.

— Je vous assure que c'est plus prudent !

Je levai les bras au ciel mais lui emboîtai le pas, à la fois saisi par la peur et curieux de voir quels autres secrets pouvait nous réserver cette forteresse.

Au centre de la deuxième pièce trônait un appareil informatique de taille moyenne et à la forme inédite.

— Qu'est-ce que c'est que ce truc, Magnus ?

— Un distributeur de cartes génétiques.

Il s'approcha de l'appareil et expliqua à voix basse :

— C'est un appareil très puissant qui, à partir d'une cellule de votre peau, diagnostique des centaines de maladies génétiques potentielles.

— Ce qui permet en quelque sorte d'avoir une vision de son avenir biologique ?

— Exact, approuva-t-il. Si on vous diagnostique une maladie qui ne se déclarera que dans cinq ans, vous avez ainsi tout le temps de prévoir et de planifier votre existence.

— Ça marche réellement ? demandai-je, plus impressionné que je ne voulais le montrer.

— C'est fiable à presque 100 %.

Je ne pouvais m'empêcher d'être fasciné par ce que j'avais devant les yeux.

— Vous l'avez déjà testé sur vous ?

— Non, assura le professeur en secouant la tête, connaître mon avenir est la dernière des choses qui me préoccupent.

— Est-ce que l'analyse est longue ?

— Moins de deux minutes, pourquoi ? interrogea-t-il d'un ton suspicieux.

— Eh bien… j'ai appris que mon père était mort assez jeune d'un cancer de la prostate et je me demandais si…

— N'y pensez même pas ! répondit-il sévèrement, en étouffant ainsi dans l'œuf mon envie légitime de savoir si je possédais le gène de cette maladie.

La troisième section du laboratoire était consacrée aux chimères, c'est-à-dire à la création d'êtres hybrides entre l'homme et l'animal. Gemereck m'expliqua que les recherches sur ces créatures répondaient à une forte demande de la part du monde du *show-biz* et du sport. Dans un futur proche, certains organisateurs de réunions sportives se proposeront de monter des combats opposant par exemple des hommes-taureaux à des hommes-félins. De même, pourquoi ne pas permettre aux équipes de football ou de basket d'incorporer certains de ces êtres dans leurs championnats ? Peut-être assisterons-nous même un jour à des Jeux olympiques dans lesquels le record du cent mètres sera ramené au-dessous des huit secondes par un homme-guépard. Nous y viendrons, c'est probable : le public aime la performance et le spectacle.

Pire : on pouvait même imaginer que la création artificielle et la propagation d'animaux clonés et chimériques entraînent à terme l'extinction des espèces sauvages et naturelles.

Magnus m'assura aussi que l'on s'était déjà prêté à des manipulations génétiques dans l'armée, pour améliorer les sens des soldats qui souhaitaient voir les infrarouges ou posséder un odorat et une ouïe dignes de certains animaux !

Il était en train de relater une de ces expériences, qu'il avait lui-même réalisée sur des souris, lorsque nous sursautâmes en entendant un grognement qui semblait venir du fond de la pièce. Nous levâmes les yeux vers une profonde cage en métal dans laquelle un adorable petit panda tournait en rond.

Excité comme un gosse au zoo, je m'approchai de l'animal.

— C'est… c'est un vrai ?

— Bien sûr, répondit Magnus en caressant le petit ours à travers les barreaux.

— Ne craignez-vous pas qu'ils l'aient modifié génétiquement pour en faire un animal dangereux?

— Non, leur but est tout autre. En fait, cette bête est l'animal préféré des enfants. À la place de la traditionnelle poupée, toutes les petites filles voudraient bien recevoir un panda à Noël. Malheureusement, cette espèce est en voie de disparition...

— ... d'où l'idée de réaliser des clones.

— Oui, et surtout de changer leurs habitudes alimentaires en trafiquant leurs gènes : il n'est pas facile de nourrir un animal qui, une fois devenu adulte, a besoin de quinze kilos de bambous par jour !

Contre mon avis, Magnus entreprit d'ouvrir la cage de l'animal.

— Méfiez-vous, il est peut-être devenu agressif après toutes ces expériences.

— Ne soyez pas ridicule, McCoyle, ce n'est qu'une boule de poils...

Effectivement, le petit animal, symbole de paix et d'amitié dans la tradition chinoise, ne semblait pas dangereux et recevait nos caresses avec plaisir. Nous décidâmes de le laisser en liberté, le temps de continuer notre visite.

La dernière pièce devait se révéler la plus terrifiante. Elle était consacrée à ce que Magnus appelait «les enfants bonsaïs». Une fois de plus, la stratégie commerciale de MicroGlobal dépassait l'entendement.

— Les termes du problème sont simples, expliqua Gemereck d'un ton blasé : de nombreux parents désirent avoir un enfant pour le pouponner tranquillement pendant les cinq ou six premières années de sa vie. Passé sept ans, ils éprouvent souvent de grandes difficultés à élever leur gosse. Une fois celui-ci adolescent, c'est encore pire : certains enfants deviennent incontrôlables, ils sont souvent asociaux, violents et traînent avec eux un cortège impressionnant de problèmes : drogue, vol, sexe, etc. MicroGlobal a alors eu l'idée géniale de créer des enfants qui ne grandiraient jamais et resteraient ainsi *ad vitam aeternam* sous la dépendance de leurs parents. Fini les problèmes d'ados qui rentrent de boîte soûls et camés ; vive les joies prolongées de la layette !

— C'est monstrueux, dis-je, tout retourné. Cela est-il déjà biologiquement possible ?

— À ma connaissance, c'est en cours d'expérimentation. Les scientifiques testent actuellement une molécule qui empêche certaines cellules de vieillir et de se développer normalement.

La pièce était tout entière plongée dans l'obscurité. Après avoir appuyé sur l'interrupteur, je me retrouvai nez à nez avec une armée d'enfants chauves et immobiles. J'allais pousser un hurlement lorsque Magnus me secoua par le bras.

— Ressaisissez-vous, ce ne sont que des enfants de synthèse, ils n'ont pas de cerveau.

— Je ne comprends rien à vos histoires ! dis-je, véhément. Qu'est-ce que...

— Ce sont des êtres humains de synthèse, répéta-t-il, ils ne connaissent pas la douleur. Les chercheurs les utilisent pour tester de nouveaux médicaments ou pour avoir des réserves d'organes.

— Vous voulez dire qu'on peut fabriquer des gens ? demandai-je dans une exclamation.

— Ouais... enfin, c'est encore au stade expérimental, mais il n'est pas difficile de créer des organes artificiels comme des bras, des nez, des cœurs ou des poumons, à partir de cellules humaines qui vont se diviser et se reproduire dans un simple moule de polymère.

— C'est sur ces corps que vont être injectés les produits que l'on veut tester ?

— Tout à fait, approuva-t-il en désignant de la main la masse des êtres sans cerveau.

Je m'approchai de cette tribu de corps. Certains étaient hypertrophiés, boursouflés, comme prêts à exploser. D'autres, à l'inverse, semblaient décharnés et rachitiques, et le tout ne pouvait qu'inspirer une répulsion profonde. Apparemment, les expériences n'étaient pas encore au point, mais peut-être existerait-il un jour des bébés de soixante-dix ans dont le développement aurait été à jamais bloqué. Le pire, c'est qu'il y aurait des dingues pour les acheter.

— Il faut partir, lança Magnus d'un ton brusque, en me secouant l'épaule.

Toute peur m'avait maintenant abandonné. Il ne restait plus dans mon corps et mon esprit que l'énergie de la révolte.

— Attendez, fis-je en m'asseyant devant un écran, essayons de voir ce que contiennent les ordinateurs sur ce sujet.

— Nous n'avons pas le…

— Ça ne prendra que cinq minutes, le coupai-je, passez-moi votre DVD avec les données de la pupille de Steiner.

Aussitôt dit, aussitôt fait. Une fois encore, le mécanisme mis au point par Magnus nous ouvrit la porte du disque dur de l'ordinateur. Après quelques minutes d'exploration rapide, nous tombâmes sur plusieurs fichiers mentionnant de façon récurrente le Flowers Institut. Nous comprîmes assez vite qu'il s'agissait d'un orphelinat roumain de la banlieue de Bucarest auquel MicroGlobal fournissait gratuitement des ordinateurs et des logiciels. Certaines données laissaient aussi à penser que des chercheurs de Cell Research Therapeutics, sous couvert d'une organisation non gouvernementale, effectuaient depuis près de trois ans un suivi médical longitudinal des pensionnaires de l'institution. Des centaines de bases de données concernant la santé des enfants étaient ainsi rassemblées et analysées à grand renfort de tableaux, graphiques et formules mathématiques.

— Nom de Dieu ! déclarai-je avec horreur, ne me dites pas que c'est ce à quoi je pense, je vous en supplie…

— Malheureusement, c'est… c'est affreux, articula Magnus avec peine, ils ont testé la molécule directement sur des cobayes vivants, directement sur des enfants en bas âge.

Nous progressions sans cesse dans l'horreur. Le moins que nous pouvions faire pour arrêter cette barbarie était d'alerter l'opinion internationale. Je me connectai à mon tour sur le réseau et commençai à envoyer toutes les données disponibles sur les sites Internet des principaux médias tandis que Gemereck rédigeait un bref commentaire d'explication.

L'opération était presque terminée lorsqu'une alarme stridente retentit dans tout le laboratoire.

— *Oh my God !* cria Magnus en se levant de sa chaise, ils ont dû découvrir le corps d'Abraham.

Juste à ce moment, un garde entra dans la salle et nous menaça de son arme.

— Je les tiens, rejoignez-moi, hurla-t-il à l'adresse de ses collègues dans un micro cousu directement sur le col de son uniforme.

Il nous regarda avec une espèce de jubilation qui, malheureusement pour lui, ne devait guère durer. En effet, le panda, qui nous avait suivis et furetait partout, eut la bonne idée de se laisser tomber du haut d'un placard sur la tête du garde. Cette intervention – divine ? – me permit de désarmer le type en lui envoyant ce qu'on est bien obligé d'appeler un grand coup de pied dans les parties, et ce avec une violence et une détermination qui me surprirent moi-même.

Il se tordait de douleur sur le sol quand ses collègues arrivèrent à la rescousse. À ce moment, nous étions déjà en train de dévaler l'escalier. Entre deux étages, Magnus, qui connaissait les lieux, trouva la boîte à fusibles et fit disjoncter une partie du système électrique, si bien qu'on ne voyait plus grand-chose dans le laboratoire où seuls les éclairs de l'orage continuaient à envoyer de la lumière par intermittence. Je dévalai les marches quatre à quatre en serrant le panda autour de mon cou. Après ce qu'il venait de faire pour nous, pas question de le laisser subir leurs expériences! Nous arrivâmes au rez-de-chaussée sans trop d'encombre mais hors d'haleine.

— Comment va-t-on ressortir? demandai-je à Magnus en courant vers la porte par laquelle nous étions entrés. Ils sont derrière nous et nous n'avons plus personne pour franchir l'identificateur de pupille.

— Comme ça! répondit-il, sortant de la mallette un pistolet semi-automatique que Barbara nous avait affirmé être l'arme la plus efficace de sa collection.

En général, je ne fais guère confiance aux armes comme moyen de se sortir d'une situation difficile, mais nos récentes mésaventures m'avaient poussé à nuancer mon jugement et j'admets volontiers que le 9 mm se révéla d'une efficacité redoutable, puisque Magnus réussit à faire exploser tous les vitrages de l'entrée en vidant les quinze coups du chargeur.

Nous fûmes dehors trois secondes plus tard. Je courus comme un dératé vers la voiture, sans toutefois lâcher le panda. À mi-chemin, je ressentis un violent point de côté. Je fus tenté de ralentir pour reprendre mon souffle, mais des coups de feu retentissaient derrière moi. On nous tirait dessus et les spots puissants qui éclairaient les pelouses autour du parking faisaient de nous des cibles très faciles. J'atteignis la voiture le premier, mais Gemereck n'était pas loin derrière. Heureusement, nous avions pris la précaution de ne pas fermer les portes à clé. Je m'installai au volant et fis passer le petit ours sur le siège arrière. Magnus s'engouffra à ma suite et je démarrai en trombe. En lui jetant un coup d'œil, je vis qu'il avait la jambe en sang.

— Merde, vous êtes touché.

— Ce n'est rien, foncez ! hurla-t-il. S'ils nous rattrapent, ils nous tueront !

Je mis les gaz vers la sortie, tout en me demandant comment nous allions pouvoir franchir les barrières du poste de contrôle. Très vite, je sentis un pneu éclater, puis la vitre arrière vola en éclats.

— Ne vous arrêtez pas ! gueula Magnus qui voyait la mort arriver vers nous à grands pas.

Je fis de mon mieux pour maîtriser la voiture qui devenait incontrôlable.

Nous allions aborder la pente qui menait à la sortie lorsque l'éclatement d'un deuxième pneu envoya la Chrysler s'écraser contre le mur d'enceinte. L'impact fut violent et enfonça l'avant du monospace. Les airbags s'étaient déclenchés et, en apparence, nous étions tous les deux indemnes, mais pour combien de temps encore ?

J'aidai Gemereck à s'extraire de son siège. Derrière nous, la meute des gardes n'était plus qu'à quelques mètres. Je lorgnai du côté de la grille d'entrée, mais il n'y avait pas d'espoir non plus dans cette direction :

le véhicule des deux vigiles que nous avions vus en arrivant remontait la pente à toute vitesse pour nous empêcher d'aller plus loin. Nous étions encerclés. Cette fois, c'était bel et bien fini.

En arrivant à notre hauteur, la voiture des gardes fit un dérapage contrôlé d'un demi-tour et, malgré la pluie battante, il me sembla que le vigile assis sur le siège passager nous faisait de grands signes pour nous inviter à monter à l'arrière. Je m'approchai de la vitre et je compris alors que ma prière avait été exaucée et que nous ne tomberions pas, ce soir-là, sous les balles d'une milice trop zélée. J'aidai Magnus et le panda à prendre place et m'assis à leurs côtés.

La voiture démarra en trombe. Le vigile assis à la place du mort enleva sa casquette et se tourna vers nous.

C'est alors que nous aperçûmes le visage moqueur de Barbara.

— Je vous l'avais bien dit qu'ils auraient besoin de nous ! lança-t-elle d'un air de triomphe au conducteur.

— Alors les gars, contents de nous voir ? demanda la voix de Vittorio au moment où la voiture enfonçait la barrière et nous emportait dans la nuit.

17
La piscine

La piscine couverte du San Remo Building était située au dernier étage du bâtiment. Les grandes fenêtres vitrées permettaient d'apercevoir les lumières de la ville et donnaient cette impression de domination qui explique pourquoi les présidents des grandes entreprises font toujours installer leurs bureaux au dernier niveau des hautes tours.

À minuit passé, le lieu n'était guère prisé par les résidents de l'immeuble. Notre arrivée bruyante avait semblé incommoder un homme d'affaires asiatique qui s'était éclipsé peu après, si bien que nous étions à présent les seuls usagers du luxueux complexe.

Assis au bord de l'eau bleue qui brillait dans la nuit, Magnus s'amusait à faire des vagues avec les pieds, tout en savourant un verre de saint-estèphe. À côté de lui, une minichaîne portable, branchée sur une station FM, diffusait les dernières nouvelles du monde.

Vingt-quatre heures après notre équipée nocturne, une chose était certaine : nous avions mis une belle pagaille – «un beau bordel», selon Barbara – dans le monde politico-économique américain. Nos révélations, envoyées par courrier électronique, avaient été reprises dans les principaux journaux télévisés de la mi-journée. Si, pour l'instant, MicroGlobal et le gouvernement s'étaient refusés à toute déclaration, le contenu de nos messages avait été considéré comme crédible par les médias qui avaient envoyé des hordes de caméras devant les grilles d'entrée de Cell Research Therapeutics. Bien que réparées dans la hâte, celles-ci gardaient encore certaines séquelles des échauffourées de la veille.

Les journalistes n'avaient pas été longs à attribuer ces messages à l'auteur du vol de *La Joconde*, du meurtre de Steiner et du sabotage des cuves de Real Island. Magnus avait d'ailleurs tout fait pour les conforter dans cette croyance puisque, sans me prévenir, il avait signé tous nos messages par : Mona Lisa, acte III.

Après avoir dormi quinze heures d'affilée et avalé un copieux dîner, tout le monde avait retrouvé ses esprits. Pour oublier tout à fait nos émotions, Barbara nous avait proposé un bain de minuit, suggestion qui avait immédiatement ravi mes deux compagnons. Quant à moi, j'avais dû avouer, un peu gêné, n'avoir pas emporté de slip de bain dans mes bagages. Pour plaisanter, Carosa m'avait conseillé de me baigner *in natura-libus*, tandis que Magnus s'était dit prêt à me donner un immonde caleçon orange et vert datant sans doute des beaux jours de la guerre froide. Heureusement, Barbara était venue à ma rescousse en trouvant au fond d'un tiroir un maillot tout à fait convenable.

Assis à côté de Gemereck, j'étais en train de m'interroger sur la pertinence d'avoir fait passer nos propres messages pour des communications de Mona Lisa. En agissant de la sorte, n'avions-nous pas finalement servi sa cause au lieu de la combattre comme nous étions pourtant censés le faire ? De plus, je digérais mal que Magnus ait signé les messages sans même m'avoir demandé mon avis, après tous les risques que nous avions pris ensemble. J'allais lui faire part de mes reproches lorsqu'une sirène prononça mon nom :

— Tu ne te baignes pas, Théo ?

Tout en m'invitant à nager, Barbara rajusta son bonnet de bain bleu ciel qui lui donnait l'air d'une adolescente espiègle.

— Je voulais perdre quelques kilos avant de profiter de la piscine, mais tant pis, dit-elle en haussant les épaules, avant d'effectuer un plongeon gracieux.

Je la suivis dans l'eau qui était chaude et agréable. En faisant de longues brasses dans le bassin, je me sentais à la fois délassé et fourbu. Pendant un moment, je m'imaginai être une grosse tortue d'eau, imperturbable et libre, au milieu des eaux chaudes du Pacifique. J'aurais voulu m'allonger sur du sable et dormir pendant quarante jours.

Vittorio avait atteint le plongeoir le plus haut. Il décontracta ses muscles comme un véritable sportif de haut niveau, avant d'exécuter parfaitement une figure compliquée.

Barbara regagna le bord de la piscine. Engoncé dans une chemise hawaïenne qui le boudinait, Magnus lui servit un verre de vin et la complimenta sur sa ligne.

Je nageai encore un moment sous l'eau, en essayant de caresser sur toute la longueur la belle mosaïque dorée qui s'étalait au fond de la piscine.

Barbara avait éteint la radio et mis un CD de musique New Age dont les accords apaisants résonnaient dans tout le bâtiment.

Je m'en souviens comme d'un moment agréable...

La porte de l'ascenseur s'ouvrit sur l'uniforme reconnaissable du gardien de l'immeuble. Je sortis de l'eau en hâte et m'emmitouflai dans un peignoir en coton. L'homme, une casquette vissée sur la tête, s'avança vers nous sans se presser. Je crois qu'immédiatement chacun de nous ressentit la présence terrifiante de Maumy. Lorsqu'il fut assez proche de nous, il enleva sa casquette et nous toisa longuement avec, aux lèvres, cet éternel sourire qui semblait se délecter par avance des tortures qu'il espérait nous faire subir. Avant que Magnus, Vittorio ou moi ayons pu réagir, il dégaina le revolver qu'il portait à sa ceinture.

À cet instant, même l'eau du bassin ne décrivait plus la moindre ondulation. Maumy s'approcha de moi d'un pas décidé. Vu l'insistance de son regard – que je me forçai à soutenir –, je me doutais bien que je serais, cette fois, le premier jouet de sa folle cérémonie.

Du sac à dos qu'il portait en bandoulière, il tira lentement un long couteau de combat, mais, au lieu de me trucider directement avec cette arme, il me la tendit par le manche, sans cesser toutefois de nous menacer tous les quatre avec le revolver.

Pour la première fois, nous entendîmes sa voix – une voix sourde et sépulcrale qui ne pouvait qu'effrayer :

— Il est temps que tu enlèves à cette demoiselle les kilos dont elle se plaignait tout à l'heure.

Durant les secondes qui suivirent, mon cerveau préféra ne pas comprendre ce qu'il me demandait. Mais, au fond de moi, je savais qu'avec un tel démon rien n'était impossible.

Il s'éloigna un moment pour aller rôder autour de Barbara. Après l'avoir détaillée de façon insupportable, il leva les yeux vers moi et dit dans un rire guttural :

— Si j'étais toi, Théo, je commencerais par les cuisses : c'est là qu'il y a le plus à prendre.

Mon regard se perdit un instant dans celui de Barbara qui, malgré le danger, restait étonnamment stoïque.

Je tenais toujours dans une main le couteau qu'il m'avait tendu, mais j'étais incapable de faire un geste, un peu comme si mon cerveau venait d'exploser à force de refouler l'effroi et l'horreur que m'inspiraient les dernières paroles du tueur. Reprenant tant bien que mal mes esprits, je me tournai vers lui et dis avec véhémence :

— Vous êtes cinglé ! Vous ne croyez tout de même pas que je vais la charcuter pour satisfaire vos fantasmes de déséquilibré. Je préfère encore que vous me supprimiez tout de suite.

Mon insoumission n'eut pas l'effet escompté et je m'attendais de sa part à toutes les reparties, sauf sans doute à celle qu'il lâcha à ce moment-là.

— Te supprimer comme j'ai supprimé ta mère ? demanda-t-il, un sourire sadique accroché à la face.

Sa question me fit l'effet d'une balle dans le ventre. Jusqu'à mon lit de mort, jamais je n'oublierai ces paroles.

— Ce n'est pas vrai, vous... vous bluffez.

— Je bluffe ? Tu veux que je te raconte la manière dont j'ai dépecé ta gentille maman ?

— Vous bluffez ! répétai-je en hurlant de douleur.

— Je peux te décrire la petite maison de Boston, au 223 Benton Street, ton ancienne chambre d'étudiant qu'elle a laissée en l'état, le poster des Red Sox[1] au-dessus de ton lit et le vieux chien Coddy qui courait encore dans le jardin avant que je lui mette une balle dans la tête.

— Taisez-vous, le suppliai-je tandis que des larmes de souffrance coulaient sur mes joues.

— Je peux aussi évoquer la couleur de la poêle en fonte dans laquelle ont rissolé le foie et le cœur de ta maman. Ha ha ha !... Tu veux que je te dise l'odeur de la sauce aux morilles avec laquelle j'ai dégusté ses organes ?

_____

1. Célèbre équipe de base-ball de Boston.

Secoué de spasmes, je faisais des efforts surhumains pour garder le couteau de cuisine serré dans ma main droite. Il était évident que ma souffrance l'excitait au plus haut point. Je me rapprochai de lui, mais il continua ses horreurs :

— Tu sais qu'elle a prononcé ton nom, Théo, lorsque la lame s'est enfoncée dans sa chair ? Elle n'a pas oublié son petit garçon alors que, toi, tu ne vas jamais la voir. Tu veux savoir ce que je lui ai fait lorsqu'elle...

Son revolver était toujours pointé sur moi, mais je ne le voyais plus. La douleur était à ce point insoutenable que, pour le faire taire, je me jetai sur lui avec le couteau.

La détonation me fracassa les tympans. La balle avait été tirée à bout portant. Elle m'explosa l'épaule gauche et m'envoya à terre. Quant au couteau, il lui transperça le bras, ce qui ne lui arracha aucun cri. Lorsqu'il réalisa qu'il était toujours en position de domination, son visage afficha curieusement un léger ennui.

En me relevant, je crus qu'il voulait en finir et qu'il allait nous liquider dans la minute. C'est alors qu'il eut un geste qui, de nouveau, nous déconcerta tous les quatre : il posa lentement son arme à terre avant de nous lancer un regard plein de défi.

Cette fois, Magnus et Vittorio ne cherchèrent pas à en comprendre davantage. Ils se ruèrent sur le forcené désarmé et le maîtrisèrent. Pendant que les deux hommes le maintenaient à terre, Barbara le ligota sans trembler avec l'une des cordes en nylon qui servaient à séparer les couloirs de natation. Maumy n'opposa aucune résistance. Ce n'était pas normal.

L'épaule en sang, je me ruai sur le sac de plage de Barbara, en sortis son téléphone portable et appelai le domicile de ma mère à Boston.

Première sonnerie... Deuxième... Troisième... Quatrième...

— Ça ne répond pas ! hurlai-je en secouant l'appareil.

Magnus était revenu vers moi et essayait de me calmer.

— Laissez encore sonner, il est plus de 1 heure du matin. Elle doit probablement dormir.

Barbara m'accompagna en taxi aux urgences. Nous voulions à tout prix éviter de faire venir une ambulance au San Remo. À l'hôpital, je prétendis avoir été attaqué en pleine rue par un type visiblement sous l'emprise de la drogue qui cherchait à me voler mon portefeuille. Il me fallut faire une déclaration au policier de garde, mais un mensonge comme celui-là n'éveillait pas les soupçons dans une ville comme New York.

Je croyais être atteint au niveau de l'épaule, mais en réalité la balle n'avait fait que brûler le haut de mon bras et râper l'os sans le casser, si bien qu'après une radio et un énorme bandage les médecins ne jugèrent pas utile de me garder plus longtemps en observation. Avant de partir, je dis au docteur que l'agression m'avait profondément traumatisé et que j'en redoutais les conséquences psychologiques. Il accepta de me prescrire une boîte d'anxiolytiques.

J'avalai fébrilement une gélule dans le taxi qui nous ramenait à Central Park West tout en repensant aux minutes qui avaient suivi le coup de feu.

Ma mère avait finalement répondu au bout de la dixième sonnerie. Elle était inquiète de me voir l'appeler en pleine nuit pour seulement lui «demander des nouvelles». Bien entendu, je ne lui dis pas un mot sur la scène que je venais de vivre mais, Dieu merci, elle n'avait jamais été approchée par Maumy. En parlant un moment avec elle, j'appris qu'un homme lui avait téléphoné la veille et s'était présenté comme un employé de mon ancienne université chargé de mettre à jour le site Internet des anciens élèves. Il avait posé un tas de questions sur notre vie à Boston, sur nos activités, nos loisirs, nos relations et mes occupations lorsque j'étais étudiant. Il avait même demandé le prénom du chien.

Lorsque je pénétrai dans l'appartement, la crainte continuait à m'habiter. Dès que mes amis avaient été rassurés sur mon état de santé, ils avaient transporté Maumy dans l'une des chambres de l'appartement. Là, malgré sa blessure au bras qu'ils avaient sommairement bandée, ils avaient encore consolidé les liens qui emprisonnaient le monstre, utilisant même la paire de menottes intacte que Barbara avait eu la bonne idée de rapporter d'Irlande, pour l'attacher aux barreaux du lit. Vittorio l'avait ensuite bâillonné, mais, comme son regard continuait à mettre tout le monde mal à l'aise, Magnus s'était décidé à lui injecter un puissant somnifère.

J'allai me laver le visage dans la salle de bains, avant de retrouver les autres, réunis au salon autour d'une tasse de tisane.

Le petit panda – que nous avions baptisé Darjeeling – s'était blotti contre Barbara. Apparemment il ne dépérissait pas, même si nous ne lui donnions pas sa ration journalière de bambou, ce qui faisait d'ailleurs dire à Magnus que l'animal avait sans doute déjà subi une transformation génétique.

Je me servis une tasse de camomille en silence, avant de sortir respirer un peu d'air frais sur la terrasse. Dans mon état, j'aurais plutôt eu besoin d'un grand verre de bourbon.

Le jour commençait à se lever dans le parc. Parfois, de grands oiseaux blancs venaient frôler les parois de l'immeuble et manquaient de se fracasser contre nos fenêtres.

— Pourquoi a-t-il fait ça ? demandai-je à Magnus qui, au bout d'un moment, m'avait rejoint sur la terrasse.

— Hum ?... grogna-t-il, les yeux dans le vague, en allumant sa pipe.

— Pourquoi s'est-il soudainement rendu, alors qu'il aurait pu facilement nous tuer ?

— Ça n'a pas été une décision soudaine, répondit-il d'une voix ferme.

— Qu'est-ce que vous voulez dire ?

— Maumy avait déjà pris la décision de se rendre avant de venir ici.

— Mon cul! dis-je en montrant mon épaule, il aurait pu me tuer!

Gemereck secoua la tête doucement. Un vent frais monta du parc.

— Il s'est seulement amusé avec vous, Théo; s'il avait vraiment voulu vous éliminer, croyez bien qu'il l'aurait fait, affirma-t-il en rejetant une bouffée de fumée.

— Comment pouvez-vous en être aussi sûr?

— Vous ne comprenez donc pas? Il nous a conviés aux premières loges pour son dernier crime.

— Quel crime? demanda Vittorio alors que nous regagnions les fauteuils du salon. Qui Maumy veut-il encore éliminer?

— Lui-même, répondit Barbara sans hésitation.

— Tout à fait, miss Weber, approuva Magnus, satisfait de voir la jeune femme le suivre dans son raisonnement.

— Un suicide?

— Non, Théo, un meurtre.

— Attendez, est-ce que vous voulez dire que…

— Oui, assura Gemereck sans me laisser finir, Maumy attend simplement que *nous* le tuions. Il veut finir en apothéose et mettre en scène sa propre mort.

Suivit un long silence pendant lequel le sentiment terrifiant que ce cauchemar n'aurait jamais de fin s'empara de nous.

Vittorio reprit la parole d'un ton déterminé:

— Nous ne le tuerons pas, il suffit de le livrer aux flics.

— Hum hum... vous êtes décidément naïf, lui reprocha Magnus en secouant la tête, vous oubliez qu'il a tout vu : il connaît nos noms, nos adresses, il se doute que nous avons *La Joconde* et il balancera tout ça aux enquêteurs, vous pouvez en être sûr.

— Il ne dira rien, affirma Vittorio comme s'il voulait s'en persuader lui-même.

Mais Barbara n'était pas de cet avis.

— Il parlera, c'est certain. Les *serial killers* aiment parler de leurs crimes, cela les aide à assouvir leurs fantasmes. Nous n'avons pas le choix, il faut le supprimer.

— Peut-être, reprit Magnus songeur, mais nous n'avons pas de légitimité pour le tuer, et cela, Maumy le sait. Sa dernière victoire consisterait justement à nous forcer à l'éliminer en transgressant les lois.

— Il a tué plus de trente personnes dans les conditions les plus atroces qui soient, rappelai-je. Ça nous donne une légitimité suffisante.

Barbara m'approuva.

— Pensez à tous ceux qu'il a massacrés. Pensez aux tortures, aux viols et aux humiliations qu'ils ont dû subir avant de mourir. Il n'y a plus rien d'humain chez lui. C'est une bête, un démon, et le supprimer est une œuvre de salubrité publique.

— Peut-être, admit Vittorio, mais ce n'est pas à nous d'en décider.

— Qui doit le faire alors ? demanda violemment Barbara. Dieu ?

— Non, pas Dieu, mais la justice des hommes. C'est la loi.

— La loi ne dit pas forcément ce qui est juste, s'emporta la jeune femme.

— Ça serait trop facile ! rétorqua le prêtre. Ce type est un malade mental, mais il a droit à un procès dans les règles. Que vous le vouliez ou non, il fait partie du genre humain, mais c'est une subtilité qui vous échappe sans doute.

— Il me semble que vous paradiez moins lorsqu'il était en train de vous déchiqueter l'oreille !

La repartie de la jeune femme avait fusé comme une gifle et le prêtre en resta mortifié.

— Doucement, doucement, réclama Gemereck en levant les bras pour calmer les esprits qui commençaient à bien s'échauffer. Vous parlez de supprimer Maumy : très bien, mais qui va s'en charger ? Qui va presser la détente ? Qui va essuyer le sang qui coulera sur le sol ? Qui fera disparaître le corps ?

— Nous avons déjà tué deux hommes en Irlande, remarquai-je, mi-ironique, mi-désabusé. Nous n'en sommes peut-être plus à un près...

— C'était totalement différent ! s'insurgea Magnus. Nous étions en situation de légitime défense et vous le savez.

Bien sûr que je le savais. De plus, Gemereck venait de poser une question cruciale en évoquant l'aspect « pratique » de l'éventuelle élimination de Maumy. J'avais déjà la certitude que le visage de Seth reviendrait peupler certaines de mes nuits et je n'imaginais pas une seconde abattre à nouveau un homme de sang-froid, fût-il le plus sanguinaire des *serial killers* américains. Sans doute aurais-je tué Maumy sans hésiter s'il avait torturé ma mère. Le besoin de légitimité n'aurait alors pas pesé lourd face à la détresse et à la haine. Mais tel n'était pas le cas ici.

Maumy semblait avoir définitivement gagné : si nous le tuions, il réussirait à faire de nous des assassins ; si nous le livrions aux autorités, il nous entraînerait avec lui dans sa chute.

Ce fut Vittorio qui trouva la solution.

Prêtres et séminaristes, les Missionnaires du Christ étaient plus de deux cents. La congrégation avait été fondée en Suisse, au sortir de la Seconde Guerre mondiale, par le père genevois Arthéus Blanchet. Pendant plus de trente ans, elle n'avait guère compté plus d'une vingtaine de religieux qui fabriquaient du fromage de brebis dans la quiétude de l'abbaye de Blanchebois, au milieu de la forêt de Romainval.

Mais la congrégation avait changé de visage au début des années 1980, avec l'arrivée à sa tête de Lenny Goodmann. Célèbre chanteur de folk de la fin des années 1960, Goodmann avait composé plusieurs ballades à succès dont la fameuse *Margaret in the Green Bus* qui, aujourd'hui encore, était régulièrement diffusée sur les ondes et faisait le miel des apprentis guitaristes qui pouvaient plaquer, sans trop de difficulté, les trois accords de la chanson sur leur guitare sèche, en répétant inlassablement le maigre refrain.

It was a sunny afternoon
Margaret was in the green bus
She was pretty and very soon
We made love in the green bus

Après avoir été l'un des leaders du mouvement contestataire de cette période, Goodmann s'était pris d'un engouement mystique vers la fin des *seventies*, ce qui l'avait conduit à intégrer les Missionnaires du Christ. Il ne lui avait fallu que quelques années pour se retrouver à la tête du groupe et en faire un puissant mouvement dont on ne savait plus très bien s'il s'agissait d'une Église, d'une secte, d'une association caritative ou d'un lobby. Une chose en revanche était certaine : sous la houlette de l'ex-baba, le groupe avait acquis un pouvoir économique non négligeable. La congrégation possédait en effet une centaine d'immeubles dans les grandes métropoles européennes ainsi qu'un porte-feuille boursier de plusieurs centaines de millions de dollars.

Bien qu'il nous en ait dit le moins possible, j'avais vaguement compris que Vittorio était ce que l'on appelle un prêtre «affilié» : sans être un membre à part entière de la congrégation, il appartenait néanmoins à certains réseaux qui gravitaient autour d'elle.

Il appela Goodmann sur son téléphone portable et lui expliqua qu'il désirait s'entretenir avec lui d'une affaire de la plus haute importance.

D'après le ton de la conversation, il me sembla que les deux hommes se connaissaient bien. Le chef des Missionnaires le rappela quelques minutes plus tard, *via* une ligne sécurisée. Carosa fut néanmoins prudent et lui parla d'un « colis important à venir chercher d'urgence ».

Comme on pouvait s'en douter, Lenny rechignait à quitter son quartier général suisse. Il proposa néanmoins de nous envoyer quelques hommes, mais Carosa lui fit part de l'absolue nécessité de se déplacer lui-même.

— C'est vraiment très important, répéta Vittorio.

Goodmann promit qu'il serait là dans la soirée.

En attendant, nous pouvions nous accorder quelques heures de sommeil. Je pris le premier tour de garde près de Maumy.

Aux alentours de midi, le somnifère cessa de faire son effet. Je vis le tueur ouvrir lentement les paupières et secouer la tête. Heureusement, j'avais déjà préparé une autre seringue. Je me rapprochai précautionneusement mais, avant de lui enfoncer l'aiguille dans le cou, je ne pus m'empêcher de lui ôter un instant son bâillon.

Je redoutais qu'il ne se remette à rire ; heureusement, l'effet de l'injection précédente n'était pas complètement dissipé et rendait son visage inexpressif et pâle.

La question sortit de ma bouche sans que je l'eusse vraiment voulu. Sans doute fallait-il que je lui parle, que je lui dise au moins ces mots-là :

— Pourquoi... pourquoi tous ces meurtres ?

Je savais néanmoins qu'aucune réponse ne conviendrait jamais à cette interrogation.

— À cause de ça, répondit-il pourtant, en désignant de la tête la ville qui s'étendait derrière la vitre de la fenêtre.

— À cause de la société ?

— À cause de ce que c'est devenu, précisa-t-il très lentement.

Sa voix avait changé. Elle était comme vieillie prématurément. À ce moment, une grande tristesse me submergea.

— Mais tous les gens que vous avez tués et torturés, ils étaient... ils étaient innocents.

Je ne saurai jamais s'il entendit et comprit ma dernière remarque. Il essaya de se relever, mais les menottes le ramenèrent sur le lit.

Je lui réinjectai une nouvelle dose de somnifère et sortis de la pièce. Il m'était devenu insoutenable de continuer à le regarder.

Je déambulai un moment, seul, au milieu des livres de la bibliothèque, avant de mettre la main sur ce que j'espérais trouver : un recueil de poèmes d'Emily Dickinson, dont le Pr Joseph Maumy était l'un des meilleurs spécialistes avant de sombrer dans son abominable folie meurtrière.

Je récitai quelques vers, lentement, comme pour une prière.

Je jetai un œil à travers la vitre : des nuages lourds et gris avaient maintenant envahi le ciel. À ce moment, je regrettai de ne pas croire en Dieu.

Lenny Goodmann et ses hommes arrivèrent en début de soirée. Le crâne rasé, vêtues d'une tenue noire sans distinction particulière, les cinq silhouettes sombres pénétrèrent dans l'appartement sans un mot.

Vittorio nous présenta rapidement et Lenny nous serra la main à tour de rôle, toujours sans prononcer la moindre parole. Puis vint le moment de pénétrer dans la chambre. Goodmann regarda sans émotion particulière le corps endormi de Maumy.

— Vous le reconnaissez ? demanda Carosa.

Toujours économe en paroles, l'ancien chanteur hocha imperceptiblement la tête. Pendant tout le temps qu'il resta avec nous, il ne cligna pas une seule fois des yeux.

— Qu'attendez-vous exactement de moi ?

Sa voix était calme et posée. Elle inspirait confiance.

— Que vous lui offriez un asile, répondit Vittorio.

— Une prison, nuança fermement Barbara.

— Personne ne doit savoir, précisa Magnus. Il ne doit jamais plus sortir.

Goodmann sembla s'accorder quelques instants de réflexion puis, au lieu de donner une réponse, il se rapprocha de Gemereck.

— Je connais bien vos travaux, professeur, et permettez-moi de vous dire que je partage votre position.

— Ravi de l'apprendre, fit Magnus, un peu surpris par les propos du missionnaire.

— Je crois que nous sommes du même côté, vous et moi.

— Hum…, fit Gemereck en soutenant le regard de son interlocuteur. Vous êtes, je crois, du côté de Dieu tandis que je suis du côté des hommes.

Cette repartie parut satisfaire Lenny.

— Vous savez bien que Dieu est du côté des hommes.

Sur un geste de sa part, les quatre acolytes de Goodmann se saisirent vigoureusement de Maumy et entreprirent de le sortir de l'appartement.

— Qu'allez-vous faire exactement ? voulus-je savoir, me demandant subitement si nous ne commettions pas une erreur en abandonnant le *serial killer* aux mains de cette secte.

— Une voiture nous attend en bas et nous conduira directement à l'aéroport. Nous regagnerons la Suisse dans notre jet privé. Nous l'enfermerons, ensuite, dans une des cellules de l'abbaye.

— Comment ferez-vous pour éviter les contrôles à l'aéroport ?

— Disons que nous avons quelques fidèles parmi le personnel.

Magnus renouvela ses conseils :

— Soyez d'une grande prudence, vous savez de quel carnage est capable cet individu.

— N'ayez pas d'inquiétude : ce ne sera pas notre premier « locataire », répondit Goodmann d'un air mystérieux. Vous n'êtes pas sans savoir que, pour toutes sortes de raisons plus ou moins avouables, l'Église est parfois obligée d'abriter certains personnages peu recommandables. Personne ne saura, assura-t-il encore une fois, jamais...

— Merci pour tout, Lenny, dit chaleureusement Vittorio. Nous vous revaudrons ça.

Goodmann sortit à la suite de ses hommes en nous faisant un salut de la main, sans se retourner.

Au moment où la porte se refermait, je ne pus m'empêcher d'avoir un dernier doute sur la pertinence du choix que nous venions de faire.

18
Révélations (1)

Je ne saurais dire précisément quand et pourquoi l'évidence s'est imposée. Je crois que ce fut un processus lent et inexorable. Je pense même qu'inconsciemment nous avions toujours su que nous en arriverions là. Sans doute ne pouvait-il pas en être autrement.

Certes, nous avions bien essayé au départ de chercher un maillon, une connaissance commune qui nous aurait reliés. Nous n'avions rien trouvé et nous avions rapidement laissé tomber parce que cela nous arrangeait. Mais quelqu'un qui trouve dans sa boîte aux lettres un objet volé de grande valeur va normalement le signaler à la police s'il n'a rien à se reprocher. Nous étions tous des menteurs ou, ce qui revient au même, des dissimulateurs.

Tout le monde avait été parfait, aucun indice ne nous avait vraiment trahis. Même si Barbara était un peu trop belle et Vittorio si compréhensif. Même si, avant notre arrivée, Magnus avait enlevé des étagères toutes les photos de sa fille.

Pourtant, progressivement, nous avions tous compris.

Ces derniers jours, j'avais d'ailleurs eu parfois l'impression qu'une présence invisible veillait sur nous et, comme Vittorio devait bientôt nous l'apprendre, dans la symbolique des chiffres, 4 n'est que le signe de la potentialité et de l'expectative, avant que ne s'opère la manifestation, qui vient avec le 5.

Nous attendions donc notre cinquième élément, notre cinquième sens ; 5 est d'ailleurs le véritable chiffre de la Terre car, si la croisée d'un méridien et d'un parallèle divise bien la Terre en quatre secteurs, ces quatre régions cardinales ne sont rien sans leur centre.

Je fus le premier à parler.

D'aussi loin que je me souvienne, les mensonges m'ont toujours pesé. Sans doute cela expliquait-il en partie mon choix – puis, plus tard, mon abandon – de la profession d'avocat.

Ce soir-là, au moment d'ouvrir la bouche, je ne savais pas encore que ce que j'allais découvrir constituerait l'une des expériences les plus éprouvantes de ma vie.

Nous étions réunis tous les quatre dans le salon, autour d'un chevalet sur lequel nous avions posé un sous-verre contenant les quatre parties de *La Joconde* enfin réunies. Je crois qu'une grande émotion habitait chacun de nous. En regardant cet ensemble, encore magnifique malgré les détériorations subies, j'étais de plus en plus persuadé que des spécialistes seraient un jour capables de restaurer le tableau.

Le petit panda qui ne nous quittait plus s'était endormi sur un pouf.

Nous étions à la tombée de la nuit, lors de ce moment de transition que l'on qualifie en France d'«entre chien et loup», et une lumière douce et étrange montait de Central Park.

— J'ai mis longtemps à comprendre, dis-je doucement.

— À comprendre quoi? demanda Vittorio sans lever les yeux du tableau.

— À comprendre ce qui nous liait tous les quatre. À trouver quel était le fil conducteur.

Tout le monde tourna la tête vers moi. Je pouvais voir sur les visages un mélange de curiosité et, me sembla-t-il, de sourde crainte. Je continuai sans me presser.

— Remarquez, il y a quand même une petite chose qui aurait dû me mettre plus rapidement sur la voie: l'intensité avec laquelle vous la regardiez à la télévision, cette petite étincelle qui jaillissait de vos yeux à ce moment-là.

— Lorsque nous regardions qui? voulut savoir Magnus vraiment mal à l'aise. *La Joconde*?

— Non, répondis-je, toujours sans hausser la voix, lorsque vous la regardiez Elle: Mélanie Anderson.

Il n'y eut aucune réaction immédiate à ma dernière phrase. Barbara voulut dire quelque chose mais se ravisa soudain. Puis Magnus demanda, sans vraiment me regarder dans les yeux:

— Vous l'avez connue?

J'acquiesçai de la tête puis précisai:

— Disons que j'ai *cru* la connaître.

— Et dans quelles circonstances ? demanda-t-il presque benoîtement.

Je fis mine de réfléchir mais, au fond de moi, je savais déjà très bien ce que j'allais raconter.

— Imaginez, par exemple, un après-midi d'avril, dans un village de Bretagne, il y a un peu plus de quatre ans. Je me promène sur la plage avec Mélanie. Nous sommes arrivés en France trois jours auparavant. Comme il commence à pleuvoir, nous courons nous réfugier dans la maison que nous avons louée pour le week-end. Mel frissonne un peu ; je lui sèche les cheveux avec une serviette. Elle prépare du thé et des tartines pendant que j'allume un feu dans la cheminée. Elle sourit, je crois qu'elle est heureuse. À cette époque, elle n'est encore que sénatrice du New Jersey. Le lendemain, nous allons acheter un assortiment de coquillages, du pain de campagne, des citrons et du beurre salé dans un petit port de pêche. Puis nous retournons sur notre plage nous asseoir sur un gros rocher plat. Le soleil est revenu. Je plonge une bouteille de cidre dans l'eau de mer pour la rafraî-chir. Mel met du beurre sur le pain alors que j'ouvre les coquillages avec un couteau suisse. Je me souviens d'avoir alors pensé que, si nous venions un jour à être séparés, c'est cet épisode qui me servirait de référence comme dernier barreau de mon échelle du bonheur : le pique-nique sur la plage, avec elle, nos sourires balayés par le vent salé. Voilà un souvenir, Magnus... un des meilleurs.

Je me levai et fis quelques pas dans la pièce en respirant bien à fond pour dissiper l'émotion qui montait dans ma poitrine et me glaçait le sang. À ce moment, il m'en coûtait de continuer. Je me mis donc à parler plus vite :

— Le souvenir le plus douloureux, maintenant. Deux semaines plus tard, aux États-Unis. Nous nous voyons cinq minutes dans son bureau. La campagne pour les élections présidentielles a déjà commencé. Elle me dit que le Parti démocrate lui a proposé de faire équipe avec Montana dans la course à la présidence et qu'elle a accepté. Elle me met devant le fait accompli, nous n'en avons jamais vraiment discuté auparavant. Je sens que je ne pourrai plus jamais avoir confiance en elle. Je sais aussi qu'un jour elle deviendra la première femme à la Maison-Blanche. Je comprends tout à coup que c'est son ambition absolue et que notre histoire d'amour ne représente pas grand-chose à côté. Je ne dis rien sauf le traditionnel « *good luck* » ou « *take care* » pour être beau joueur. Je me lève et sors de son bureau après l'avoir regardée une dernière fois. Je ne l'ai plus revue, ne lui ai plus parlé depuis. Notre relation amoureuse a duré six mois, elle est restée platonique.

Magnus et Barbara me regardèrent, interloqués. Seul le prêtre ne semblait pas étonné par mes propos.

— À qui le tour ? demandai-je simplement.

Magnus ne se fit pas prier. Le temps n'était plus au mensonge.

— En 1962, j'ai commencé à travailler comme jeune chercheur au Centre soviétique de recherche scientifique. Dès cette époque, j'ai régulièrement transmis des informations aux Américains, par l'intermédiaire d'un diplomate en poste à Moscou, en échange d'un transfert futur à l'Ouest. Parallèlement, j'enseignais la biologie à l'université des sciences de Moscou. C'est là qu'en 1974 j'ai rencontré Mélanie Anderson. Elle participait à un programme expérimental d'échange d'étudiants entre nos deux pays – une expérience qui, soit dit en passant, ne serait pas renouvelée les années suivantes – et était venue suivre des cours de physique pendant un an à Moscou. Elle n'avait que vingt et un ans, mais son niveau scientifique était déjà très élevé. Elle a assisté à certains de mes cours puis nous avons fait plus ample connaissance. Elle était très douée, intelligente, spirituelle et se voulait une femme libérée, maîtresse de son destin.

Mélanie ne m'avait jamais parlé de Gemereck, mais elle m'avait dit quelques mots de son voyage d'études à Moscou.

La suite des révélations de Magnus fut détonante.

— Nous avons eu une brève liaison. À l'époque, contrairement à ce qu'on croit souvent, les mœurs étaient assez libres à Moscou si vous ne faisiez pas trop parler de vous. Elle est tombée enceinte dès le début de notre relation et n'a pas voulu avorter, mais il ne faisait pas bon être un couple américano-soviétique à Moscou au temps de la guerre froide. Elle est parvenue à cacher sa grossesse à tout le monde et a accouché à domicile chez un ami médecin en qui j'avais toute confiance. Grâce à mes relations, j'ai pu reconnaître l'enfant sans impliquer Mélanie. À la fin de l'année scolaire, elle a été obligée de retourner à New York et j'ai gardé le bébé.

— Vous voulez dire que Mélanie est la mère de Célia ! m'exclamai-je.

— Oui, et ce n'est que deux ans plus tard, lors d'un congrès scientifique en Italie, que j'ai eu la possibilité de passer à l'Ouest en emmenant ma fille.

— Attendez un moment, Magnus : en tant que brillant scientifique, vous étiez un dissident potentiel. Les Russes ne vous auraient jamais laissé sortir des frontières d'un pays communiste *avec* votre fille.

— Cela faisait partie du plan, Théo.

— Le plan ?

— Pendant deux ans, j'ai tenté de convaincre les Soviétiques de me laisser travailler pour eux comme agent double aux États-Unis. Ils avaient alors besoin de renseignements sur l'avance américaine dans le domaine des virus biologiques. Eux-mêmes travaillaient sur les usages militaires de la variole et de la peste.

— Vous voulez dire que ce sont eux qui ont organisé votre sortie et pas la CIA ?

— C'était le seul moyen pour faire sortir ma fille.

— Et vous les avez trahis…

— J'ai donné le change, mais en fournissant de fausses informations sous le contrôle de la CIA. Le stratagème a duré quelque temps, et ils ont fini par comprendre que j'avais retourné ma veste.

— Et ils ne pouvaient plus rien contre vous ?

— Mes parents étaient décédés depuis longtemps et je n'avais plus de famille proche en Union soviétique.

— Vous avez revu Mélanie ?

— Une seule fois, en 1977, juste après mon *debriefing*. Elle a refusé de poursuivre notre relation et m'a demandé de continuer à élever seul notre enfant, car elle était accaparée par ses études.

Il laissa passer un silence puis ajouta :

— Ma fille n'a jamais vu sa mère ni ne sait qui elle est.

— Vous vous trompez, professeur Gemereck.

Nous nous tournâmes vers Vittorio qui venait de prononcer ces paroles. Bien calé au fond d'un fauteuil, il fumait tranquillement l'un de ses petits cigares en se caressant doucement la barbe.

— Qu'est-ce qui vous permet de dire ça, je vous prie ? interrogea Magnus d'un ton dur.

— Je tiens cette information de la bouche même de Mrs. Anderson, répliqua Vittorio sans se démonter. Non seulement elle connaît sa fille, mais elle la voit régulièrement.

Je vis que Magnus se maîtrisait pour ne pas sauter sur le prêtre et lui marteler la tête à coups de poing.

— Expliquez-vous, Vittorio, demanda Barbara calmement, nous devons en savoir davantage.

C'est alors que Carosa nous fit l'une des révélations majeures de cette histoire.

— La première fois que j'ai vu Mrs. Anderson, c'était il y a deux ans, à l'intérieur de la petite église de Christ

Church, dans le quartier de Nolita, dans le nord de Little Italy. J'étais venu terminer aux États-Unis ma thèse de théologie et j'assurais un demi-service de prêtre à Christ Church. Je ne l'ai pas reconnue immédiatement : ce n'est que lorsque les gardes du corps ont fait irruption dans l'église que j'ai compris qui elle était. Elle m'a d'abord demandé de la confesser, mais il m'a semblé qu'elle avait surtout envie de parler. Elle paraissait très déprimée, comme épuisée par sa fonction. Allez savoir pourquoi, elle a eu immédiatement confiance en moi. Je lui ai proposé un café et nous avons commencé à discuter. Deux heures plus tard, elle semblait avoir retrouvé un peu de tonus. Ensuite elle est revenue me voir environ une fois tous les deux mois. Petit à petit, elle m'a raconté l'histoire de sa vie, mais en ne mentionnant jamais vos noms véritables. Ainsi, je vous connaissais tous déjà un peu avant de vous rencontrer.

J'aurais donné n'importe quoi pour savoir ce que Mélanie avait pu dire sur moi, mais je ne posai pas de questions pour l'instant.

De tous les récits que j'entendis ce soir-là, ce fut sans conteste celui de Barbara qui me surprit le plus et qui, dans un sens, me fit le plus de peine. Elle avait pourtant pris les devants en nous prévenant.

— Ce que je vais vous raconter ne va pas vous plaire.

Pendant tout le temps qu'elle parla, elle ne me quitta pas des yeux, mais son regard n'était ni hostile ni railleur. Je crois simplement qu'elle compatissait à ma peine.

— J'ai connu Mel un an après toi, Théo. Elle était déjà à la vice-présidence depuis six mois. C'était lors de la conférence de présentation des plans du nouvel aéroport de Seattle, sponsorisé par l'entreprise pour laquelle je travaillais. On lui a présenté quelques employés avec qui elle a bavardé un moment. Le lendemain, elle m'a rappelée et m'a invitée à passer la voir, sans me dire exactement pourquoi. J'étais très étonnée…

— Et que s'est-il passé alors ? demandai-je fébrilement, croyant avoir déjà compris.

— Elle m'a fait entrer dans son bureau. Comme toujours, elle fut aimable et très brillante. Nous avons discuté de tout et de rien pendant quelques minutes, puis elle a voulu savoir si… si elle me plaisait.

— *Oh, my God !* lâcha Magnus qui ne s'attendait pas à ça.

— J'étais vraiment très surprise, continua Barbara avec gêne. Comme je ne répondais rien, elle s'est approchée de moi et… m'a embrassée.

— Et tu t'es laissé faire ! m'exclamai-je avec véhémence.

— Tu connais Mélanie : il est difficile de lui résister et elle était le deuxième personnage de l'État.

— Je ne vois pas ce que ça change, remarqua Magnus d'un ton cassant.

— Tu l'as revue ?

— J'ai eu une… une relation avec elle pendant quelques mois, jusqu'à ce que certains journalistes commencent à se douter du caractère de la vie privée de Mel. Devant le danger, elle a coupé tous les ponts avec moi.

Il nous fallut un moment pour absorber le choc. Chacun se servit un double whisky et évita de regarder les autres. Une très forte tension régnait dans l'air. Je repensai à cette femme qui avait bouleversé ma vie et que, d'une certaine façon, j'avais continué à aimer même après notre rupture. Je l'imaginai à vingt ans, se promenant sur la place Rouge avec Magnus, puis, plus tard, en train de séduire Barbara.

J'avais raconté toute ma vie à Mélanie. J'avais confiance en elle et, dans les premiers temps de notre rencontre, j'avais réellement espéré un amour qui durerait toute une vie et qui résisterait à la routine du quotidien.

Vittorio, comme s'il avait lu dans mes pensées, voulut m'apporter un réconfort.

— Vous devez bien comprendre une chose, Théo : dans l'esprit de Mélanie, l'amour est totalement indépendant des vicissitudes du sexe. Je vous certifie que vous êtes une des rares personnes que Mélanie ait jamais aimées.

— Cause toujours ! rétorquai-je en avalant une lampée de whisky.

— Mais c'est la vérité, reprit le prêtre. Soyez objectif : vous êtes le seul à qui Mel ait raconté son enfance. Le seul à qui elle ait parlé de ses peurs, de sa crainte de ne pas être à la hauteur, de ce sentiment de répulsion et de fascination qu'elle éprouvait par rapport au pouvoir. Vous êtes aussi le seul à l'avoir vue pleurer...

— Je ne vous crois pas. Elle ne m'aimait pas. Elle ne m'a rien donné, répondis-je tout en me tournant vers Gemereck. Regardez, Magnus, elle vous a laissé quelque chose : un enfant que vous avez pu voir grandir et que vous aimez. Elle ne m'a rien laissé, à part de l'amertume et des regrets.

— Je vous assure qu'elle vous aimait, Théo, même dans l'absence.

— Foutaises ! Qu'est-ce que ça veut dire aimer quelqu'un dans l'absence ? Je suis peut-être rétrograde mais aimer quelqu'un, c'est lui être fidèle, vouloir des enfants de lui, faire l'amour avec lui... ou du moins ne pas coucher avec quelqu'un d'autre.

— Je ne suis pas d'accord, intervint Barbara. Elle peut très bien avoir une préférence physique pour les femmes mais avoir des sentiments pour toi, en tant qu'individu.

— OK, admis-je, laissons le sexe, alors. Passe encore que Mélanie n'ait peut-être pas eu envie d'avoir de relations physiques avec moi puisqu'elle était attirée par les femmes, mais pourquoi m'a-t-elle refusé ce qu'elle avait accordé à Magnus : un enfant ?

Vittorio accepta de me répondre :

— Vous savez très bien que les circonstances n'étaient plus les mêmes. Elle avait beaucoup souffert de n'avoir pu élever sa fille, mais elle avait fait un choix réfléchi. Elle ne risquait pas de recommencer l'expérience à plus de quarante ans avec un homme qui n'était pas son mari, alors qu'elle briguait la vice-présidence des États-Unis.

— Tout ce que vous me dites là conforte ma position : cette femme est avant tout une carriériste égoïste qui...

— Et si c'était vous, l'égoïste ? rétorqua Gemereck. Anderson est plus utile à la société en faisant de la politique qu'en berçant une chiée de marmots.

— Je voulais l'épouser, me défendis-je.

— Vous saviez très bien qu'elle était déjà mariée depuis longtemps...

— ... au sénateur March ! Un vieux croulant presque impotent qui...

— ... qui, lui, s'accommode parfaitement du style de vie de sa femme, termina Gemereck.

— Et le divorce ?

— Ne faites pas l'innocent : en cas de séparation d'avec son mari, c'en serait fini de ses chances d'accéder à la présidence.

Vittorio n'en démordait pas.

— Croyez-moi, Théo, Mélanie tient à vous, mais elle a sa propre conception de l'amour. Vous n'avez qu'à voir sa « prière païenne » pour vous en persuader.

— Sa prière païenne ?

Depuis notre rupture, je n'avais plus jamais regardé une photo, une émission de télé ou lu un journal où l'on voyait Mel Anderson. C'est ce qui expliquait que je ne connaissais pas cette expression. Elle avait été utilisée pour la première fois par deux journalistes du

Washington Post qui avaient remarqué que, lors de ses apparitions publiques, Mel levait parfois les yeux au ciel de façon fugitive et se passait un doigt sur le lobe de l'oreille. Croyant à une espèce de rituel porte-bonheur, ils avaient surnommé cela la « prière païenne » et l'expression s'était répandue.

— Elle m'a expliqué qu'il s'agissait de votre signe de reconnaissance et que, chaque fois qu'elle faisait cela, elle voulait vous redire qu'elle vous aimait et que cet amour l'aidait à vivre.

— Faites-moi plaisir, curé : occupez-vous de vos fesses. Quand vous avez aimé une personne, vous n'appréciez pas qu'elle ait pu raconter des choses intimes de sa vie à quelqu'un d'autre que vous.

— Très bien, répondit-il sans tiquer, une dernière chose pour votre information : vous êtes au courant pour le pull ?

— Quel pull ? fis-je, agacé.

— Le pull qu'elle porte chaque fois qu'elle joue au golf. Lorsqu'elle est sur les greens, elle met toujours un pull torsadé bleu que vous lui aviez donné lors de vos vacances à Cape Cod.

Je tenais quand même ceci : elle ne m'avait pas oublié. Cette simple pensée me rasséréna un peu.

Barbara connecta son ordinateur sur le site officiel de la Maison-Blanche où étaient archivés de nombreux films retraçant les cérémonies, inaugurations et autres discours du président et du vice-président.

Vittorio termina son whisky et se leva pour aller se coucher. Mais Magnus, qui rongeait son frein depuis quelque temps, ne l'entendait pas de cette oreille.

— Minute, mon père, pourquoi ne pas nous avoir dit tout cela avant ?

— Cela s'appelle le secret de la confession, répondit placidement Carosa.

— Vous nous avez pourtant dit que Mélanie ne se confessait pas vraiment à vous, fis-je remarquer.

— Disons alors, si vous préférez, que j'avais fait une promesse à une amie. Et j'ai l'habitude de tenir mes promesses.

Sur ce, il nous salua et monta dans sa chambre.

Avant de me coucher, il me fallait avoir une discussion avec Gemereck. Je nous resservis un verre d'alcool pendant que Barbara se préparait un tilleul menthe.

— Dites-moi, Magnus, sans indiscrétion, à combien se monte le nombre de contacts charnels que vous avez eus avec Mélanie ?

Gemereck me lança un regard noir.

— Vous avez de ces questions, franchement ! Vous croyez que j'ai compté ? Elle est tombée enceinte très rapidement et, à partir de là, nous avons cessé nos rapports physiques.

Je fus presque rassuré. Ainsi, selon toute vraisemblance, Mélanie voulait seulement trouver un géniteur pour son enfant et il n'y avait dans cette quête ni amour ni plaisir.

Ce que je dis par la suite fut, je le reconnais, assez minable, d'autant plus que cela ne correspondait pas à mon caractère. Avec du recul, je pense que ces paroles peuvent s'expliquer par le choc mental que je venais de subir. Cela tient sans doute aussi à la persistance, dans l'inconscient collectif masculin, de certaines valeurs machistes qui poussent parfois les hommes à rechercher l'affrontement sur des terrains oiseux.

— Encore une chose, si vous voulez bien : est-ce que vous savez si... euh... enfin, est-ce qu'il vous a semblé que...

— Est-ce qu'il m'a semblé que quoi ? demanda-t-il avec une pointe d'irritation.

— Qu'elle était satisfaite de vos rapports ?

— Qu'est-ce que vous entendez par là, Théo ?

— Je ne sais pas, moi, c'est peut-être vous qui l'avez dégoûtée des hommes, après tout.

— Je ne sais pas si je l'ai dégoûtée des hommes, mais je vais à coup sûr vous dégoûter de dire de telles conneries.

Il m'envoya par surprise un direct magistral qui me fit atterrir au sol et m'assomma quelques secondes. La bouche ensanglantée, je me relevai pourtant rapidement et lui décochai un enchaînement coup droit uppercut.

— Je vais vous casser la gueule, espèce de vieux débris !

Barbara, qui avait entendu les cris, arriva de la cuisine en courant et nous sépara en nous sermonnant vertement.

— Arrêtez ! Vous êtes de vrais gamins, vous me décevez vraiment.

Sans me jeter le moindre regard, Magnus monta dans sa chambre pour appeler sa fille.

Je restai seul face à Barbara.

— Qu'est-ce qui t'a pris ? Tu es devenu fou ?

Elle m'entraîna avec elle dans la salle de bains pour me mettre un pansement et du mercurochrome.

— Ça va ?

— Comme quelqu'un qui vient d'apprendre que la femme qu'il aimait est homosexuelle, répondis-je, désabusé.

Pendant qu'elle me soignait, je la regardais avec un œil neuf. Son visage, ses jambes, ses mains, ses yeux : tout son corps prenait devant moi une autre dimension maintenant que je savais ce qui l'avait liée à Mel. J'avais vraiment besoin d'en savoir plus.

— Est-ce que Mélanie te parlait parfois de ses aventures précédentes ?

— Tu veux dire de ses aventures sexuelles ?

— Oui.

— Pas vraiment. Elle ne me disait pas grand-chose, tu sais, je n'ai jamais été sa confidente.

— Mais est-ce que tu sais si elle était… bisexuelle ?

Elle prit le temps de la réflexion avant de trancher.

— Je pense qu'elle ne pouvait pas trouver de plaisir physique avec les hommes.

— Pourquoi ?

— Théo !... Tu sais très bien qu'il n'y a pas de réponses à ces questions.

Elle avait raison, bien entendu, mais la souffrance et la déception me poussaient à rechercher des explications rationnelles aux sentiments ou au désir.

— Tu dois trouver que j'ai l'esprit étroit.

— Tu es abominablement rigide parfois, mais j'aurais bien aimé rencontrer un homme comme toi plus tôt dans ma vie.

J'avais appris que les compliments étaient une denrée rare dans sa bouche et j'appréciai celui-là à sa juste valeur.

— Qu'en est-il exactement pour toi, Barbara ?

— À propos de quoi ?

— De la nature de tes relations avec Mel.

Elle eut un sourire triste.

— Je ne suis pas homosexuelle, si c'est ce que tu veux savoir. Juste une arriviste, une opportuniste qui n'a pas voulu laisser passer sa chance d'approcher l'un des personnages les plus influents du pays. Je dois bien t'avouer que, dans ma vie, j'ai souvent envisagé le sexe de façon purement utilitaire...

— Un moyen pour arriver à tes fins ?

— En quelque sorte.

— Mais qu'est-ce que tu avais à gagner à coucher avec Anderson ?

— Elle avait un accès direct au pouvoir économique. Après l'épisode du Nicaragua, j'avais mis plus d'un an pour décrocher une place minable dans une entreprise de travaux publics. Elle m'a permis de retrouver un job qui correspondait à ma véritable valeur et de faire oublier la liste noire.

À son tour, elle prit l'escalier pour monter se coucher.

— Est-ce que tu as déjà aimé quelqu'un, Barbara ? lui demandai-je alors qu'elle arrivait en haut des marches.

Elle se retourna vers moi, mais éluda ma question par une pirouette.

— Il est bien tard pour parler de tout ça, Théo. Bonne nuit.

Sous le coup de l'émotion, la jeune femme avait laissé son ordinateur connecté sur le site de la Maison-Blanche. J'entrepris alors de regarder tous les films qui retraçaient la carrière de Mel Anderson, depuis ses voyages dans l'espace, à bord de *Columbia*, jusqu'à sa désignation récente par la convention démocrate comme candidate aux prochaines élections présidentielles.

Au bout d'un quart d'heure, Gemereck redescendit dans le salon pour reposer le téléphone sur son chargeur. Il affecta d'ignorer ma présence jusqu'à ce que je lui pose une question.

— Alors, Magnus, que vous a raconté Célia ?

Il eut visiblement la tentation de me répondre d'aller me faire voir, mais il se maîtrisa.

— C'est incroyable : elle vient de me dire qu'elle voyait sa mère depuis l'âge de dix ans ! Un jour, à la sortie de l'école, Mélanie est venue lui parler. Elle lui a avoué qu'elle était sa mère et lui a expliqué dans quelles conditions elle s'était séparée d'elle. Mel a proposé qu'elles se rencontrent régulièrement. Célia a accepté et juré de n'en parler à personne.

— Ça a dû être un drôle de choc pour une enfant de dix ans.

— En fait, Célia a toujours été d'une nature indépendante. Elle m'a dit qu'elle avait été rassurée et heureuse de connaître sa mère. Elle est très fière d'elle.

— Je ne comprends toujours pas comment, avec des contacts fréquents avec sa fille, personne n'a été au courant de son existence.

— Vous savez, avant qu'elle soit vice-présidente, Mel n'avait pas continuellement des journalistes sur le dos.

— Mais Célia n'avait que dix ans ! Comment a-t-elle pu vous cacher qu'elle rencontrait sa mère en secret ?

— Je ne sais pas, répondit Magnus avec une once de culpabilité dans la voix. C'est vrai que j'ai été très pris par mon travail, mais je me suis toujours occupé de ma fille. Simplement je n'exerçais pas sur elle une surveillance permanente : elle était à la fois épanouie et très responsable. Nous habitions dans un quartier très sûr et elle allait à l'école toute seule.

Je nous resservis un doigt de whisky et demandai à mon ami de se rapprocher de la table.

— J'ai quelque chose d'important à vous montrer, dis-je en désignant l'écran de l'ordinateur.

Je lançai le premier film. On y voyait les quatre cosmonautes de la mission n° 12 qui, comme c'est souvent le cas dans l'espace, s'étaient filmés les uns après les autres dans leurs moments de loisir à l'intérieur de la navette. L'un essayait de jouer au bilboquet, un autre chantait une chanson des Bee Gees tout en écoutant son walkman et Mélanie profitait de l'état d'apesanteur pour faire toutes sortes de pirouettes.

— Regardez bien l'arrière-plan, demandai-je à Magnus, en faisant un arrêt sur image. Vous reconnaissez cet objet qui flotte au fond de la navette ?

Gemereck chaussa ses demi-lunes et s'approcha de l'écran.

— La peluche ! s'exclama-t-il. La peluche du marin.

— Oui, le fameux Skidamarink, sans doute un code entre elle et sa fille. Une manière de lui dire : tu vois, Célia, ta maman est dans l'espace, mais elle pense à toi.

Magnus était bouleversé. Il avala une lampée d'alcool et se laissa tomber dans un fauteuil. Il essaya de réfléchir quelques instants, termina son verre et lâcha d'une voix triste :

— Soyons réalistes, Théo, je crois que nous connaissons maintenant l'identité de Mona Lisa.

— J'en ai bien peur, Magnus, j'en ai bien peur.

Il se leva difficilement et, sans rien ajouter, monta dans sa chambre.

J'étais à nouveau seul. Je me levai pour prendre une bouteille d'Évian dans le beau frigo chromé et sortis regarder les étoiles un moment sur la terrasse. J'éteignis ensuite toutes les lumières et, entouré par l'obscurité de la pièce, je restai longuement assis devant l'écran de l'ordinateur à regarder le sourire de Mélanie pendant que des larmes silencieuses roulaient sur mon visage.

19
Révélations (2)

Le lendemain matin, tout le monde était d'humeur maussade à la table du petit déjeuner. Même si beaucoup de choses semblaient encore obscures, nous venions incontestablement de faire un pas décisif dans la résolution du mystère qui nous avait tenus en haleine ces derniers jours. La seule chose que nous n'avions pas prévue était que cette quête de la vérité nous ferait remonter si loin, du côté des déchirures mal cicatrisées qui structuraient nos vies.

À défaut de tableau noir, Magnus avait punaisé au mur une grande feuille de carton gris pour nous aider à réfléchir. Il poussa un long soupir avant de se lancer le premier dans une tentative d'explication :

— Vous aviez raison, Théo : nous connaissons maintenant le chaînon qui nous relie les uns aux autres. Pour faire simple, disons que nous avons tous les quatre, mais à des époques différentes, entretenu des liens étroits avec celle qui est aujourd'hui vice-présidente des États-Unis : Mélanie K. Anderson.

Il marqua une pause comme pour chercher ses mots.

— Les liens qui nous unissaient à cette femme étaient incontestablement… de nature différente.

Il déboucha un gros feutre et s'approcha de la feuille cartonnée.

— Lorsque j'ai rencontré Mélanie, en 1974, elle avait à peine plus de vingt ans, mais c'était déjà ce qu'on peut appeler une idéologue : elle avait une vision du monde dans laquelle les idées, les concepts et les valeurs tenaient une grande place. Notez bien que je ne dis pas qu'elle était coupée des réalités, précisa-t-il, j'affirme simplement que son comportement et ses décisions obéissaient à des convictions très fortes qui étaient d'ailleurs celles de beaucoup de jeunes gens de cette époque : attachement aux droits de l'homme, partage équitable des richesses, liberté sexuelle, féminisme…

Il prit sa tasse de café sur la table et en avala une gorgée, sans quitter des yeux la feuille de papier encore vierge. Une bouffée de nostalgie traversa peut-être son esprit.

— Si on me demandait aujourd'hui de qualifier l'essence de ma relation avec Mélanie, le premier mot qui me viendrait à l'esprit serait celui-ci…

Il écrivit sur la grande feuille de papier le mot « reproduction ».

— Pour être le plus honnête possible, continua-t-il, je pense que Mélanie ne m'a jamais véritablement aimé. Disons qu'elle m'a choisi rationnellement pour être le père de l'enfant qu'elle voulait porter. Sans vantardise, j'ai des capacités intellectuelles au-dessus de la moyenne et je suis plutôt sain physiquement. Elle a sans doute jugé que mon patrimoine génétique, mélangé au sien, donnerait quelque chose d'acceptable.

Il reprit sa tasse, y mit un sucre supplémentaire, touilla et prit une nouvelle gorgée de café comme pour se donner du courage.

Quelque chose n'était pas tout à fait clair dans mon esprit.

— Je ne comprends pas bien pourquoi Mélanie, après avoir manifesté un tel désir d'enfant, s'est finalement détournée de l'éducation de sa fille. Ce n'est pas très logique.

— Vous savez, Théo, elle était encore jeune et il lui restait plusieurs années d'études à suivre à Yale. Elle a dû le regretter par la suite, mais je crois qu'elle ne s'est pas sentie prête à assumer pleinement son rôle de mère. Et elle savait que, de mon côté, j'étais capable de faire les bons choix éducatifs et d'inculquer à notre enfant les valeurs essentielles. Elle me faisait confiance sur ce point. Mais, soyons franc, il n'y eut jamais de son côté de... de sentiments passionnés ou de nuits d'amour enflammées. Je peux bien l'avouer, maintenant que les années ont atténué mes regrets, mais il m'a fallu bien du temps pour l'accepter.

Il laissa un instant ses yeux errer dans le vide – l'esprit flottant sans doute du côté de Moscou trente ans plus tôt –, puis tendit son gros marqueur vers Barbara.

Elle comprit immédiatement ce qu'il attendait d'elle, se leva de sa chaise et s'approcha de ce qui nous servait de tableau.

— L'essence de ma relation avec Mélanie tient en quatre lettres : s-e-x-e.

Elle écrivit « sexe » sur la grande feuille cartonnée, juste au-dessous de « reproduction ». Elle continua brièvement :

— Nos rapports étaient surtout sexuels. Ils reposaient principalement sur le plaisir physique qu'*elle* éprouvait. Il n'y avait ni tendresse, ni complicité intellectuelle, ni rien d'autre.

Elle était pressée d'en finir, mais Vittorio tenta une remarque.

— Vous lui avez pourtant raconté des choses personnelles et intimes sur vous. Elle était au courant de vos déboires en Amérique du Sud, par exemple, puisqu'elle les a évoqués avec moi.

— C'est vrai, reconnut-elle, mais je crois que cet épisode l'intéressait non pas seulement parce qu'il me concernait, mais surtout parce que cela lui donnait une raison supplémentaire de détester Steiner. Elle haïssait vraiment ce type.

Le prêtre se leva à son tour et compléta notre feuille en inscrivant le mot « amitié ».

— C'est, je crois, le mot qu'il faut employer pour décrire le sentiment d'affection et de sympathie que j'ai éprouvé chaque fois qu'il m'a été donné de côtoyer Mel Anderson. J'ai compris très vite qu'elle n'était pas réellement croyante et que ses confessions obéissaient plus à une nécessité psychologique que religieuse. Il est évident qu'elle avait un besoin viscéral de raconter à quelqu'un des bribes de sa vie pour pouvoir justifier ses engagements et certaines de ses décisions. À son poste, elle savait très bien qu'elle ne pouvait guère avoir d'amis dans son entourage. Elle ne parlait plus vraiment à son mari depuis des années, se méfiait du personnel politique qui gravitait autour d'elle et regrettait que le seul homme qu'elle ait jamais aimé ait rompu avec elle de façon brusque et irrémédiable.

En prononçant la fin de sa phrase, Vittorio ne m'avait pas quitté des yeux, histoire de me culpabiliser. Comme je ne relevais pas, il poursuivit :

— Mélanie fut donc satisfaite de trouver en moi une oreille attentive et je crois d'ailleurs pouvoir affirmer que cette amitié était réciproque dans la mesure où, loin d'être la personne égocentrique que l'on décrit parfois, elle s'intéressait réellement à la vie et aux problèmes de ceux pour qui elle avait de l'affection.

Il hésita un instant avant d'avouer :

— Les discussions que j'ai pu avoir avec elle eurent d'ailleurs une grande influence sur ma décision de prendre du recul et de demander le poste de Monte Giovanni.

Je me levai à mon tour et, sans faire aucune remarque, j'écrivis le dernier mot, celui censé définir la base de mes relations avec Mélanie Anderson. Pendant quelques secondes, j'eus la tentation d'écrire « amour platonique », mais je laissai finalement tomber le dernier adjectif. Je regagnai ma place et regardai le carton.

REPRODUCTION
SEXE
AMITIÉ
AMOUR

— Ce sont les principales formes de relations sociales qui peuvent exister entre deux personnes ! s'exclama immédiatement Carosa, aussi étonné que s'il venait d'apercevoir la réincarnation de Bernadette Soubirous.

— Mouais, approuva Magnus en se grattant la barbe, je dirais plutôt que pour Mel ce sont les quatre liens *positifs* qui peuvent unir deux individus.

— Est-ce que vous pensez que Mélanie a conceptualisé sa vie à ce point ? demanda le prêtre, un peu effrayé.

— Probablement pas, disons plutôt que nous sommes les quatre personnes qui ont le plus compté dans sa vie et que chacun de nous a rempli une fonction particulière.

Pendant que Magnus répondait à Vittorio, je m'étais levé pour compléter le tableau :

Relations sociales	*Valeurs*
REPRODUCTION	*SCIENCE*
SEXE	*LIBÉRALISME*
AMITIÉ	*INDIVIDUALISME*
AMOUR	*DÉMOCRATIE*

— Nous avons devant nous quatre valeurs et quatre relations sociales autour desquelles tourne le monde contemporain, dis-je. Mettez ces huit éléments dans une bouteille, secouez bien fort et vous avez un concentré de l'Occident moderne... et de ses contradictions.

Chacun fit mentalement le point sur la situation. Nous étions très excités à l'idée de remonter le fil d'Ariane et tout le monde craignait de louper un moment de l'explication.

— Est-ce que ça veut obligatoirement dire que c'est elle ? demanda Barbara au bout de quelques secondes. Est-ce que ça veut dire que c'est elle qui a tout organisé ?

Magnus hocha tristement la tête en signe d'approbation.

Pendant les deux heures qui suivirent, nous continuâmes à évoquer nos relations avec Mel. Cette fois, il fallut entrer dans le détail et raconter de façon précise certaines conversations et certains actes très personnels. Encore une fois, ce fut Magnus qui mena la danse. Le but était de recenser le plus d'informations possible pour être à même de tracer une espèce de portrait psychologique de Mélanie, à la lumière duquel il serait plus facile d'interpréter ses actes. Ce fut un moment très pénible pour chacun d'entre nous. Barbara pleura à deux reprises et refusa catégoriquement d'évoquer certains souvenirs. Quant à moi, je m'emportai plusieurs fois contre l'attitude inquisitrice adoptée par Gemereck et reprochai amèrement à Vittorio – le seul qui, dès le début, connaissait nos liens avec Mel – son silence pendant toute la durée de cette enquête au cours de laquelle, sans cesse traqués, nous avions failli trouver la mort à plusieurs reprises.

À midi, nous pensâmes avoir à peu près reconstitué la genèse des terribles événements qui avaient eu lieu ces derniers jours. Voici à peu près comment nous pensions que les choses s'étaient déroulées.

À quelques mois de l'élection présidentielle américaine, la popularité de Mélanie Anderson est énorme et tous les sondages la donnent favorite pour devenir la première femme à diriger ce pays. Pourtant, jusqu'au dernier moment, elle hésite à se porter candidate. Elle semble traverser une profonde crise existentielle. Les années passées à la vice-présidence ont achevé de lui faire perdre ses illusions sur la capacité des hommes politiques à changer la vie des gens ou à mener des réformes vraiment significatives. Dans sa vie privée, l'échec est total : c'est une femme seule qui n'a jamais eu d'atomes crochus avec son mari, qu'elle n'a épousé que pour donner le change. Psychologiquement, elle vit mal son homosexualité depuis que, pour la première fois de sa vie, elle est tombée amoureuse d'un homme avec lequel elle n'a jamais eu de relations physiques. C'est donc dans un état d'instabilité émotionnelle qu'elle reçoit, en juillet, l'investiture de son parti pour les élections. À ce stade, les années de cynisme et de compromission pour arriver à ce niveau de la vie politique doivent se révéler payantes. Maintenant, elle n'a plus le droit de reculer. Pourtant, l'avenir du monde et de son pays lui fait peur. Avant d'arriver au pouvoir, elle voudrait bien qu'un choc symbolique fasse trembler le monde occidental pour lui permettre de se ressaisir. Elle voudrait que l'Occident se fasse peur pour qu'il puisse trouver en lui les ressorts d'une évolution positive et dépasser les contradictions dans lesquelles sont empêtrés les quatre piliers idéologiques qui soustendent la société :

– l'ultralibéralisme qui contamine toutes les sphères de la vie sociale, accroît les inégalités et dissout les anciennes valeurs en faisant du règne de l'argent une nouvelle religion ;

– l'individualisme qui, en prônant l'égoïsme, détruit toute forme de solidarité et de compassion ;

– la science qui, par le développement des biotechnologies, offre pour la première fois la possibilité de modifier la structure génétique de l'espèce humaine et de réorienter la trajectoire de l'évolution biologique sur Terre ;

– la démocratie, enfin, menacée par le cynisme politique et l'apathie de l'opinion devant l'absence d'alternative politique.

Pour provoquer ce sursaut, elle a échafaudé une sorte de « plan de salubrité publique » qui prévoit l'organisation de quatre actions symboliques destinées à avoir un retentissement populaire important. Parmi ces actions figurent l'enlèvement suivi de la mise à mort de William Steiner, l'empoisonnement des réserves d'eau de Real Island et le sabotage de l'opération de chirurgie génétique.

Nous avons aussi été amenés à penser que, lors de l'élaboration de ces attentats, Mélanie a voulu nous associer de manière indirecte à cette folie, un peu comme si elle nous lançait des appels à l'aide désespérés.

Notre raisonnement ainsi énoncé, nous étions bien conscients qu'il présentait plusieurs failles. En particulier, il n'expliquait pas comment *La Joconde* – volée, nous le savions, par les hommes de Steiner – avait pu se retrouver entre les mains de Mélanie. Autre zone d'ombre : de quelles complicités avait-elle disposé pour accomplir tous ces méfaits ? Le vice-président des États-Unis compte parmi les personnalités les plus surveillées du monde, ce qui rend presque impossible toute tentative d'agissement occulte. Si nos suppositions étaient exactes se posaient alors la question de la nature de ces complicités et celle de l'éventuelle implication de l'appareil d'État.

Mais pour l'heure, une autre préoccupation plus importante nous agitait : quelle dernière action Mélanie nous réservait-elle pour illustrer la dégénérescence de la démocratie ?

Je l'ai déjà mentionné : mon ancienne pratique professionnelle m'a mis en contact avec toute une faune de menteurs et de simulateurs en tout genre. Les différentes activités du métier d'avocat présentent en effet un point d'observation privilégié pour étudier le mensonge sous toutes ses facettes. On croise d'abord ceux que j'appelle les « bons clients » : ils ne mettent généralement pas plus de cinq minutes pour s'empêtrer dans leurs contradictions. Les juges et les avocats de Boston les nomment aussi les « pains bénits », car ils nous permettent de briller et d'assurer le spectacle dans les prétoires en les confondant facilement. Il y a ensuite les « équilibristes suicidaires » : ceux qui, au début, mentent avec beaucoup d'aplomb mais tiennent mal la distance et finissent fréquemment par s'effondrer. Puis les « cours des grands », qui mentent effrontément, tout en sachant que personne n'est dupe, mais qui ne tombent jamais dans les pièges tendus par ceux qui les interrogent. Juridiquement, ils s'en sortent souvent bien. Nous autres, avocats, nous les détestons.

Mais les plus intéressants de tous sont sans doute les dissimulateurs (ou « vierges effarouchées » dans l'argot des hommes de loi bostoniens, bien que cette dernière appellation me soit toujours restée mystérieuse). Ceux qui, sans réellement mentir, *omettent* pourtant des pans entiers de vérité. Dans leur esprit, ils s'imaginent la plupart du temps être des parangons de vertu : après tout, pourquoi répondraient-ils à des questions qu'on ne leur pose pas ? Pourtant, il peut arriver un moment où leur inconscient refuse ce syllogisme trompeur. On peut voir alors un éclair de culpabilité ou d'acrimonie traverser fugacement leur visage. C'est dans cette faille que doit s'engouffrer le juge, mais il doit le faire vite, avant que la « vierge effarouchée » ne se referme comme une huître, parfois définitivement.

Or ce moment était arrivé. J'en étais persuadé et un bon avocat sait sentir ces choses-là.

Le silence était revenu depuis quelques minutes et mes compagnons tournaient un peu trop ostensiblement le dos au carton que nous avions punaisé sur le mur.

Relations sociales	*Valeurs*
REPRODUCTION	SCIENCE
SEXE	LIBÉRALISME
AMITIÉ	INDIVIDUALISME
AMOUR	DÉMOCRATIE

J'avais la nette impression que flottait dans l'air la crainte que je ne fasse *la* remarque qui fâche. À ce stade de l'histoire, je n'en voyais qu'une et elle me démangeait depuis quelques minutes.

— On pourrait peut-être penser que Mélanie portait un jugement *négatif* sur la nature des relations qui nous unissaient à elle.

— Dans quelle mesure ? demanda prestement Barbara, soucieuse de ne pas laisser s'installer un silence gênant.

— Dans la mesure où elle avait peut-être des raisons de croire que certains d'entre nous l'avaient... trahie.

— Ah bon ? fit Gemereck d'un ton qui sonnait faux. À qui pensez-vous ?

— Eh bien, par exemple, à vous, Magnus. Vous avez collaboré avec cette ordure de Steiner, sous prétexte qu'il finançait vos recherches, alors que vous saviez très bien quelle utilisation il comptait faire du clonage et de la thérapie génique.

Comme chaque fois que j'abordais ce sujet, Magnus ne fut pas long à s'échauffer.

— Vous ne comprenez donc rien, Théo! Ces travaux constituent le couronnement de toute ma vie de scientifique. Encore une fois, si je n'avais pas mené ces recherches, d'autres que moi l'auraient fait. Et puis c'était aussi un comportement stratégique : en tant que «père» de l'amélioration génétique, je pouvais espérer disposer de plus de légitimité pour en combattre les effets pervers. Sachez que je n'ai jamais voulu m'exonérer des responsabilités qui incombent aux scientifiques quant à l'utilisation qui est faite des techniques qu'ils mettent au point. Tous mes ouvrages plaident en ma faveur.

— Je ne veux rien savoir, professeur. Imaginez simplement la stupeur de Mélanie lorsqu'elle a appris que vous travailliez pour MicroGlobal.

Personne n'ajouta rien. J'en profitai pour continuer.

— Vous voulez un autre exemple de trahison ?

Pas de réponse.

— Je vous parle ! criai-je en direction de Vittorio et de Barbara.

— Calmez-vous, Théo. Écoutez, nous avons peut-être...

Je ne laissai pas le prêtre continuer.

— Voici une autre histoire, dis-je en désignant du doigt la jeune femme : celle de Barbara Katherine Weber, cadre dirigeant d'entreprise, habitant Seattle. Il y a trois ans, le compte bancaire de Barbara se voit, comme par magie, crédité de 2 millions de dollars, somme immédiatement investie dans l'achat d'un somptueux appartement sur Central Park West, appartement que nous occupons à l'heure actuelle.

— Tu dis n'importe quoi, je t'ai déjà expliqué qu'il appartenait à...

— Cet appartement n'appartient pas à ton oncle, Barbara. Tu en as fait l'acquisition il y a trois ans pour 2 millions de dollars. Ne dis pas non : j'ai vérifié sur la copie du contrat de vente que tu gardes sur le disque dur de ton ordinateur.

— C'est impossible, tu n'as jamais eu accès à mon disque dur, il est protégé par un mot de passe.

— Oui, mais tu as commis l'erreur de le laisser allumé hier soir.

— Il te fallait mon code bancaire...

— Je connais ce code, je t'ai vue le composer plusieurs fois en Irlande.

— Salaud ! hurla-t-elle en me lançant un pot de confiture au visage, pot que j'évitai de justesse et qui se brisa avec force contre le mur carrelé de la cuisine.

Ensuite, ce fut comme si elle devenait folle : elle se mit à gesticuler dans tous les sens en criant que je n'avais pas le droit de faire ça et qu'elle n'avait pas à se justifier sur l'origine de cet argent.

— Je vais te dire d'où vient cet argent. D'une façon générale, hormis le vol ou l'héritage, il n'y a qu'un moyen d'amasser du fric : il faut vendre quelque chose à quelqu'un. Et j'ai beau retourner le problème dans tous les sens, je ne vois qu'une seule chose que tu étais en mesure de vendre à cette époque de ta vie : c'était des photos ou des cassettes vidéo de tes ébats avec Mel Anderson. Et tu connaissais une personne que ça pouvait intéresser dans l'optique de faire chanter Mel si elle devenait un jour présidente des États-Unis. Cette personne s'appelait William Steiner.

Des larmes coulaient à présent le long de ses joues.

— C'est lui qui m'a contactée ! Il a proposé de me rayer de la liste noire et de me retrouver un job immédiatement. Puis, quelques mois plus tard, il m'a offert 2 millions de dollars pour draguer Mélanie, devenir sa maîtresse et rapporter une vidéo explicite. Je n'avais pas vraiment le choix.

Sa voix chancela, elle s'interrompit et se remit à pleurer. Je poussai un profond soupir de désolation. On a toujours le choix.

— S'il te plaît, Théo, ne me juge pas, dit-elle entre deux sanglots. À cette époque, j'étais… j'étais complètement à la dérive. Il fallait absolument que je retravaille et… ça n'a pas été facile pour moi.

Magnus tendit un mouchoir en papier à la jeune femme tandis que Vittorio s'éloignait de plus en plus de moi et arpentait le fond de la pièce en brassant nerveusement de l'air avec ses bras. À le voir ainsi, je fus brusquement saisi par un mauvais pressentiment.

— Pas vous quand même, Vittorio ! Vous ne l'avez pas trahie vous aussi !

Il se tourna vers moi, le regard mal assuré.

— Écoutez, fit-il mal à l'aise, tout cela, c'est du passé.

— Ne me dites pas ça ! hurlai-je en attrapant le revers de sa veste pour le plaquer contre la fenêtre. Vous avez disserté, la gueule enfarinée, sur la prétendue belle « amitié » qui vous reliait à Mélanie, mais vous avez apparemment oublié quelques épisodes plus sombres.

— C'est Steiner, Théo, il m'a piégé, comme Barbara.

— Expliquez-vous, nom de Dieu, dis-je en le secouant.

— Juste après ma troisième rencontre avec Mélanie, deux hommes sont venus me voir à New York. Ils m'ont proposé de l'argent, à la condition que je leur enregistre tous mes entretiens ultérieurs avec Anderson sur un petit magnétophone à minicassette.

— Et alors ?

— J'ai d'abord refusé, bien sûr, mais ils sont revenus à la charge plusieurs fois et ils avaient les moyens de me faire chanter.

— Comment ça ?

— Ils détenaient des preuves de mes liaisons amoureuses et ils m'ont menacé d'en faire part aux autorités ecclésiastiques. On m'aurait forcé à quitter l'Église. J'ai… j'ai paniqué.

— Vous avez été lâche, voilà ce que vous avez été. Rien ne vous obligeait vraiment à faire ça ! m'exclamai-je.

Le prêtre se défendit comme il pouvait.

— L'Église est toute ma vie, Théo, je ne regrette rien. Je n'ai pas trahi de secrets d'État, juste les confidences d'une femme mal dans sa peau qui…

— … qui vous avait fait confiance et qui vous considérait comme son ami.

— Je n'ai peut-être pas bien mesuré ce que…

— Fermez-la ! ordonnai-je en le reposant sur le sol. Ne dites plus rien, n'ouvrez jamais plus la bouche en ma présence. Vous avez trahi sa confiance en révélant à ce pourri de Steiner les fêlures de Mélanie. Vous l'avez rendue encore plus vulnérable et fragile. Vous me dégoûtez, vous me dégoûtez tous ! Chacun de vous est responsable de ce qui est arrivé.

Sur ces paroles, je sortis de l'appartement en claquant la porte.

Une fois dehors, je descendis Central Park West jusqu'au Dakota Building et entrepris de traverser le parc en passant par les Strawberry Fields, le jardin dédié à la mémoire de Lennon. La tête ailleurs, je déambulai un moment au milieu des cent soixante et une espèces de plantes représentant les différents pays du monde, avant d'atteindre l'esplanade de Bethesda Terrace. Une fois hors du parc, je remontai le long de la 5e Avenue jusqu'à la façade du Metropolitan Museum et pénétrai dans le grand hall du musée décoré de quatre impressionnantes gerbes florales. Je traînai ensuite quelque temps dans les salles consacrées à l'art japonais en essayant de ravaler ma colère et de mettre mes idées en ordre.

Que fallait-il faire maintenant ? Devais-je essayer d'entrer en contact avec Mélanie – mais de quelle façon ? – ou au contraire mettre en garde les autorités contre le deuxième personnage de l'État ? Dans ce dernier cas, si je décidais de porter des accusations, il faudrait dévoiler mon identité et celle des autres, puis apporter des preuves. Autant de choses qui paraissaient difficilement envisageables. Dans l'immédiat, sans doute valait-il mieux parer au plus pressé, en l'occurrence faire avorter la quatrième action terroriste de Mélanie. Malheureusement, je n'avais aucun indice pour m'orienter et je ne me sentais plus capable de faire confiance à ceux que j'avais fini, peut-être à tort, par considérer comme des amis.

Pourtant, à cet instant, devant le magnifique paravent *Yatsuhashi* d'Ogata Korin, entièrement recouvert de feuille d'or et de dessins d'iris, l'essentiel de mes pensées était absorbé par la femme que j'avais profondément aimée et dont je venais d'apprendre en quelques heures à la fois l'homosexualité et l'implication dans une affaire qui avait déjà causé la mort de trois hommes – fussent-ils par ailleurs des salauds de la pire espèce.

Au comptoir de la cafétéria du Met, je commandai un thé citron et un bretzel que j'avalai tout en jetant un œil sur l'écran d'un téléviseur qui retransmettait un débat de World TV : « La crise de la démocratie, mythe ou réalité ? » Un des journalistes – qui défendait apparemment la thèse d'une déconnexion entre les élites gouvernementales et la population – rappelait que, lors des dernières élections, moins de 40 % du corps électoral s'était déplacé pour voter. Les statistiques montraient d'autre part que ces votants se recrutaient essentiellement parmi les plus hauts revenus, les pauvres ayant, quant à eux, presque tous renoncé à leur devoir civique. Cette démission des moins aisés qui ne semblaient plus croire à la capacité des hommes politiques d'influer sur leurs conditions de vie avait laissé un groupe social dominant, blanc et riche, occuper l'intégralité de l'espace politique et s'octroyer de larges privilèges économiques. Un autre journaliste voulut prendre la parole pour donner son avis, mais il fut interrompu par le lancement d'un flash spécial d'informations. Une nouvelle incroyable venait de parvenir dans les rédactions du monde entier : la vice-présidente des États-Unis d'Amérique avait disparu.

IV
Iceberg

20

Islande

L'Airbus A320 en provenance de New York commença sa descente sur Reykjavík. Le vol vers l'Islande avait duré quatre heures et trente minutes. J'avais quitté les États-Unis en fin de matinée. Barbara, Vittorio et Magnus m'avaient accompagné à JFK Airport. Avant l'embarquement, nous nous étions embrassés plusieurs fois. À cet instant, ni nos mensonges ni nos trahisons n'avaient plus la moindre importance. Seule demeurait la proximité de ceux qui s'estiment et qui ont failli mourir côte à côte.

J'étais resté un long moment à parler avec Barbara. Celle que je considérais au début comme la personne la plus éloignée de mon univers s'était en définitive révélée être celle qui me ressemblait le plus. Certes, nous n'étions généralement pas d'accord sur grand-chose, mais cela pouvait s'expliquer par le besoin que nous avions tous deux de nous opposer pour nous sentir exister aux yeux de l'autre. J'étais maintenant persuadé que, dans le fond, nous n'étions pas si différents, ne serait-ce que par le fait d'avoir tous deux raté la première moitié de notre existence. Plus je la connaissais, plus il me semblait voir l'écorchure profonde qu'elle voulait cacher. Il était évident que sa dureté, son cynisme et l'attrait démesuré qu'elle semblait éprouver pour l'argent n'étaient que des cottes de mailles enfilées les unes sur les autres pour former une carapace censée la protéger des coups et des blessures que l'époque réservait parfois aux gens trop tendres ou idéalistes. Je savais que, quoi qu'elle en dise, un cœur battait sous sa poitrine et que, comme tout le monde, elle avait besoin de douceur, de parterres de fleurs, de billets doux et de petits déjeuners au lit.

Au moment de me quitter, elle avait pris ma main de façon presque solennelle et m'avait demandé de lui pardonner.

— Prends soin de toi, lui avais-je dit en français.

J'avais relevé la mèche de cheveux qui tombait devant ses yeux pour la regarder en face.

— *So do you*, avait-elle répondu doucement.

Nous avions repassé le problème dans nos têtes des dizaines de fois sans arriver à la moindre solution. La seule chose dont nous étions certains était que Mélanie avait disparu alors qu'elle se trouvait à son domicile. D'après les journaux télévisés, l'hypothèse privilégiée par les enquêteurs était celle de l'enlèvement par une organisation terroriste de grande envergure qui, depuis quelque temps, commettait toutes sortes d'actes violents sur le territoire américain, dans le but de faire régner un climat d'insécurité et de déstabiliser le gouvernement. Les pistes chinoise ou irakienne étaient souvent évoquées dans la presse mais, pour nous, cette disparition ne trouvait pas sa source dans la politique étrangère. Si la conclusion à laquelle nous étions arrivés la veille était exacte, Mélanie, pour sa quatrième action terroriste, avait organisé elle-même son enlèvement.

Dans ce cas, nous redoutions que cette disparition n'aboutisse en fin de compte à un suicide, aussi espérions-nous qu'elle chercherait à nous contacter avant de commettre l'irréparable. Jusqu'au dernier moment, Barbara avait vérifié ses e-mails, sa boîte aux lettres et son répondeur téléphonique, mais nous n'avions reçu ni messages, ni lettres, ni coups de fil. Restait alors à découvrir par nous-mêmes l'endroit où Mel pouvait avoir trouvé refuge. Tous ses actes, depuis le début de notre aventure, semblaient être la conséquence d'une grave dépression nerveuse. Vittorio ne nous avait guère rassurés en nous avouant que, lorsqu'il l'avait rencontrée, elle ne pouvait déjà plus se passer d'antidépresseurs. Si la volonté de Mélanie était véritablement de se donner la mort, il fallait agir très vite. Vu le penchant qu'elle avait manifesté jusqu'à présent pour la symbolique, nous devions essayer de recenser les endroits qui pourraient revêtir une signification emblématique pour elle.

Il était évident que chacun de nous, pour des raisons différentes, aurait donné n'importe quoi pour sauver Mélanie.

Une personne optimiste comme Magnus ne s'était jamais posé la question du suicide. Lorsque je lui avais demandé dans quel lieu il préférerait mettre fin à ses jours, il avait hésité longuement entre plusieurs réponses (son laboratoire, sa cave à vin, l'ancienne datcha de ses parents) avant de renoncer à trancher, son esprit n'arrivant décidément pas à conceptualiser cette idée. Il en était de même pour Vittorio qui, de par sa vocation, considérait le suicide comme un péché capital (je me souvenais cependant d'avoir lu quelque part que le taux de suicide était très élevé chez les prêtres et les prédicateurs). En revanche, je pense qu'il n'est pas exagéré d'affirmer que les gens de la génération et du milieu social de Barbara avaient généralement une tendance très forte à se créer des problèmes existentiels à propos de tout. Ajoutez à cela qu'elle nous avoua avoir commencé à fréquenter les psys dès l'âge de quatorze ans et vous comprendrez que son imaginaire avait intégré très tôt l'idée du suicide et recensé mille lieux différents où se donner la mort.

L'expérience prouve que ceux qui se suicident le font parfois dans un endroit où ils ont été heureux ou qui leur inspire la paix. Magnus avait émis l'hypothèse que Mel chercherait un endroit où elle avait connu le bonheur avec moi : la Bretagne, Paris ou Cape Cod. Cela ne m'avait pas paru vraisemblable, bien que j'eusse de la difficulté à expliquer pourquoi. Je savais seulement que, lorsque j'avais moi-même joué avec l'idée de mettre fin à mon existence, le lieu m'importait peu. En revenant sur ce moment pénible, il m'apparut pour la première fois – et de façon incroyablement claire – que jamais je n'avais voulu mourir. Je n'avais fait ce geste de défi qu'avec le vague espoir que celle à cause de qui j'aurais pu commettre un tel acte entrerait dans la pièce à ce moment-là, abaisserait le canon de mon arme et me serrerait dans ses bras.

Aujourd'hui encore, je me souvenais de toutes les heures, de toutes les secondes que j'avais passées en compagnie de Mel. Du velouté de sa peau, de la longueur de ses cheveux, des plats qu'elle avait pris au restaurant, de ses sourires et de toutes les intonations de sa voix. J'étais certain de ne l'avoir jamais entendue parler de la mort, sauf peut-être une fois et encore de façon très indirecte. Sa phrase exacte avait été : « Même la mort serait douce dans un endroit comme ça. » L'endroit auquel elle faisait référence était le lac Jökulsárlón, dans le sud de l'Islande. Sur l'un des murs de notre appartement de location, elle avait accroché un grand cliché du photographe Axel Waukee, représentant une petite maison près d'un lac, au lever du soleil. Cette photo dégageait un calme et une sérénité absolus. En petits caractères, dans le coin gauche, on pouvait lire : Jökulsárlón Lake, Iceland.

Lorsque nous étions assis sur le lit, nous avions ce paysage en face de nous et, à plusieurs reprises, nous avions commenté sa beauté et émis quelques propos surréalistes auxquels se laissent parfois aller les gens lorsqu'ils sont amoureux, mais qu'ils ne mettent généralement jamais à exécution (du genre : plus tard nous achèterons cette maison et nous élèverons nos enfants dans cet endroit, loin de l'agitation du monde et des villes).

Il n'empêche, je m'étais plusieurs fois demandé si cette maison de carte postale existait réellement et, dans l'affirmative, qui pouvait bien habiter dans un endroit pareil.

Cette piste n'avait peut-être que peu de chances d'aboutir, mais c'était la seule qui nous restait. Pour la vérifier, il n'était pas nécessaire de nous rendre tous les quatre en Islande. Il avait donc été décidé que j'irais seul à Reykjavík, les autres regagnant leur domicile ou leur lieu de travail.

L'avion s'immobilisa en bout de piste. Je descendis dans les premiers. En cette mi-septembre, l'hiver commençait déjà à s'installer dans ce pays de glaciers et de volcans. Dans l'enceinte de l'aéroport, je louai un puissant Land Rover avec pneus crantés et pris la route circulaire en direction du sud. Je traversai rapidement la ville de Selfoss et filai vers Dyrhólaey à la pointe méridionale du pays. À 15 heures, je m'arrêtai un moment à la station-service de Vik pour y manger un sandwich au saumon. Lorsque je repris la route, ce fut pour longer les plages de sable anthracite balayées par la houle. Le vent qui hurlait contre les vitres secouait la voiture et m'obligeait à réduire considérablement ma vitesse. J'en profitai pour jeter de nombreux coups d'œil vers la plage afin de voir l'écume blanche mordre inlassablement le sable noir. Quelques kilomètres plus loin, le paysage avait complètement changé. La côte atlantique avait laissé la place à un désert de poussières volcaniques qui s'étendait à perte de vue sans un arbre, sans un village. J'avais l'impression d'être arrivé au bout du monde. Je retrouvai heureusement la mer une heure plus tard, en même temps que les premiers glaciers. Au fur et à mesure que je m'enfonçais vers l'est, je ressentais la rigueur, parfois même l'hostilité de ces territoires inhabités. J'atteignis enfin le lac Jökulsárlón au moment où le soleil commençait à décliner. De nombreux icebergs aux reflets bleutés flottaient sur les eaux alanguies du lac. Je quittai la route n° 1 et m'engageai sur un sentier qui contournait le Jökulsárlón. Je n'eus qu'à parcourir quelques kilomètres avant d'atteindre le refuge.

La petite maison était bien là, identique à la photo. Un 4 × 4 était garé à proximité. Je rangeai le Land Rover à côté et m'avançai vers le refuge. L'air était pur et glacial et mon cœur battait aussi rapidement que si je venais de courir un marathon. Comme je m'apprêtais à grimper les quatre marches en bois qui menaient à la porte, un homme à la peau cuivrée, de type sud-américain, déboula devant moi. Il me dépassait facilement d'une tête et avait des épaules de joueur de rugby.

— Hello, dis-je prudemment.

Bizarrement, il ne sembla pas prêter attention à moi, se contentant de vérifier que personne d'autre ne se trouvait dans ma voiture. Toujours sans m'adresser la parole, il se dirigea vers le petit lac et resta immobile à regarder la surface de l'eau. Je me décidai à entrer dans la maison.

Il n'y avait qu'une seule pièce avec peu de meubles : un canapé, une table ronde, une cheminée en pierre et un joli parquet doré à grandes lattes. En levant les yeux vers une mezzanine mansardée, j'aperçus également un grand lit et un bureau équipé d'un ordinateur. L'ensemble aurait pu faire penser à un petit loft new-yorkais s'il n'avait été éclairé par la lumière d'une baie vitrée qui, au fond de la pièce, donnait sur le lac.

Une femme se tenait là, debout dans la lumière. Elle fit un pas vers moi, essaya de parler, mais sa voix chancela. Elle s'interrompit alors, se mit à pleurer et tomba dans mes bras. Nous restâmes longtemps enlacés et je retrouvai avec émotion l'odeur de sa peau et le rythme des battements de son cœur.

— Tu m'as tellement manqué, Théo, avoua-t-elle, les yeux encore pleins de larmes.

— Toi aussi, Mélanie, toi aussi.

Une heure plus tard, nous étions tous les deux assis autour de la table, à manger les filets de poisson grillés que nous avait préparés le grand Sud-Américain.

Entre-temps, j'avais appris qu'il se nommait Alejandro et qu'il était natif du Nicaragua. Cet homme, entièrement dévoué à Mélanie, ne sortit pas de son mutisme de toute la soirée. Il avait été marié à Veronica Monzon, la jeune femme enceinte décédée après avoir reçu une décharge électrique fatale dans l'usine de Managua. À la mort de son épouse, Alejandro s'était juré de se venger des responsables de cet assassinat.

Mel était entrée en contact avec lui par l'intermédiaire du SWAG, un comité américain de soutien aux travailleurs des *maquiladoras* sud-américaines. Comme je devais l'apprendre plus tard, cet homme avait joué un rôle essentiel dans les événements survenus ces dernières semaines puisqu'il nous avait suivis sans relâche depuis la Toscane jusqu'à New York.

Une fois l'émotion de nos retrouvailles un peu dissipée, je fis part à Mélanie des conclusions auxquelles nous étions arrivés, Magnus, Vittorio, Barbara et moi.

Elle m'écouta attentivement. Je guettais ses hochements de tête ou ses dénégations, mais son visage ne trahit aucune émotion particulière pendant mes explications. Elle savait que nous savions.

— Vous avez compris l'essentiel, admit-elle lorsque j'eus terminé.

— Alors, à toi de m'expliquer l'accessoire.

Pensive, elle se servit lentement un grand verre de lait, en but une gorgée et se passa la langue sur la lèvre supérieure.

— Avant tout, je voudrais te dire quelque chose, Théo. Quelque chose de vraiment important pour moi.

— Oui ?

— Quoi que j'aie pu faire, sois bien certain que mon ambition personnelle n'a jamais été plus forte que ma vocation à œuvrer pour le bien commun.

— Je n'en ai jamais douté, Mel, ni moi ni aucun de nous quatre.

— Mes deux dernières années à la vice-présidence ont été difficiles, commença-t-elle. Je me sentais à la fois esseulée et en manque affectif. Je me posais surtout de plus en plus de questions sur la pertinence de mon choix de vie et sur ce qu'il restait de latitude au pouvoir politique dans un pays où les deux tiers des gens ne votent plus et où ce sont les lobbies qui financent les campagnes politiques et dictent les lois pour servir leurs intérêts.

— Tu te demandais à quoi tu pouvais bien servir dans ce système ?

— C'est ça, approuva-t-elle. Les citoyens en ont assez d'être gouvernés par les intérêts des grandes entreprises et des groupes de pression, mais les républicains s'opposent à tout projet de réforme parce qu'ils sont les principaux bénéficiaires de leurs donations.

— Tu aurais voulu changer ça ?

— Bien sûr ! Je veux être présidente pour faire autre chose que des allègements d'impôts pour les riches ou des coupes dans les aides sociales. On assiste à un creusement des inégalités, à la décrépitude des écoles publiques, à la destruction de la planète, mais on ne prend jamais les bonnes mesures...

Elle avait repris ce ton militant qu'elle avait parfois et qui faisait merveille dans les meetings électoraux.

— Et Steiner dans tout ça ?

— Il avait le pouvoir économique et scientifique, mais j'allais peut-être avoir le pouvoir politique et il avait besoin de moi. Il voulait que je lui promette qu'une fois à la présidence je n'essayerais pas de mettre des barrières réglementaires à la légalisation complète du clonage humain et des manipulations génétiques.

— Sinon il menaçait de financer la campagne électorale de tes adversaires...

— Oui. Et c'est d'ailleurs de là que tout est parti. Comment t'expliquer ? Cet homme devenait de plus en plus dangereux pour l'espèce humaine, mais en même temps j'avais besoin de son argent pour contrer le trésor de guerre des républicains. Je ne savais pas comment m'y prendre. Et puis, un jour, j'ai eu une idée folle pour me débarrasser de lui. Au cours d'une de nos entrevues, je lui proposai d'échanger mon futur accord sur la législation du clonage contre l'organisation, par ses hommes, du vol de *La Joconde*.

— Et il a accepté ?

— Sans grandes difficultés, assura-t-elle. Il me considérait comme une lesbienne excentrique sous des apparences BCBG et il n'a pas vu venir le danger. Quant à l'aspect pratique du vol, il était convaincu que les risques étaient limités et, sur ce point, il n'avait pas tort : ses hommes ont facilement réussi à désamorcer la protection électronique du musée pour s'emparer du tableau.

— Je croyais pourtant qu'un tableau comme celui-là était bien protégé.

— Et il l'était, mais devine un peu le nom de la société qui s'occupait du système de protection du musée : Lockers & Lockers. Ça te dit quelque chose ?

— Je ne sais pas trop, fis-je en essayant de mobiliser certaines informations boursières que j'avais lues
récemment dans les journaux. C'est une filiale d'un
grand groupe d'assurances, non ? Peut-être Safe Life ou
Gentle Stars...

— C'est Gentle Stars, bravo. Et qui détient plus de
25 % des parts de ce groupe ?

— MicroGlobal ?

Mélanie approuva de la tête.

— Bon, et ensuite ?

— J'ai demandé à Steiner de venir chez moi, seul,
pour me remettre le tableau.

— Il ne s'est pas méfié ? demandai-je, pressé de
connaître la suite du récit. Je l'imaginais plutôt du
genre parano.

— C'est justement parce qu'il était très méfiant qu'il a
insisté pour me rencontrer en petit comité.

— Mais il savait que tu le détestais !

— Peut-être, mais nous avions signé une sorte de
pacte de non-agression : nous avions besoin l'un de
l'autre et il se croyait vraiment trop puissant pour que
j'ose tenter quelque chose contre lui. Il s'attendait à
tout sauf à être agressé physiquement dans la propre
demeure de la vice-présidente des États-Unis. Il est
donc venu dans ma maison de Canterbury Avenue,
accompagné d'un seul garde du corps qui lui servait
aussi de chauffeur. Tout s'est passé très vite : Alejandro
les a assommés avec l'aide de son frère Paolo, puis
nous avons drogué Steiner. Il ne restait plus alors qu'à

transporter son corps au Honduras, par hélicoptère. Paolo et Alejandro s'en sont chargés, avec la complicité de trois anciens syndicalistes indépendants dont l'activité avait autrefois été sanctionnée par un licenciement. Steiner n'a pas laissé de bons souvenirs aux travailleurs du Honduras. Il n'a pas été difficile d'obtenir d'eux une sorte de neutralité bienveillante qui nous permette de réaliser nos projets.

— Et le garde du corps ?

— Qu'est-ce que tu crois que nous en avons fait, Théo ? Ce n'était pas un enfant de chœur, tu sais…

— Peut-être mais tu as… tué deux hommes, Mélanie, dis-je, tout en ayant à l'esprit que, moi aussi, j'avais achevé un des tueurs dans la cave en Irlande et que je n'étais pas vraiment en mesure de donner des leçons.

Elle défendit sa position sans sourciller.

— Il appartient parfois aux hommes de pouvoir de prendre ce genre de décisions, Théo. C'était le meilleur choix pour la collectivité. Les projets de Steiner auraient entraîné notre pays vers une dérive eugéniste comme nous en avions déjà connu au début du siècle, lorsque les riches familles conservatrices avaient propagé l'idée que l'hérédité conditionnait les comportements pathologiques des individus.

Elle faisait allusion à la réaction de l'élite WASP qui, à la suite des vagues massives d'immigration, avait craint de perdre son pouvoir politique et économique. Dans un contexte de développement rapide des ghettos urbains et d'explosion des problèmes sociaux, les élites nationales s'étaient mises à promouvoir une politique eugéniste sur le sol des États-Unis, ce qui avait conduit dans les années 1930 à une stérilisation forcée de sujets considérés comme génétiquement inférieurs.

— En plus, ce fou envisageait à son tour d'être cloné ! reprit Mélanie en levant les bras au ciel.

— Steiner voulait un clone ? fis-je, incrédule.

— Oui, mais un clone modifié génétiquement, plus fort physiquement, plus résistant aux maladies et doté d'une intelligence encore supérieure. C'est dans cette optique qu'il avait monté l'opération de chirurgie géné- tique : pour que sa femme « accouche de lui-même » et qu'un autre petit Steiner hérite du vieux et perpétue son entreprise de domination sur le monde…

Pour me revigorer après ces révélations, Alejandro me tendit un verre d'un mélange de tequila, de gingembre et de jus de citron vert. J'avalai cette « boisson d'homme » d'un seul trait. L'alcool me brûla délicieu- sement le ventre tandis que le jus de citron faisait une tentative pour creuser un ulcère dans mon estomac. Le Nicaraguayen nous proposa ensuite des cigarillos et ni Mélanie ni moi ne résistâmes à la tentation d'encrasser encore un peu plus nos poumons.

— Comment savais-tu que nous irions en Irlande ? demandai-je en rejetant une bouffée de fumée par la fenêtre.

— Disons que Magnus m'a devancée. J'avais prévu de vous diriger là-bas de toute façon, mais je n'ai même pas eu besoin de le préciser dans mes messages puisque j'ai su par Alejandro que vous comptiez vous y rendre de votre propre initiative.

Great minds think alike, pensai-je en jetant un regard au grand escogriffe qui avait été sur nos talons pendant toute cette histoire sans que nous le remarquions.

— Et l'épisode de Real Island ?

— Rien de très compliqué, expliqua-t-elle. Ces chers citoyens enfermés dans leur forteresse veulent que de l'eau minérale coule dans les tuyaux de leurs robinets ! Il faut donc faire venir cette eau par camion-citerne. Paolo a profité de l'arrêt d'un des *trucks* sur une aire d'autoroute pour verser un petit flacon de poison dans son réservoir.

— Mais ces camions sont étroitement surveillés, même sur les aires de repos.

Elle afficha un étrange sourire rusé qui n'était pas l'expression que je préférais chez elle.

— Disons qu'avec quelques milliers de dollars glissés dans une enveloppe la surveillance peut se faire moins rigoureuse...

— Des dizaines de personnes seraient mortes si nous n'avions pas résolu l'énigme, fis-je remarquer d'un ton amer.

— Je ne suis pas folle, Théo, répondit-elle, comme peinée par ma dernière réflexion. J'aurais moi-même passé un coup de fil anonyme au dernier moment si vous ne l'aviez pas fait.

Un étrange silence s'installa dans la pièce.

— Tu ne me crois pas? demanda-t-elle au bout d'un moment.

— Bien sûr que si, répondis-je sans mentir. Mais il y avait aussi des risques en ce qui concerne les manipulations d'embryons.

— Pas vraiment: tu sais très bien qu'il n'existe pas de gènes du crime. Ce n'est pas à cause de son patrimoine génétique que Maumy commettait ses massacres. Et puis, là encore, j'aurais eu la possibilité de révéler la manipulation au dernier moment.

— Comment as-tu pu accéder au laboratoire de Cell Research Therapeutics?

— Magnus, se contenta-t-elle de répondre avec un franc sourire.

— Comment ça, Magnus?

— C'est lui qui a interverti les gènes.

Je tombai des nues. Gemereck était dans la combine depuis le début et il ne nous avait rien dit! Mélanie compléta ses explications.

— Dès qu'il a été embauché pour diriger un des labos de CRT, Magnus a commencé à rédiger des comptes rendus confidentiels qu'il me faisait parvenir à la vice-présidence. Grâce à lui, je savais exactement quels étaient les agissements et les projets de Steiner. Tous ces renseignements m'ont été précieux pour savoir quand et comment agir.

— Mais de quoi était-il réellement au courant? demandai-je, en colère. Connaissait-il tes intentions et tes agissements?

— Il ne savait rien de tout ça, me certifia-t-elle. Depuis trente ans, je ne lui ai reparlé qu'une seule fois : c'était il y a deux mois, lorsqu'il m'a fait part de l'occasion qu'il avait de saboter les expériences de Cell Research Therapeutics en intervertissant les gènes.

— Il t'a demandé ton avis ?

— Mon avis officieux.

— Et que lui as-tu répondu ?

— Je l'ai encouragé.

Je n'étais pas certain de bien comprendre la situation.

— Pourquoi ne nous a-t-il jamais rien dit ?

— Il se sentait peut-être coupable et n'avait pas envie de vous avouer son acte. Sans doute pensait-il aussi qu'il devait me protéger. Quoi que j'aie pu faire, je... je reste quand même la mère de sa fille.

— Quand a-t-il su que c'était toi qui étais derrière tout ça ?

Elle marqua un temps de réflexion.

— Il a dû deviner vers la fin de la deuxième énigme. À ce moment-là, je pense qu'il a compris que je comptais me servir de son propre sabotage pour ma troisième action.

— En un sens, il t'a rendu service en alertant les médias et en signant nos messages du nom de Mona Lisa.

— C'est vrai : peut-être croyait-il que le meilleur moyen de me protéger était justement d'entrer dans mon jeu pour en terminer le plus vite possible.

— Mais nous avons vraiment failli nous faire tuer ! m'exclamai-je en me rappelant la meute des gardes armés qui couraient derrière nous sur le site de Cell Research.

— C'est vrai que c'était dangereux, admit Mélanie. Les hommes de Steiner suivaient Magnus à la trace depuis déjà plusieurs mois, mais il pensait néanmoins qu'il pourrait pénétrer à l'intérieur du labo sans trop de problèmes. Il ne t'aurait pas emmené s'il s'était douté que ce serait aussi dangereux.

— Mouais, fis-je dans un haussement d'épaules.

Je me resservis un petit verre de tequila. J'étais furieux d'avoir été manipulé par Gemereck, mais, en repensant à cet épisode, je compris que la visite du laboratoire resterait comme un des souvenirs les plus forts de mon existence et je me dis que, si c'était à refaire, je retournerais quand même là-bas avec Magnus pour aider Mélanie et sentir à nouveau mon cœur s'emballer.

21

Staccato

Nous enfilâmes nos bonnets, nos gants et nos lourdes parkas avant de sortir dans la nuit claire et froide. Nous ne pouvions résister plus longtemps à l'attrait qu'exerçait le lac sur notre imaginaire.

Je pensais que, quoi qu'il puisse advenir par la suite, le simple fait de se trouver tous les deux à cet endroit constituait pour moi une sorte de victoire et je sentais bien qu'il en était de même pour elle.

— Pourquoi t'es-tu enfuie, Mélanie ? lui demandai-je alors qu'elle semblait tout entière absorbée par la contemplation de la surface de l'eau.

— Parce qu'il fallait un acte fort pour symboliser le quatrième pilier et que je suis épuisée. Je ne me sens plus capable de continuer. J'arrive au bout de mon chemin.

— Ne dis pas de bêtises : ta mort ne résoudrait rien.

— Elle résoudrait mes problèmes.

— Arrête, ces propos ne te correspondent pas. Tu n'es pas comme ça.

— Tu vois une autre solution ?

— Des tas, dis-je en essayant de mettre dans mes propos le plus de conviction possible.

— Soyons réalistes : il m'est impossible de faire marche arrière. Je suis le deuxième personnage de l'État, candidate aux élections présidentielles, et j'ai disparu, sans donner aucune explication, en pleine campagne électorale. Même si je réapparaissais en inventant une excuse valable, je passerais pour une irréfléchie et c'en serait fini de mes chances d'accéder à la présidence.

— Pas sûr : tout le monde a le droit de douter ou de s'accorder le temps de la réflexion dans certaines situations, y compris les dirigeants politiques.

— Peut-être mais… j'ai accumulé des erreurs impardonnables. Pense un peu que, pour prendre l'avion jusqu'ici, il m'a fallu utiliser un passeport avec un faux nom !

— Peu importe, puisque personne n'est au courant. Écoute, tu pourrais réapparaître et dire que tu as été enlevée. Après tout, c'est ce que pensent la plupart des gens.

— Ce serait trop risqué : dans ma position, il y aurait une enquête minutieuse et on découvrirait la supercherie.

— Pas forcément, Mélanie ; si nous nous y prenons bien, tout peut encore s'arranger.

Elle me regarda avec reconnaissance et, à cet instant, une larme coula le long de sa joue. Je la serrai fort dans mes bras pour la réchauffer.

— De toute façon, ce n'est pas la question la plus importante, dis-je.

— Quelle est-elle alors ?

— As-tu envie de revenir, Mel ? Est-ce que tu veux vraiment être présidente de ce pays et est-ce que tu pourras tenir le coup si tu y arrives ?

— Je...

— Ne réponds pas tout de suite, tu es encore sous le choc, laisse-toi quelques heures de réflexion.

Elle s'essuya rageusement les yeux avant d'admettre :

— J'ai eu peur, je le reconnais, peur des responsabilités à venir... enfin, je ne sais pas vraiment comment t'expliquer.

Elle n'en avait nul besoin : je comprenais sans mal les doutes et la peur que pouvait éprouver une personne sur le point d'atteindre le but de sa vie et de devenir la personne la plus puissante de la planète.

— Et puis je crois qu'inconsciemment je voulais aussi vous... vous épater tous les quatre, vous montrer que je ne m'étais pas trahie et que j'étais restée fidèle à mes valeurs et à mes idéaux. Tu peux me croire, j'ai toujours été animée par un altruisme profond. J'ai fait tout cela au nom d'un avenir meilleur.

En l'écoutant parler ce soir-là, je me demandai s'il ne fallait pas être un peu fou pour vouloir devenir président des États-Unis.

Le froid était intense et, à chacune de nos paroles, de la buée s'échappait de notre bouche.

— Je sais que tu ne l'as jamais vraiment cru, mais je voulais aussi te dire que... à ma manière, je t'ai toujours aimé...

— J'ai mis longtemps à le comprendre, Mélanie.

— Pardonne-moi, murmura-t-elle sincèrement. Je n'ai jamais voulu te faire de peine.

— Tout va bien.

— C'est incroyable, la planète entière est à mes trousses et tu es le seul à m'avoir retrouvée, le seul à être là, devant moi, et à t'intéresser à moi en tant que personne.

Je passai un bras autour de ses épaules.

— Tu pourras toujours compter sur moi, je te le promets.

Elle enfouit son visage dans le creux de mon cou.

Si j'avais raconté à un psychologue les détails de ma relation passionnelle avec Mélanie, il aurait immanquablement jugé que dans le passé il m'était arrivé de confondre le besoin et le désir et, dans sa logique, il aurait sans doute eu raison.

C'est bien connu : la plus grande erreur consiste souvent à faire un absolu de la personne aimée, car on confond alors le désir et le besoin, ce qui ne peut provoquer qu'une immense souffrance. Le désir et la sensualité prennent généralement place du côté du superflu, alors que la satisfaction d'un besoin est de l'ordre de la nécessité puisqu'en son absence votre survie même est menacée.

Pourtant, ce soir-là, alors que nous regardions le reflet de la lune sur les eaux argentées du lac, il me sembla que cette destruction n'était pas inéluctable et qu'il devait exister une alchimie capable de transformer une passion aliénante et stérile en une réserve de force et de paix.

Mélanie caressa ma joue pour sentir les poils drus de ma barbe naissante, comme elle avait parfois l'habitude de le faire lorsque nous étions amoureux. Elle m'adressa un sourire en retrouvant ce geste ancien puis posa la tête sur mon épaule. Nous restâmes un moment silencieux et ce fut comme si la proximité très forte que j'avais avec cette femme se spiritualisait tout à coup devant le scintillement féerique des icebergs qui émergeaient de l'eau.

Lorsque le froid fut sur le point de nous transformer en glaçons, nous regagnâmes la petite maison qui, dans le temps, nous avait fait rêver. Mais avant de rentrer, j'insistai pour prendre quelque chose dans le coffre de ma voiture.

— Je me suis dit qu'ici les nuits seraient peut-être fraîches.

Elle eut alors une moue interrogative dans ma direction.

— Eh oui ! dis-je, en sortant du coffre du 4 × 4 une couette en plume de cygne, réplique de celle que nous possédions à la grande époque de notre amour. Je l'ai achetée ce matin dans une boutique de JFK Airport avant mon départ.

Elle me prit la couette des mains et s'en fit comme une cape majestueuse avant de se jeter dans mes bras. Dans un élan, ses lèvres cherchèrent les miennes mais, au dernier moment, je détournai la tête, l'embrassai sur la joue et la reposai sur le sol. Nous n'en étions plus là et, après tout, peut-être valait-il mieux que certaines choses n'arrivent pas du tout plutôt que trop tard.

En remontant l'escalier derrière Mélanie, je pensais à ce vieux refrain que chantait Joan Baez :

> *The joys of love are but a moment long*
> *The pain of love endless the whole life long*[1].

Je n'étais plus sûr du tout de la pertinence de la deuxième affirmation. Et c'était pour moi comme un soulagement.

Nous ne prîmes aucune décision le jour qui suivit.

La matinée commença par un jogging autour du lac et se poursuivit par une partie de pêche. Après le déjeuner, j'allumai un feu dans la cheminée et nous fîmes une longue sieste avant de nous affronter autour d'une partie de Scrabble. Durant tout l'après-midi, je fis de mon mieux pour égayer son humeur et lui racontai avec humour certains épisodes plaisants de la quête intellectuelle que nous avions menée pour remonter jusqu'à elle. La soirée fut entièrement consacrée à faire revivre le passé en buvant de la tequila au coin du feu. Pendant cette journée intemporelle, j'eus tout le loisir

---

1. Plaisir d'amour ne dure qu'un moment / Chagrin d'amour dure toute la vie.

de faire ce que j'avais le plus aimé jusque-là : être avec Mélanie et la regarder rire.

Je me réveillai tôt le lendemain, mais, lorsque j'ouvris les yeux, Mélanie était déjà sortie faire son footing dans le froid du matin.

Je descendis me préparer un café et des œufs. Le jour se levait à peine et une pluie fine tombait en staccato sur la baie vitrée. Cette dernière fournissait néanmoins un observatoire de premier choix sur le lac et ses alentours, ce qui me permit de guetter Mélanie et de la voir arriver de loin. Au rythme soutenu de sa course, je sus, avant même qu'elle me le dise, que c'était le dernier jour que nous passions ici ensemble.

Je terminai mon café en détaillant sa façon de courir. Ceux qui, comme moi, la connaissaient bien pouvaient retrouver dans son allure tous les aspects de sa personnalité : son goût de l'effort, sa farouche détermination, son désir de dépassement de soi – qui la faisait terminer son footing par un sprint – et cette impression bizarre qu'elle donnait d'être toujours engagée dans une compétition, même quand elle pratiquait une activité solitaire.

Lorsqu'elle poussa la porte, j'aperçus nettement la dureté de son regard clair et, l'ombre d'un instant, il me sembla ressentir, presque physiquement, la force permanente qui la poussait sans cesse vers l'avant, ainsi que des pans entiers de cette solitude qu'aucun amour, si immense soit-il, ne pourrait jamais combler.

Je lui versai un verre de jus d'orange pendant qu'elle reprenait son souffle. Comme je l'avais prévu, elle me confirma qu'elle voulait essayer de revenir en arrière et qu'elle acceptait mon aide. Toute trace de sourire avait disparu de son visage.

Mon 4 × 4 fut rapidement chargé et, avant 9 heures, nous prîmes la direction de Reykjavík. Il y avait un vol pour Heathrow en début d'après-midi.

Nous achetâmes chacun notre billet séparément. Elle avait revêtu une perruque brune et un faux nez en silicone pour se faire une tête qui corresponde à la photo de son passeport. Conformément au plan que nous avions arrêté, nous n'échangeâmes pas un seul regard pendant toute la durée du vol.

Nous prîmes également des précautions pour que les caméras de surveillance de Heathrow ne nous filment jamais côte à côte. Il était probable que, dès le lendemain, des policiers seraient chargés d'analyser les bandes vidéo des principaux aéroports du Royaume-Uni.

Peut-être que l'un d'eux, plus soupçonneux ou plus observateur que les autres, s'imaginerait reconnaître la vice-présidente américaine en la personne d'une des voyageuses du vol Icelandair 404. Mais, après vérification et agrandissement de l'image, il serait forcé de s'apercevoir de son erreur puisque la femme en question disposait d'un passeport valide, portait des cheveux longs et bruns et avait un nez nettement plus épaté que celui de la belle Mélanie Anderson.

Je louai à mon nom une petite Volkswagen au comptoir Europcar de l'aéroport. Nous arrêtâmes les grandes lignes de notre plan sur l'autoroute qui nous emmenait vers la City.

Je trouvai une place à cinq cents mètres de l'ambassade américaine, à l'angle de Brook Street et de Davies Street. Après avoir avalé trois somnifères, Mélanie enleva sa perruque et son nez postiche. Je l'embrassai une dernière fois avant qu'elle ne referme tout à fait la portière. Elle s'éloigna lentement de la voiture, longea à pied Grosvenor Square et leva les yeux vers le Roosevelt Memorial comme pour se donner du courage. Je la devinais tendue, perdue parmi la foule des Londoniens à l'heure de la sortie des bureaux, et j'eus la tentation de la suivre des yeux encore quelques secondes, mais il n'était pas prudent que je traîne. Je rallumai le moteur, et remontai le long d'Upper Brook Street. Au moment de tourner vers Park Lane, je jetai un rapide coup d'œil dans mon rétroviseur et eus à peine le temps de la voir s'écrouler sur les marches de l'ambassade.

Comme je l'avais espéré, l'enquête ne déboucha sur rien et personne ne sut jamais pourquoi la vice-présidente avait été retrouvée groggy sur les marches de l'ambassade des États-Unis à Londres. Le manque d'éléments directement exploitables pénalisait les enquêteurs.

Il faut dire que Mélanie ne leur facilitait pas la tâche. Elle parla vaguement d'un groupe de trois hommes qui l'avaient agressée à son domicile et prétendit avoir été droguée pendant les quatre derniers jours, ce qui expliquait qu'elle ne se souvenait plus de rien. Comme la loi l'y autorisait, elle refusa de faire analyser son sang ou de se soumettre à d'autres expertises médicales. Sa position était qu'elle souhaitait oublier au plus vite cet épisode traumatisant, pour se concentrer sur les derniers moments de la campagne électorale.

Mais les autorités n'étaient pas décidées à baisser les bras. Après tout, la sécurité intérieure de la première puissance mondiale était en cause. Les stratèges de la CIA sautèrent sur cette affaire, y voyant la confirmation de leur théorie selon laquelle, malgré la fin de la guerre froide, les intérêts américains étaient menacés sur de nombreux fronts. Les pistes les plus folles furent passées au peigne fin. Comme le régime cubain ne faisait plus vraiment peur, on se rabattit une fois de plus sur une hypothétique machination ourdie par le terroriste saoudien Oussama Ben Laden. Mais la piste la plus sérieuse venait de Chine : la mise en place du système antimissile américain avait tendu les relations avec Pékin et renforcé un peu plus l'idée selon laquelle Pékin et Washington étaient voués à devenir des adversaires politiques. Un mois auparavant, les Américains avaient à nouveau refusé, pour des raisons de sécurité nationale, de vendre un satellite de communication à la Chine, bien qu'il fût normalement destiné à un usage civil. Le gouvernement de Pékin avait bruyamment manifesté son mécontentement et laissé planer la menace de quelques vagues mesures de rétorsion.

Après une enquête sommaire, trois Chinois origi-
naires de Canton furent arrêtés dans la banlieue
de Los Angeles. On trouva bien chez eux quelques
armes et quelques tracts suspects, mais aucun indice
qui aurait permis de les relier à l'enlèvement de la
vice-présidente.

Après une manifestation en leur faveur orga-
nisée par les riches Asiatiques de Monterey Park,
ils furent d'ailleurs rapidement remis en liberté et la
piste chinoise tourna court. Les adversaires républicains de Mélanie essayèrent naturellement d'exploiter
cette affaire à leur avantage. C'était sans compter avec
Bill Montana qui employa ses derniers jours en tant
que président à calmer le jeu : il ne voulait pas qu'une
affaire d'État vienne entacher la fin de son mandat.

Dans une note interne, le directeur de la CIA se plaignit du manque de coopération de Mrs. Anderson mais,
comme il n'y avait eu ni violence ni demande de rançon,
le soulagement d'avoir retrouvé la vice-présidente à
quelques semaines de l'élection prima finalement sur
les contingences formelles de la recherche de la vérité.

L'enquête fut donc classée après que l'on eut, encore
une fois, évoqué la nécessité de renforcer la protection
des plus hauts personnages de l'État dès les prochaines
échéances électorales.

La campagne pour les élections présidentielles pola-
risait à présent tous les esprits, d'autant plus qu'en
l'espace de quatre jours Mélanie Anderson venait de
gagner près de dix points dans les sondages.

22

Une femme d'honneur

Le 20 décembre 2004, Mélanie K. Anderson fut la première femme à être élue présidente des États-Unis. Lorsqu'elle entra en fonction, un mois plus tard, elle fit voter au Congrès la mise en place d'une couverture universelle en matière de santé, réaffirma avec force le droit à l'avortement et réussit à faire passer une série de lois restrictives concernant la vente des armes à feu. Dans le domaine de la recherche, le nouveau secrétaire d'État à la Santé – le Pr Magnus Gemereck – obtint le vote d'une réglementation sévère interdisant certaines manipulations génétiques à visée eugéniste. Le scandale de Cell Research Therapeutics avait marqué durablement les esprits et, un peu plus tard, des décisions semblables furent prises en Europe et au Japon.

Au sommet international de Milan, le gouvernement américain s'engagea à réduire de 15 % le volume des rejets de gaz carbonique de ses industries dans un délai de dix ans. Contre toute attente, cette décision fut ratifiée par le Congrès.

Profitant de cet état de grâce, plusieurs sénateurs démocrates, soutenus par un puissant réseau d'associations et de groupes de pression, réussirent à faire organiser de nombreux référendums en faveur de l'abolition de la peine de mort. À la fin de l'automne 2005, plusieurs États de l'Union, parmi ceux qui la pratiquaient, votèrent l'abolition de la peine capitale.

Mélanie était peut-être folle, mais c'était une sacrée présidente !

C'est aussi pendant cette période que les États-Unis réglèrent une fois pour toutes l'intégralité de leur dette auprès des Nations unies. D'après la plupart des observateurs, cette victoire était à mettre au crédit du nouveau sous-secrétaire général de l'Organisation, un certain Vittorio Carosa, jeune prêtre de son état qui, en quelques mois, avait su rallier à lui ceux qui avaient d'abord douté de la légitimité de sa nomination.

Après la fin des événements qui nous avaient tant secoués, j'avais vendu ma maison de Bretagne et étais revenu vivre et travailler à Boston.

Au début de l'année, j'avais intégré un centre d'assistance juridique dont le but était d'assurer une aide gratuite à ceux qui ne pouvaient pas se payer les services d'un avocat. Nous étions deux professionnels à y travailler à plein temps. Nos salaires étaient insignifiants par rapport à ce que nous aurions pu obtenir en travaillant pour un grand cabinet, mais peu nous importait : nous n'étions pas ici pour gagner de l'argent, mais pour aider les plus démunis.

Ma vie avait de nouveau un sens et le travail ne manquait pas : l'égalité de droit entre les hommes est une règle qui compte encore beaucoup d'exceptions...

En février 2005, le prince Al Fayouad reçut des mains du président de la République française la décoration de chevalier des Arts et des Lettres pour avoir restitué *La Joconde* à la France.

À l'occasion de la cérémonie, le prince expliqua à la presse comment, lors d'un banal contrôle de routine, la police de son pays avait réussi à mettre la main sur le célèbre tableau. Malheureusement, les coupables avaient réussi à filer, mais le prince s'était généreusement proposé pour prendre à sa charge tous les frais de restauration de l'œuvre tant il admirait l'art et la culture de la Renaissance.

Bien entendu, ce n'était pas la vérité et, quelques mois plus tard, Barbara devait m'expliquer comment elle avait revendu le tableau à Al Fayouad pour la somme de 100 millions de dollars.

Quel pouvait être l'intérêt, pour l'héritier d'un roi du pétrole, d'acheter un tableau volé à une aventurière pour en faire don à l'État français ?

En fait, la manœuvre était assez habile. Les progrès massifs réalisés ces dernières années dans les technologies d'exploration avaient permis d'exploiter les réserves de pétrole d'Alaska et de la mer du Nord pour un coût très faible. Le pétrole produit dans cette région du monde s'était alors trouvé, pour la première fois, très compétitif par rapport à celui de la zone OPEP. Cette situation nouvelle avait effrayé nombre de pays du Moyen-Orient, au premier rang desquels les grandes monarchies du Golfe qui n'avaient eu de cesse de faire pression sur les pays occidentaux pour maintenir les cours du baril à un niveau artificiellement élevé.

Le prince Al Fayouad était en fait venu à Paris pour discuter de la fixation du prix du brut avec les représentants d'une grande multinationale pétrolière dont une part importante du capital était détenue par des actionnaires français. Dans l'optique de cette négociation, le chef-d'œuvre de Léonard était un moyen d'incitation comme un autre, un geste symbolique de non-agression, censé faire prendre conscience aux Occidentaux de l'existence de certains intérêts économiques communs.

La semaine suivante, 50 millions de dollars furent versés sur un compte à mon nom dans une banque suisse. Il n'y avait pas de doute : Barbara était bien une femme d'honneur.

C'est à peu près à cette époque que l'on put lire dans la presse certains articles à propos de l'ouverture, dans l'État de New York, de l'Institut Mona Lisa, un centre éducatif dispensant un enseignement de haut niveau à des élèves âgés de six à dix-huit ans. L'Institut avait installé ses locaux dans un château près d'Albany et recruté les meilleurs professeurs ainsi qu'un personnel d'encadrement nombreux et qualifié. La grande originalité de cet établissement résidait dans la composition sociale de ses élèves puisque la moitié était issue de familles modestes qui bénéficiaient d'une scolarité gratuite tandis que l'autre moitié venait de familles aisées qui acquittaient des frais de scolarité très élevés.

Dans une interview au *New York Times*, la directrice de cet établissement, miss Barbara Weber, avait rappelé « la nécessité d'offrir à des enfants brillants issus des couches les plus pauvres une perspective de promotion sociale par l'école et la culture ».

— L'organisation scolaire américaine ne vous semble donc pas sans défaut ? avait demandé le journaliste.

— Cela me paraît une évidence, avait répondu miss Weber. La vocation de notre centre est justement d'atténuer la discrimination entre les enfants des quartiers défavorisés et ceux des quartiers huppés.

— N'est-ce pas un peu utopique ?

— Faire en sorte que l'entrée dans les établissements les plus cotés ne soit pas réservée à une élite ne me paraît pas précisément relever de l'utopie ; c'est l'une des priorités de notre pays pour les prochaines années. Tel était d'ailleurs le sens des propos de la présidente, Mélanie Anderson, lors de sa visite dans notre établissement la semaine dernière.

Au risque d'écrire des banalités, une somme de 50 millions de dollars, nets d'impôt, représente un capital colossal qui vous ouvre bien des portes et permet d'entreprendre de grandes choses.

Je pris rapidement un conseiller financier qui s'occupa de placer une bonne partie du magot sur les marchés boursiers. Grâce à cette nouvelle fortune, je n'eus aucun mal à devenir le principal pourvoyeur de fonds du centre juridique, donc son patron. Dans la foulée, j'embauchai une brochette d'avocats parmi les plus performants, leur offrant des salaires aussi alléchants que ceux qu'ils pourraient trouver dans les grands cabinets privés, et ouvris aussitôt à Chicago une structure comparable à celle de Boston.

En quelques mois, le nombre de personnes que nous aidions augmenta rapidement. Nos deux centres acquirent très vite une forte notoriété et notre puissance financière nous apporta une reconnaissance de la part des autorités municipales et fédérales. Pour la première fois dans ma carrière d'avocat, j'étais fier du métier que j'avais choisi.

Entre 1503 et 1506, à Florence, un homme passa près de dix mille heures de sa vie devant un rectangle de bois de peuplier, à essayer de retranscrire le sourire énigmatique d'une jeune femme.

D'après les historiens, il semble aujourd'hui certain qu'il s'agit de Lisa Gherardini, épouse d'un riche Florentin portant le beau nom de Francesco di Bartolomeo di Zanobi del Giocondo.

On a souvent dit que le modèle de Léonard de Vinci avait quelque chose d'un peu irréel, comme s'il était soustrait aux réalités terrestres. Pour moi, au contraire, Lisa n'a jamais été aussi proche des réalités de notre temps, puisque c'est grâce à elle que je paye le loyer de mes locaux et les salaires de mes employés. Il en est de même pour le centre éducatif de Barbara.

Je me demande souvent ce que Léonard aurait pensé s'il avait su que, cinq siècles plus tard, le vol puis la vente illicite d'une de ses œuvres serviraient à donner une éducation et une assistance juridique à plusieurs centaines de nécessiteux. Qu'on me dise après ça que l'art ne sert à rien...

Au début de l'hiver, je reçus une lettre de Barbara.

Théo,

Juste ces quelques mots pour te dire que les jours passés à tes côtés il y a quelques mois ont définitivement transformé mon existence.

J'aimerais te raconter mes erreurs d'hier, t'expliquer comment on peut être amené à se fourvoyer et à se détruire sans s'en rendre compte. Mais cela prendrait du temps et te donnerait une image encore plus négative de moi.

Je l'admets sans peine: j'étais une fille qui connaissait le prix de tout mais la valeur de rien. L'aventure incroyable que nous avons vécue m'a fait prendre conscience qu'il était encore temps de changer et donné l'énergie nécessaire pour fonder l'Institut.

Je suis comme régénérée. Avec le temps, j'ai cessé d'absorber drogues et médicaments. Pour la première fois de ma vie, j'ai l'impression de faire du bien autour de moi. Je vis maintenant en paix. En paix avec moi-même et avec les autres.

Te souviens-tu du soir où tu m'as demandé si j'avais déjà éprouvé de l'amour pour quelqu'un? Je ne peux répondre à cette question que par la négative: je n'ai inspiré que de l'indifférence à mes parents et mes amants ne voyaient en moi qu'un corps à étreindre. À partir de là, mes histoires avec les hommes ne pouvaient être que des malentendus temporaires. Je ne savais vivre que dans l'éclatement, l'évanescence et le tumulte.

Il y a un petit étang derrière le château. C'est mon endroit préféré. Un endroit hors du temps. J'y vais tous les jours avant de commencer ma journée de travail.

Ce matin, la neige tombait en flocons blancs et légers et répandait sur les branches une écume glacée. J'ai repensé à ta question. J'ai tendu la main dans le vide et imaginé que tu étais là, avec moi, que nous faisions ensemble le tour de l'étang en regardant les canards et les cygnes. J'ai imaginé le bruit de nos pas dans la neige.

Puis je t'ai vu m'embrasser au milieu de la poussière de nacre qui virevoltait autour de nous.

Skidamarink

C'est bête à dire, mais je ne m'habitue pas à ton absence. J'espère que tes regards mélancoliques mais attachants se perdent moins souvent dans l'au-delà.

Une petite colombe
qui pense souvent à toi

P-S : Quand tu seras réincarné en tortue géante, sur ton île des Galápagos, j'espère que, toi aussi, tu penseras parfois à moi.

J'ai plié la lettre et l'ai glissée dans mon portefeuille. Elle ne me quittera plus jamais.

Boston, le 15 novembre
Pour avoir une bonne prévision du temps qu'il fera trois heures plus tard, les vieux Bostoniens disent qu'il suffit de trouver un endroit d'où l'on peut apercevoir le vieux Hancock Building, dans Back Bay.
Une fois à ce poste d'observation, il n'y a plus alors qu'à regarder attentivement le reflet de la lumière sur la tour et à se souvenir des paroles de la chanson :

Steady blue, clear view,
Flashing blue, clouds due.
Steady red, rain ahead.
Flashing red, snow instead.

Je bénéficie d'une chance incroyable puisque les fenêtres du centre juridique donnent justement sur le Hancock Building, ce qui m'épargne d'avoir à apprivoiser une grenouille ou à regarder les prévisions météorologiques de Channel 6.

*Ce matin, le bleu est au beau fixe : le soleil brillera à midi. Si mes clients m'en laissent le temps, j'irai sans doute manger un sandwich près des cuivres de l'*Old Ironsides [1] *et, comme je le fais plusieurs fois par jour, je penserai à toi. J'essayerai de t'expliquer pourquoi je suis comme ça. Je te raconterai la mort de mon père, l'exil, la rigueur des premiers mois en Amérique, puis des bribes de ma vie lorsque j'avais dix ans : le sourire de mon frère qui joue, notre cabane de Robinson au fond du jardin, nos parties de basket jusqu'à l'épuisement et notre réserve de canettes de Coke qu'on planquait dans une glacière sous les branchages.*

Une brève période heureuse qu'on rencontre rarement dans une vie d'homme.

Je te décrirai dans le détail mes copains d'école de Boston Sud : Billy Harbor, Kenny Jackson

---

1. L'*Old Ironsides* (« vieux bateau aux flancs de fer ») est le plus vieux navire de guerre encore à flot. De son vrai nom *USS Constitution*, ce premier vaisseau amiral de la marine américaine doit son surnom à son revêtement de cuivre qui lui permit d'obtenir de nombreux succès en mer.

et *Charly Creeks*, aujourd'hui en prison ou défoncés au crack.

Je te dirai tout, y compris le souffle d'épuisement de ma mère quand elle allait courber l'échine chez les nababs, sans oublier non plus cette violence qui était partout et qui devait m'enlever mon frère, mort dans un règlement de comptes entre des bandes du quartier.

Si j'en ai le courage, je te parlerai de son corps couché dans l'un des tiroirs froids de la morgue, des marques laissées par les coups de couteau, que j'ai caressées de mes doigts et mouillées de mes larmes.

J'aimerais aussi t'emmener faire un tour du côté de mon ancienne école pour te montrer les livres que je lisais alors, mes bulletins scolaires ainsi que le muret de la cour de récré sur lequel j'avais l'habitude de m'asseoir pour regarder tomber les feuilles des arbres pendant que d'autres jouaient à se battre.

Puis, plus tard, ces nuits, courbé sur mon bureau.

Ne plus vivre que pour avoir le droit de quitter cet endroit. L'obsession de partir ailleurs, loin de ces gens qui n'ont jamais ouvert un livre, qui boivent de la bière et qui s'écroulent de rire en s'écoutant roter.

Je te dirai ensuite la satisfaction d'aller à l'université, le premier baiser enivrant d'une fille née *loin du downtown, et la victoire du diplôme qui laisse pourtant un goût d'inachevé.*

Immédiatement après, le premier job, le premier salaire et le plaisir ambivalent des premiers mille dollars claqués futilement.

Puis l'« affaire Hamilton ». Ce client que personne ne veut et pour qui j'obtiens, à la surprise générale, 10 millions de dollars de dommages et intérêts. On me décerne le titre d'avocat de l'année; j'ai vingt-six ans et je suis le roi du monde. Le roi de rien du tout.

Car elle arrive avec son corps magnétique, son rire d'insurgée et ses yeux d'insoumise. Cet être inaccessible que je ne comprendrai jamais et qui passe à travers la vie aussi libre qu'une comète dans l'espace.

Je croyais pourtant être au-dessus de tout ça: du sentiment, de la fascination et de l'attachement. Je croyais aussi être solide, très solide. Mais je ne l'étais pas.

Sincèrement,

Théo

P-S : Un jour, dans nos vies postérieures, lorsque j'en aurai assez d'être une tortue géante, je me réincarnerai en oiseau migrateur et je quitterai l'archipel des Galápagos pour venir te rejoindre dans le ciel...

Weekly Oenological Report, 08 04 2005

Vente aux enchères de prestigieuses bouteilles de vin à New York

Cinquante bouteilles de vin vieilles de plusieurs décennies ont été vendues aux enchères vendredi soir, chez Christie's, à New York, pour un total de plus de 200 000 dollars. Cette vente fut sans conteste l'une des plus prestigieuses de ces dix dernières années. Elle fut surtout marquée par la mise aux enchères de bouteilles historiques, appartenant au panthéon des crus les plus célèbres de l'humanité. Parmi elles, un mouton-rothschild 1900 adjugé 10 000 dollars, deux château-margaux 1900 adjugés 31 550 dollars, et une caisse de champagne de la maison Heidsieck Monopole 1907 adjugée 40 700 dollars.

L'acheteur de toutes ces bouteilles a désiré garder l'anonymat.

Rappelons que les trois bouteilles de bordeaux sont celles qui avaient été retrouvées en 1930 dans la maison de sir Arthur Conan Doyle à Crowborough (Sussex). Adepte avoué du spiritisme, le père de Sherlock Holmes s'était en effet constitué une réserve de grands crus qu'il aimait savourer entre deux séances de tables tournantes.

Quant aux bouteilles de champagne, elles proviennent des caisses qu'avaient retrouvées des plongeurs suédois, il y a quelques années, dans l'épave du *Jonkoping*, qui gisait par 65 mètres de fond depuis 1916 en mer Baltique.

Coulé par un sous-marin allemand, le navire transportait une cargaison de cinq mille bouteilles de champagne destinée au tsar russe et à ses troupes assoiffées. Préservé par la température de l'eau, le breuvage pétillant a bénéficié, selon les spécialistes, de conditions de conservation exceptionnelles qui lui donnent le goût d'un champagne qui ne serait vieux que de dix ans.

Nous étions convenus de laisser passer quelques mois avant de nous revoir.

Nous avions pris beaucoup de risques ces derniers temps et être arrivés sans dommage au bout de cette enquête tenait déjà du miracle. Inutile donc de tenter le diable en s'exposant à la curiosité de quelque journaliste ou flic un peu trop fureteur.

Les mois avaient passé et, hormis la lettre de Barbara, je n'avais eu de nouvelles personnelles ni de Vittorio, ni de Magnus, ni de Mélanie, pas plus d'ailleurs qu'ils n'en avaient eu de moi.

Il ne se déroulait pourtant pas de journée sans que je repense à eux et, plusieurs fois, je fus tenté de décrocher mon téléphone pour les appeler. Mais avaient-ils vraiment envie que je le fasse ?

Nous n'avions peut-être plus rien à nous dire, sans compter que nos vies étaient déjà bien remplies : la santé pour Magnus, la diplomatie pour Vittorio, les plus défavorisés pour Barbara et moi. Et le monde pour Mélanie.

Quelques jours après la lettre de Barbara, j'ai rêvé que nous reconstituions notre équipe de choc. Mélanie nous avait convoqués tous les quatre dans le Bureau ovale pour nous charger d'une mission délicate.

Comme au bon vieux temps, ai-je pensé, c'est agréable de retrouver tout le monde et de repartir sur une nouvelle enquête. À nous quatre, nous formions un petit réseau d'agents secrets en qui elle pouvait avoir confiance. Nous étions les hommes de Pennsylvania Avenue, les hommes de la présidente, *the best and the brightest* [1].

Mais ce n'était qu'un rêve.

Un an s'était écoulé depuis son élection. J'en étais réellement venu à penser que je ne reverrais plus ni Mélanie ni mes amis, lorsque je reçus une invitation à l'en-tête de la Maison-Blanche.

Au-dessus d'un aigle doré entouré d'étoiles, on pouvait lire :

La présidente des États-Unis d'Amérique serait honorée de votre présence au repas de réveillon de Noël.

---

1. « Les meilleurs et les plus brillants » : expression de J.F. Kennedy pour désigner ses plus proches conseillers.

Je crus d'abord à une cérémonie guindée à Washington et m'apprêtais à rédiger un mot d'excuses lorsque je retournai le bristol et lus une adresse désormais familière :

Celia's Castle
Howth
Republic of Ireland

23

Christmas pudding

De Dublin, je pris le train pour Howth. J'arrivai dans le petit port en début d'après-midi, au moment où quelques vieux pêcheurs commençaient à ranger le matériel d'entretien des bateaux. Comme je l'avais fait quinze mois plus tôt, j'empruntai la route en terre qui longe la côte. Il faisait étonnamment beau pour un 24 décembre : le ciel parfaitement limpide permettait pleinement au soleil d'illuminer la surface de l'eau tandis qu'un air vif et sain balayait la côte inondée de lumière. Le plaisir que je prenais à regarder les falaises escarpées et les petites îles rocheuses me rappela le jour où j'étais venu à Howth pour la première fois.

En arrivant au bout de la promenade des Contrebandiers, je retombai sur la route principale qui conduisait au manoir. À travers le portail, c'est avec émotion que j'aperçus l'allée de gravier et la pelouse toujours bien tondue sous laquelle reposaient les cadavres que nous avions enterrés un soir glacial de septembre, il n'y avait pas si longtemps.

Je sonnai plusieurs fois mais toujours sans réponse. J'étais apparemment le seul à être venu si tôt. C'était du moins ce que je me disais lorsqu'un klaxon me tira de ma mélancolie.

Je me retournai et vis Barbara au volant d'un coupé Mercedes Roadster des années 1970. Ses nouvelles fonctions de directrice de l'Institut Mona Lisa ne l'avaient pas fait renoncer à son goût pour les voitures extravagantes. Elle descendit de son bolide couleur mandarine et se planta devant moi en agitant sous mon nez un petit trousseau de clés.

— J'ai le sésame, dit-elle en adoptant l'air gentiment persifleur qui collait si bien à sa personnalité. J'ai croisé Rose qui terminait ses courses de Noël au village.

Elle avait laissé pousser ses cheveux et portait désormais de minuscules lunettes à monture en acier.

Je la serrai dans mes bras, respirant l'odeur de lavande de sa chevelure.

Elle redressa la tête pour me regarder dans les yeux.

— Heureuse de te revoir, Théo.

Un crissement de pneus m'empêcha de lui répondre. Au volant d'un petit camion, deux gars du village nous faisaient signe d'ouvrir le portail : ils avaient été mandatés par Rose pour livrer un sapin haut comme ceux que l'on trouve à l'entrée des grands magasins et que l'on rêve d'avoir chez soi lorsqu'on est gosse.

Rose arriva un moment plus tard. Après l'avoir embrassée, je l'aidai à décharger son Austin Mini chargée de victuailles.

Une fois à la cuisine, je me proposai de lui donner un coup de main pour les derniers préparatifs du repas, mais l'Irlandaise me mit dehors en disant que je ne ferais que la gêner.

— Ne t'en fais pas, elle m'a dit la même chose, me confia Barbara comme pour me rassurer. Aide-moi plutôt à décorer le sapin.

— Oui, mais pour toi, ça se comprend : tu es une piètre cuisinière.

— Tandis que toi, tu es un cuisinier exceptionnel...

— Parfaitement. Souviens-toi de mon gratin de potiron à New York.

— Ha ha ha !

— Quoi ?

— Rien, il était délicieux, dit-elle en m'embrassant sur la joue.

Mais je voyais bien qu'elle disait cela pour me faire plaisir.

Nous passâmes une bonne partie de l'après-midi à décorer la maison dans un étrange silence, un peu comme si l'éloignement et nos confessions épistolaires nous avaient rendus plus réservés, nous qui, autrefois, ne restions jamais plus de dix minutes sans nous disputer.

Après avoir accroché des branches de houx aux cadres et aux miroirs, je montai sur une commode pour suspendre une grosse boule de gui. Ainsi surélevé, j'étais à la même hauteur que Barbara qui, perchée sur un escabeau quelques mètres plus loin, était en train d'accrocher une étoile en argent sur une haute branche.

Je dis simplement :

— J'ai adoré ta lettre.

Elle essaya de sourire, mais sans me regarder. Je vis que ses yeux brillaient et j'osai m'avouer ce qu'inconsciemment je savais depuis des mois : j'étais de nouveau amoureux.

En début de soirée, les préparatifs touchant à leur fin, nous réussîmes à arracher à Rose le droit de confectionner nous-mêmes l'apéritif. Barbara opta pour une spécialité américaine, le traditionnel *egg nog*, un breuvage riche et consistant, à base de rhum et de crème.

Je me chargeai de battre les blancs d'œufs en neige tandis qu'elle mélangeait les jaunes avec du sucre, du lait et du rhum. Nous étions en train de rassembler tous ces ingrédients dans un grand bol en verre lorsqu'un employé de l'US Postal livra une caisse en bois adressée à mon nom. Ravi de recevoir le paquet que j'attendais, je donnai un large pourboire au livreur et mis la caisse sous le sapin. Barbara eut une intuition :

— C'était donc toi !

La présidente, le secrétaire d'État à la Santé et le sous-secrétaire général des Nations unies arrivèrent par hélicoptère à 19 h 18. Après quelques tâtonnements, l'hélico présidentiel se posa au milieu de la pelouse. Magnus fut le premier à en descendre, suivi de Vittorio et de Mélanie qui, déjà, essayait de convaincre les gardes du corps et le pilote de retourner à l'aéroport et de la laisser passer Noël avec ses amis dans une relative intimité.

À peine avait-il posé un pied sur la pelouse que Magnus se jetait dans mes bras.

— Joyeux Noël, assistant! me lança-t-il.

— Joyeux Noël, monsieur le secrétaire d'État!

Je serrai la main de Vittorio avec effusion. Barbara et Mélanie s'embrassèrent également de bon cœur et sans arrière-pensées. Nous étions réellement heureux de nous retrouver.

Seule ombre au tableau, les cinq gardes du corps n'étaient pas décidés à nous laisser en paix. Deux se mirent en faction devant la porte d'entrée, le troisième monta la garde devant l'hélicoptère et les deux autres nous suivirent dans la maison.

En entrant dans le salon, tout le monde applaudit pour remercier Rose. Près du sapin illuminé, la table recouverte d'une nappe en dentelle croulait littéralement sous les victuailles. Au centre, la grande casserole de soupe aux huîtres était entourée par une quinzaine de petites tartelettes au *mincemeat* et par une énorme dinde.

Vittorio sabra la première bouteille de champagne.

— Qu'est-ce que c'est? chuchota Gemereck à mon oreille, en désignant la caisse en bois près du sapin.

— Peut-être un cadeau du père Noël, répondis-je en gardant mon sérieux...

— Pour... pour moi ?

— Sans doute ; nous sommes chez vous, non ?

Il attrapa un couteau, chaussa ses demi-lunes et s'en alla faire sauter le couvercle de la boîte.

— Incroyable, murmura-t-il en soulevant avec émotion une des bouteilles de château-margaux.

— Ce sont les trois bouteilles de Conan Doyle, précisai-je en le rejoignant.

— Je vois, fit-il tout bas, je vois. Ce sont des bouteilles d'anthologie : 1900 fut une année grandiose pour les vins.

— On dit que c'est le millésime de l'excellence absolue, affirmai-je fièrement.

— C'est vrai, répondit le connaisseur tout en continuant à caresser une des étiquettes. Une année d'une éblouissante richesse dont il ne reste que très peu de bouteilles.

— Ce sont des pièces de collection, prévins-je, il ne faut pas les boire mais les conserver.

— Ah bon ?... euh, oui... bien sûr... évidemment, finit-il par admettre sans cacher pour autant son désappointement.

Pour se rassasier, il repartit vers la table et, lui qui n'oubliait pas ses origines, se jeta prioritairement sur un plateau couvert de caviar, de blinis et d'une bouteille de vodka.

— Sans doute ce que la Russie fait de meilleur en ce moment ! cria-t-il en avalant une pleine louche de petits œufs gris acier.

— Qu'en est-il des vertus aphrodisiaques des œufs d'esturgeon, Magnus ? demanda Barbara pour le taquiner.

— Elles sont incontestables, miss Weber ! répondit-il en avalant cul sec un petit verre de vodka glacée.

À son tour, Mélanie étala soigneusement une fine couche de crème fraîche sur un blini qu'elle recouvrit ensuite de grains dodus de béluga. Mais juste avant qu'elle ne morde dedans, l'un des gardes du corps s'approcha et lui posa une main sur l'avant-bras en lui demandant de reposer cette nourriture qui n'avait pas été contrôlée.

— *Mangia ! mangia !* fit Vittorio au garde pour l'inciter à laisser tomber cette affaire et à se régaler lui aussi avec le caviar.

Mais celui-ci ne voulut rien savoir : il était payé pour protéger la présidente et rien ne pouvait le faire dévier de sa mission.

Magnus regarda le garde avec exaspération et, pendant un instant, je crus réellement qu'il allait le faire passer à travers la porte-fenêtre. Puis il poussa un long soupir et sembla se rappeler qu'il était secrétaire d'État et qu'un tel acte risquait de se transformer en scandale politique et de l'obliger à démissionner.

— Ne vous en faites pas, dit Mélanie avec philoso-phie, c'est à cette condition que j'ai pu être là ce soir, mais j'ai tout prévu.

Elle prononça quelques mots à l'oreille du garde qui partit immédiatement chercher quelque chose dans l'hélicoptère. Moins d'une minute plus tard, celui-ci posa sur la table une petite valise en acier aux insignes de la Maison-Blanche. Mélanie brisa les scellés apposés sur la valise et l'ouvrit avec précaution.

— Plutonium ? demanda Magnus en s'approchant prudemment.

— *Plum pudding !* répondit-elle en éclatant de rire. Contrôlé et approuvé par les goûteurs officiels de Washington. Les cuisiniers de la Maison-Blanche ont commencé à le préparer il y a dix mois, mais j'y ai ajouté une touche personnelle.

— Chaud devant ! hurla Gemereck en arrivant avec une petite casserole de beurre de brandy qu'il venait de faire chauffer.

Ce fut à moi que revint l'honneur de flamber le gâteau et, comme le veut le rituel, chaque convive en reçut une tranche avec une petite flamme dansante pour formuler un souhait avant qu'elle ne s'éteigne. Je fis le vœu que ce souper ne soit pas le dernier que nous partagerions ensemble.

La tradition fut respectée jusqu'au bout : cinq petits objets se trouvaient bien dans le gâteau. Le bouton de culotte censé désigner le vieux garçon revint à Vittorio, le dé de la vieille fille à Mélanie et le petit cochon qui détermine généralement le goinfre de la tablée échut sans surprise à Magnus. Quant aux deux bagues censées apporter l'amour, elles se trouvaient comme par magie dans la part de Barbara et la mienne.

— Vous remarquerez que rien n'y manque, dit fièrement la présidente en énumérant les différents ingrédients : raisins de Corinthe, de Smyrne et de Málaga, amandes, fruits confits, gingembre, cassonade…

— Tu n'as pas oublié le gras au moins ? s'inquiéta Magnus entre deux bouchées.

— Bien sûr que non, répondit-elle, vexée. Nous avons mis au moins cinq cents grammes de graisse de rognons de bœuf.

À ces mots, Vittorio se précipita vers la porte pour vomir dans le jardin.

— Fameux, n'est-ce pas ? me confia Magnus alors que le prêtre régurgitait une bonne part de son repas. Y a pas à dire, côté bouffe, le pudding est ce que les Anglais savent faire de mieux.

— Avec le stilton…

— Foutaises ! cria Vittorio en revenant dans la salle. Rien ne vaut un bon *panettone* fourré de crème glacée et arrosé de sauce au mascarpone !

Ce qui se passa ensuite ne fut pas prémédité.

— Prenez donc un morceau de dinde et allez en porter une part à vos collègues, proposa Barbara à l'un des gardes du corps, qui dévorait des yeux notre volaille farcie.

— Prenez aussi une tranche de pudding, dis-je négligemment à l'autre molosse qui, lui aussi, devait commencer à saliver à force de nous entendre disserter sur la nourriture.

Les bras chargés de victuailles, les deux gardes s'en allèrent ravitailler leurs collègues.

Magnus se retourna alors vers Mélanie.

— Tu sais à quoi je pense ? demanda-t-il en clignant de l'œil.

— Tu penses que l'occasion est trop belle ! répondit-elle du tac au tac.

Dans un même élan, ils se précipitèrent pour fermer les portes à clé.

Magnus s'en alla tirer les rideaux tandis que les gardes, pris au piège, tambourinaient à la porte d'entrée. Puis il se dirigea vers le pied du sapin et, un large sourire aux lèvres, dit exactement ce que j'attendais :

— Alors les enfants, maintenant que nous sommes entre nous, pourquoi ne pas déboucher une ou deux bouteilles du père Conan Doyle ?

Le réveillon pouvait commencer.

Ce fut une soirée mémorable.

Nous passâmes la nuit à déguster des grands crus en écoutant de vieux standards de rock en vinyle sur un électrophone d'avant ma naissance. J'avais mis quelques bûches dans la cheminée et, pour le plaisir de tous, un beau feu pétilla devant nos yeux pendant la plus grande partie de la nuit.

Comme à l'époque héroïque, nous écoutâmes Magnus philosopher avec brio sur le miracle du vin. Après quelques verres, Vittorio dansa un rock endiablé avec la présidente des États-Unis. Barbara préféra s'allonger sur son divan fétiche et se réchauffer les jambes près de l'âtre. Pendant que les flammes dansaient dans la cheminée, je regardai nos cinq ombres mêlées qui tremblaient sur les murs.

À 5 heures du matin, Mélanie rappela les gardes du corps et le pilote qui, à tour de rôle, avaient fini par taper un somme dans l'hélicoptère. Elle proposa à chacun de nous de profiter d'*Air Force One* pour rejoindre New York.

Je déclinai la proposition en prétextant quelques affaires à régler avant de regagner Boston. C'était un mensonge : j'espérais en réalité pouvoir passer encore un moment avec Barbara. Malheureusement, les trois autres acceptèrent.

Nous sortîmes tous les cinq dans la nuit froide de décembre.

Mélanie me salua brièvement et entra la première dans l'hélicoptère.

Magnus, Barbara et Vittorio ne semblaient pas pressés de pénétrer dans le cockpit. Nous nous sommes embrassés très fort tous les quatre, sans savoir si nous nous reverrions jamais. Chacun promit de ne jamais laisser ses occupations nous éloigner les uns des autres tout en sachant que ce serait difficile.

Jamais je n'oublierai ce moment.

Les pales qui tournaient bruyamment mirent rapidement fin à nos effusions et c'est le cœur serré que je regardai mes trois amis s'engouffrer dans l'hélicoptère présidentiel.

Puis je descendis sans plus attendre vers la plage par les rochers, en suivant d'un œil mélancolique l'hélicoptère qui volait vers Dublin et en repensant à ce que m'avait dit Vittorio plus d'un an auparavant : « *Noi non potemo avere perfetta vita senza amici.* » Il avait raison ; il est difficile d'avoir une vie harmonieuse sans amis.

De nouveau seul, je regardai pendant un moment la mer qui brillait sous un ciel dégagé et je persistais à trouver cette nuit magnifique, bien que je n'eusse personne avec qui la partager.

C'est alors que je vis la silhouette de Barbara se détacher sur les rochers.

Elle me rejoignit sur la plage, s'approcha de moi et je vis l'éclat de la lune qui caressait délicatement son visage. Elle souriait. Je ne l'avais jamais vue aussi confiante, aussi sereine.

— Tu... tu n'es pas partie ? demandai-je en essayant de cacher ma satisfaction.

— Non, tu vois. J'avais... l'impression que nous ne nous étions pas tout dit.

Cette fois, je ne laissai pas le silence s'installer entre nous.

— Tu sais, ça va peut-être te sembler bizarre mais...

Skidamarink

— Mais ?
— Je crois être celui qu'il te faut.
Elle me prit la main et répondit simplement :
— Ça fait longtemps que je l'avais deviné.
C'était deux secondes avant notre premier baiser.

ÉPILOGUE

World Network Television
Flash spécial d'informations
2 septembre 2006

Mesdames et messieurs, bonsoir.

Deux ans jour pour jour après sa disparition, *La Joconde*, enfin restaurée, a regagné ce soir son écrin de verre dans le plus célèbre des musées du monde.

Pour fêter l'événement, le gouvernement français avait organisé une soirée officielle à laquelle, bien sûr, a participé notre présidente, Mélanie Anderson, actuellement en visite en Europe. En plus des présidents français et américain, une petite trentaine d'invités prestigieux ont eu la chance de pouvoir admirer le tableau avant l'ouverture au public prévue demain.

(Des images du tableau et des différentes personnalités présentes défilent sur l'écran.)

Vous pouvez apercevoir ici James Taylor, l'ambassadeur des États-Unis à Paris, ou encore le sous-secrétaire de l'ONU, le très médiatique Vittorio Carosa.

Présents également, ceux que l'on surnomme les « bons Samaritains » de l'Amérique : Barbara et Théo McCoyle, qui nous ont confié attendre un heureux événement pour le mois prochain.

Quant à la présidente Anderson, elle était accompagnée de son ministre de la Santé, Magnus Gemereck, qui est aussi l'un de ses plus proches conseillers.

Après deux années d'inquiétude et de doute quant au devenir de l'œuvre d'art préférée des Occidentaux, tout le monde est à présent rassuré et notre histoire a trouvé ce soir un épilogue heureux.

Paris, Caroline Weston
pour World Network Television

Alors que tout le monde désertait la salle des États dans laquelle *La Joconde* avait repris sa place au milieu des chefs-d'œuvre de Véronèse, Raphaël et Titien, quatre invités s'attardèrent un peu devant le tableau.

Tous ressentirent un petit pincement au cœur en se disant que, deux ans auparavant, un soir d'automne à Manhattan, ils avaient eux-mêmes tenu Lisa entre les mains et qu'ils l'avaient trouvée belle.

SOUVENIRS

Guillaume Musso, la peur n'attend pas le nombre des années

Dans la famille Musso, on connaissait la mère, Paulette, ancienne bibliothécaire, le père, Marc, ex-secrétaire général de l'hôtel de ville et voici que les Journées du livre méditerranéen nous présentent le fils, Guillaume. Bien qu'il ait grandi à Antibes, c'est du côté de Metz que ce jeune homme souriant de 27 ans vit et enseigne aujourd'hui les sciences économiques au lycée et à l'université.

Et s'il est de retour ce week-end au bercail, ce n'est pas seulement pour passer deux jours avec papa et maman dont il se dit « très fier ». C'est aussi pour présenter, en avant-première, un pavé de 400 pages dont il n'est pas moins fier.

Un « thriller » haletant

Le titre est imprononçable, *Skidamarink*, l'éditeur est prestigieux, Anne-Carrière, et Guillaume est aux anges :

« c'est mon premier bouquin alors je suis un peu ému. C'est le résultat d'une passion qui est née dans les jupons de ma mère. Quand mes copains allaient à la plage, moi, je l'accompagnais à la bibliothèque. Depuis, je n'ai cessé d'écrire ». Et d'imaginer des thrillers haletant à la Cornwell ou Grangé.

« Je bâtis mes histoires comme un scénario de film, révèle-t-il. J'écris de manière séquentielle, nerveuse en prenant soin aux teasers, pour ménager le suspense et attiser la curiosité du lecteur ». Car ce dernier a fort à faire. Il doit démêler un écheveau hallucinant : la Joconde est volée et découpée en quatre parties. Sur chaque morceau, une citation. Et partout, l'ingéniosité précoce de Guillaume qui transpire.

F. M.

❑ *Skidamarink* de Guillaume Musso aux éditions Anne-Carrière, Paris, 2001, 400 pp. 130 F.

Guillaume Musso : « Je bâtis mes histoires comme un scénario de film. »
(Photo B. P.)

Article paru dans *Nice Matin*
le 13 mai 2001, sous le titre :
**Guillaume Musso, la peur n'attend pas
le nombre des années**

Dans la famille Musso, on connaissait la mère, Paulette, ancienne bibliothécaire, le père, Marc, ex-secrétaire général de l'hôtel de ville et voici que les Journées du livre méditerranéen nous présentent le fils, Guillaume. Bien qu'il ait grandi à Antibes, c'est du côté de Metz que ce jeune homme souriant de 27 ans vit et enseigne aujourd'hui les sciences économiques au lycée et à l'université.

Et s'il est de retour ce week-end au bercail, ce n'est pas seulement pour passer deux jours avec papa et maman dont il se dit « très fier ». C'est aussi pour présenter, en avant-première, un pavé de 400 pages dont il n'est pas moins fier.

Un « thriller » haletant

Le titre est imprononçable, *Skidamarink*, l'éditeur est prestigieux, Anne-Carrière, et Guillaume est aux anges : « c'est mon premier bouquin alors je suis un peu ému. C'est le résultat d'une passion qui est née dans les jupons de ma mère. Quand mes copains allaient à la plage, moi, je l'accompagnais à la bibliothèque. Depuis, je n'ai cessé d'écrire ».

Et d'imaginer des thrillers haletant à la Cornwell ou Grangé.

« Je bâtis mes histoires comme un scénario de film, révèle-t-il. J›écris de manière séquentielle, nerveuse en prenant soin aux teasers, pour ménager le suspense et attiser la curiosité du lecteur ». Car ce dernier a fort à faire. Il doit démêler un écheveau hallucinant : la Joconde est volée et découpée en quatre parties. Sur chaque morceau, une citation. Et partout, l›ingéniosité précoce de Guillaume qui transpire.

F. M.

★

Article paru dans *Le Soir* le 8 juin 2001, signé Alain Lallemand, sous le titre : **Qui veut la peau de la Joconde ?**

C'est un premier roman – Guillaume Musso est un jeune professeur de sciences économiques de 27 ans – et déjà, dans son registre, une petite merveille : « Skidamarink », du nom d›une ballade anglo-saxonne pour enfants, se situe dans un futur extrêmement proche, en septembre 2004. Où ? Partout dans le monde développé, en fait, lequel subit le joug de l›empire informatique de Bill S., patron de la multinationale MicroGlobal. Vous savez, ce multimilliardaire américain et arrogant qui fit fortune en assemblant des PC dans son garage…

Deux événements pourtant cadrent le contexte géographique du propos : d'une part, le portrait de la Joconde disparaît mystérieusement des cimaises du Louvres, est saccagé puis expédié par morceaux à quatre personnes que rien ne semble réunir. D'autre part, Bill S. est enlevé et meurt dans sa geôle d'Amérique latine. Un premier décès, auquel répond un premier morceau de la toile de Vinci.

La logique veut que s'enclenche à ce moment un compte à rebours implacable : quelles seront les trois prochaines victimes, qui recevra les fragments du sourire de Mona Lisa ?

Plongé dans un scénario qui sent a priori le Barnum, le lecteur se laissera séduire par l'accumulation des qualités romanesques. La trame globale est celle d'une introspection sur le plan moral des quatre piliers, tout à la fois dynamiques et déviants, de notre société occidentale, couplée aux bilans de vie des quatre dépositaires des fragments de la toile italienne. Ce premier ressort philosophique est renforcé par l'accumulation de quatre énigmes : énigmes de vie, énigmes morales. Mais qui a réuni ce quatuor inattendu ? C'est la troisième épice qui complète parfaitement l'œuvre : la présence ininterrompue du thriller, du souffle haletant du suspense.

Jetez les dix dernières pages, le reste est de la dynamite à manipuler avec soin : notre société libérale en prend pour son grade.

*

Article paru dans *Le Figaro littéraire*
le 30 juillet 2013, signé Blaise de Chabalier,
dans la série « Leur premier roman », sous le titre :
**Guillaume Musso, un *Da Vinci Code*
avant l'heure**

Extraits.

Qui a lu *Skidamarink*, le premier roman de Guillaume Musso ? À vrai dire, pas grand monde... Normal puisque ce livre, tiré à seulement 3 000 exemplaires à sa sortie en 2001, aux éditions Anne Carrière, ne fut jamais réédité par la suite. Dommage parce qu'avec ce thriller aux allures de jeu de piste et aux faux airs du *Da Vinci Code* - qui n'avait pas encore été écrit - l'auteur fut bien accueilli par les libraires et par la presse. Même si le succès commercial ne fut pas au rendez-vous. Quant aux lecteurs qui aujourd'hui souhaitent malgré tout lire ce livre dont les stocks sont épuisés, ils surfent sur Internet où le prix d'un seul volume s'envole jusqu'à 300 euros. Quand la fièvre des collectionneurs et la passion des inconditionnels de l'écrivain devenu le plus gros vendeur de romans en France se mêlent...

Une question brûle les lèvres : quand Guillaume Musso va-t-il enfin rééditer son premier ouvrage ? (...) Autre interrogation : pourquoi diable une si longue attente alors que les inconditionnels de l'auteur à succès piaffent d'impatience ? « Il faut bien comprendre, précise Musso, que je sors un roman par an depuis 2004. Je suis donc totalement absorbé par l'écriture, par le présent, et je n'ai simplement pas eu le temps pour l'instant de m'occuper d'un livre paru il y a maintenant douze ans. »

Reste que l'auteur a sérieusement réfléchi ces derniers temps à ressortir le roman. « Dans un premier temps, je pensais le réécrire, une idée que j'ai finalement abandonnée », affirme l'écrivain. Il effectuera tout de même une correction. Il imagine en effet dans *Skidamarink* que la Joconde a été volée et la toile découpée en morceaux, or le fameux tableau de Léonard de Vinci est une peinture sur bois... « C'est une erreur de jeunesse. C'est quelqu'un de ma famille qui me l'a rapidement signalée à la sortie du livre. Ce sera modifié dans la réédition. » L'écrivain souligne qu'à l'époque, Internet n'était pas très développé et qu'il ne s'était pas suffisamment documenté. Il précise dans un sourire qu'il s'est renseigné depuis et qu'il sait désormais que « la *Joconde* a été peinte sur du bois de peuplier ». Il ajoute qu'aujourd'hui il ne commettrait plus ce genre de bévue : « J'ai acquis de l'expérience, du savoir-faire. »

SKIDAMARINK

Mais sur le fond, le romancier qui a relu avec plaisir son livre il y a peu avoue être fier de son travail : « L'histoire me tient toujours particulièrement à cœur. » L'intrigue se situe dans un futur proche, en 2004. Tout commence par le vol de la Joconde et l'enlèvement de George Steiner, président de MicroGlobal, une multinationale de l'informatique. Pour mener l'enquête, quatre personnages : un généticien, un avocat, un prêtre et une femme d'affaires. Chacun d'eux reçoit un morceau du chef-d'œuvre, avec un message leur demandant de se rendre dans une église en Toscane. À partir de là, un jeu de piste se met en place. L'occasion pour Guillaume Musso de signer un roman engagé, militant même, qui dénonce les dérives de la mondialisation ou encore les dangers potentiels de la génétique.

Table

Préface à la nouvelle édition..7

I. AU SOLEIL DE TOSCANE

1. Portrait de femme...19
2. Quatuor...29
3. Spaghetti alla napoletana..47
4. Curriculum vitae..71
5. Elle...95
6. Maumy..107
7. Le contrat...123
8. Génie génétique...143

II. DANS LA BAIE DE DUBLIN

9. Abracadabra..159
10. Nuit d'ivresse...179
11. Skidamarink..205
12. Fighting spirit...225
13. L'enterrement au clair de lune..241

III. AMERICA, AMERICA

14. Romance à Manhattan 261
15. Le laboratoire 273
16. Tambour battant 293
17. La piscine 305
18. Révélations (1) 325
19. Révélations (2) 347

IV. ICEBERG

20. Islande 369
21. Staccato 387
22. Une femme d'honneur 399
23. Christmas pudding 415

ÉPILOGUE 429

Souvenirs 435

DU MÊME AUTEUR

SKIDAMARINK, Anne Carrière, 2001
ET APRÈS…, XO Éditions, 2004, Pocket, 2005
SAUVE-MOI, XO Éditions, 2005, Pocket, 2006
SERAS-TU LÀ ?, XO Éditions, 2006, Pocket, 2007
PARCE QUE JE T'AIME, XO Éditions, 2007, Pocket, 2008
JE REVIENS TE CHERCHER, XO Éditions, 2008, Pocket, 2009
QUE SERAIS-JE SANS TOI ?, XO Éditions, 2009, Pocket, 2010
LA FILLE DE PAPIER, XO Éditions, 2010, Pocket, 2011
L'APPEL DE L'ANGE, XO Éditions, 2011, Pocket, 2012
SEPT ANS APRÈS…, XO Éditions, 2012, Pocket, 2013
DEMAIN…, XO Éditions, 2013, Pocket, 2014
CENTRAL PARK, XO Éditions, 2014, Pocket, 2015
L'INSTANT PRÉSENT, XO Éditions, 2015, Pocket, 2016
LA FILLE DE BROOKLYN, XO Éditions, 2016, Pocket, 2017
UN APPARTEMENT À PARIS, XO Éditions, 2017, Pocket, 2018
LA JEUNE FILLE ET LA NUIT, Calmann-Lévy, 2018, Le Livre de Poche, 2019
LA VIE SECRÈTE DES ÉCRIVAINS, Calmann-Lévy, 2019, Le Livre de Poche, 2020
LA VIE EST UN ROMAN, Calmann-Lévy, 2020

Achevé d'imprimer au Canada
par Marquis Imprimeur
en septembre 2020

Pour le compte des éditions CALMANN-LÉVY
21, rue du Montparnasse – 75006 Paris
N° éditeur : 8338807/01
Dépôt légal : septembre 2020